UN ÉTÉ SUFFOCANT

DU MÊME AUTEUR

L'Automne des étrangers, Belfond, 1999, et Pocket, 2003
Le Cinquième Secret, Belfond, 2001, et Pocket, 2004
Pour l'amour de Carla, Belfond, 2002, et Pocket, 2005

JOANNA HINES

UN ÉTÉ SUFFOCANT

Traduit de l'anglais
par Florence Hertz

belfond
12, avenue d'Italie
75013 Paris

Titre original :
SURFACE TENSION
publié par Simon & Schuster UK Ltd, Londres

Si vous souhaitez recevoir notre catalogue
et être tenu au courant de nos publications,
vous pouvez consulter notre site internet :
www.belfond.fr
ou envoyer vos nom et adresse
aux Éditions Belfond,
12, avenue d'Italie, 75013 Paris.
Et, pour le Canada,
à Interforum Canada Inc.,
1050, bd René-Lévesque-Est,
Bureau 100,
Montréal, Québec, H2L 2L6.

ISBN 2-7144-3959-4

À Hilary, Luke et Sam

Cette année-là

Août 1976

Cet été-là, la verdoyante campagne anglaise se mit à jaunir comme un parchemin. Les rivières, réduites à des filets d'eau, s'asséchèrent peu à peu. Les parois des réservoirs vides étaient nues et fendillées comme de la peau d'éléphant. Le soleil s'acharna jour après jour dans un ciel tout bleu, pendant des semaines, puis des mois.

C'était l'été 1976, l'été de la sécheresse.

Pour les six amis qui avaient élu domicile dans les hautes pièces de Grays Orchard, ces journées de chaleur ne furent qu'une longue partie de plaisir. Autour de la maison, des couvertures et des oreillers jonchaient en permanence les pelouses brûlées, et le hamac tendu entre deux pommiers restait rarement vide. La nuit, allongés sur le dos dans l'herbe, ils scrutaient le firmament pour voir les étoiles filantes.

Un jour de la fin d'août, par une matinée nimbée d'or, comme elles l'étaient toutes en cet été interminable, Gus Ridley s'éveilla tard. L'air qui entrait par la fenêtre ouverte sentait bon le pollen et le foin.

Un murmure de voix montait du dehors, et, au loin, on entendait le bourdonnement régulier de la moissonneuse-batteuse. Encore une magnifique journée.

Gus posa les pieds sur le plancher et resta accroupi un instant au bord du grand matelas qu'il partageait le plus souvent avec Katie. Il passa les doigts dans sa tignasse sombre ébouriffée, puis il toussa, attrapa le paquet posé près de la lampe d'architecte et en délogea la première cigarette de la journée. Ayant enfilé un vieux short usé, il descendit pieds nus à la cuisine, où il brancha la bouilloire électrique et prit un énorme bocal de Nescafé, dont il versa quelques cuillerées dans un mug. Sur la table s'empilaient des tomates et des pommes de terre nouvelles ; Pauline avait profité de la fraîcheur du petit matin pour travailler au potager.

Il se dirigea vers la porte, voulant sortir pour rejoindre les autres sur la pelouse, mais il changea d'avis et battit en retraite, restant dans l'ombre fraîche de la maison. Aujourd'hui, il avait envie de voir sans être vu.

Sans bruit, il passa de pièce en pièce, s'arrêtant aux fenêtres pour observer le groupe installé sur l'herbe. Il essaya le grand salon, le petit salon, la bibliothèque, le fumoir, la salle à manger – de bien grands mots pour des pièces aux fonctions interchangeables, puisqu'elles étaient aussi dépourvues de meubles les unes que les autres. Quelques coussins dans certaines, un vieux fauteuil, une table branlante. Une pile de magazines ou une assiette salie par des reliefs de repas desséchés. La pièce la plus utilisée était le petit salon, avec son électrophone posé par terre dans un coin à côté d'un amoncellement de disques.

Gus adorait ces pièces vides ; il aimait la pureté de leurs échos et les colonnes de poussière qui tourbillonnaient dans les rayons du soleil. Mais son amour pour la maison de Grays Orchard, et pour tout ce qu'elle représentait, pesait lourd dans son cœur maintenant qu'il savait que leur temps y était compté.

Il jeta dans la cheminée son mégot, qui s'accrocha à une toile d'araignée et resta suspendu au-dessus d'un tas de cendres et de cigarettes écrasées, puis il remonta. Du bow-window, il contempla de nouveau le groupe sur la pelouse.

Raymond, comme à son habitude, était assis un peu à l'écart. Pieds posés sur les cuisses, en position du lotus, il ressemblait à un petit dieu indien avec ses cheveux noirs et ses traits délicats. Avec Raymond, Gus ne discernait jamais clairement où se situait la limite entre jeu et réalité, et il soupçonnait que Raymond lui-même n'était pas bien fixé à ce sujet.

Le groupe gravitait autour de Katie et de Harriet. Bien entendu. Deux femmes aussi belles ne pouvaient que polariser l'attention partout où elles se trouvaient. Les cheveux bruns de Harriet avaient éclairci au soleil. Elle était grande, puissante et majestueuse – Gus avait toujours envie de la peindre en guerrière ou en archer. Boadicée avait dû ressembler à Harriet, songea-t-il. Boadicée en robe à fleurs. Par contraste, Katie, yeux bleus, rose et blonde sous son chapeau de paille, était l'image même de la féminité. Tandis qu'il les regardait, Katie éclata de rire et se pencha pour appuyer l'oreille sur le ventre de Harriet. Harriet la repoussa gentiment avec un sourire. Trop tôt, devait-elle dire ; c'est bien trop tôt pour sentir le bébé bouger.

De part et d'autre, Pauline et Andrew les contemplaient. Gus savait que, malgré leurs sourires, leur regard restait prudent, réservé.

Il eut un soudain accès de tristesse. Déjà, l'enfant à naître de Harriet était devenu le membre le plus important du groupe. Raymond, assis en tailleur sous son arbre, récitait sans doute un mantra destiné à potentialiser sa puissance spirituelle. Le premier enfant de Grays Orchard. Depuis que la grossesse de Harriet était confirmée, ils passaient tout leur temps libre – et leur loisirs étaient illimités, en ce bel été – à discuter de la façon dont l'enfant devait être élevé. « Pas comme nous », s'accordaient-ils tous à penser. Andrew avait déjà commencé à rassembler du bois afin de fabriquer un berceau, Katie et Harriet discutaient sans fin des prénoms, tandis que Pauline, la pauvre, avait acheté des aiguilles à tricoter et une pelote de laine jaune citron.

Gus en aurait pleuré. Les autres croyaient sincèrement que cet état de grâce durerait toujours ; mais lui, il aurait pu leur dire que leur bonheur allait prendre fin, et que les meilleurs moments étaient déjà passés.

Un peu plus tard, il alla travailler dans son atelier, un espace haut et voûté qui avait servi de grenier à pommes et était encore imprégné de l'odeur acide des fruits. Toutes les toiles de sa prochaine exposition se trouvaient là, appuyées contre les murs, posées sur des chaises et des chevalets. Elles représentaient les membres du groupe de Grays Orchard s'occupant aux activités vaguement pastorales qui leur plaisaient tant : Andrew en train de fendre du bois ; Pauline jetant du grain aux poules brunes ; Harriet sarclant ses légumes.

Sa première exposition, un an plus tôt, avait rencontré un succès phénoménal. Les marchands de tableaux, les galeristes et les collectionneurs s'étaient bousculés pour acquérir les vingt premiers portraits de ses amis à Grays. Le style « Grays Orchard », comme on l'avait nommé. La série avait été jugée « onirique », « envoûtante » et « lumineuse ».

S'il l'avait pu, Gus aurait racheté ses toiles jusqu'à la dernière pour les détruire. La luminosité qui avait tant enchanté le public était factice, il s'en rendait compte, à présent.

Se reculant, il ferma les yeux à demi pour examiner le tableau posé sur le chevalet. Il remontait au printemps : une silhouette allongée dans le hamac, environnée d'un nuage scintillant de fleurs de pommier d'où jaillissait un rayonnement éblouissant. Une cascade de lumière.

Un mensonge pervers.

Il prit un pinceau doux et le chargea de peinture étendue d'eau, comme un gros bourdon s'alourdit de pollen. Puis, se concentrant intensément, il commença à appliquer les ombres.

Un malheur allait arriver. Il ne savait ni comment ni quand, mais ils n'y échapperaient pas.

C'était inévitable.

1

Leurs visages se matérialisèrent soudain dans le brouillard, telle une photo saisie sur le vif dans la grisaille. La fille n'était pas du tout comme je me l'étais imaginée, mais je sus aussitôt que c'était elle.

Elle semblait plus jeune que son âge, et aurait pu facilement passer pour une gamine de dix-sept ou dix-huit ans, alors qu'elle avait la vingtaine. Ses cheveux, blonds et raides, étaient sans éclat, son corps maigre disparaissait sous plusieurs couches de vêtements. Elle avait les traits tirés et un visage anguleux qui aurait pu être agréable si elle avait souri, ce qui n'était pas le cas. En fait, son expression était glaciale.

Et elle s'apprêtait à entrer au Turk's Head avec mon mari.

La circulation dans la grand-rue de Sturford s'était presque immobilisée, me donnant tout loisir de les observer. On a toujours une impression étrange quand on aperçoit une personne qu'on connaît bien sans s'y attendre, comme si le cerveau était trompé par l'effet de surprise. Une seconde, on se trouve face à un inconnu. Donc, un bref instant, je vis à la place de Gus un homme de presque cinquante ans, grand et distingué, bien sûr, mais ayant les cheveux fort grisonnants, un visage soucieux, l'air presque hagard, et portant des vêtements négligés. Reconnaissant Gus presque instantanément, je remis mes impressions en ordre pour les faire coïncider avec l'image que j'avais de l'homme que j'aimais : les traits si pleins de caractère – il était beaucoup plus séduisant que bien des hommes deux fois plus jeunes ; la vieille veste en tweed et le pantalon de velours fripé, signes de l'artiste bohème. Après tout, on ne peint pas en costume-cravate. Et son air anxieux n'était guère surprenant : Gus avait des causes de contrariété en ce moment.

Ou plutôt une : Jenny Sayer.

Accueillir cette nièce qu'il n'avait jamais vue n'aurait déjà pas été simple même si elle s'était montrée diplomate, mais de plus elle n'y avait pas mis du sien. D'abord, elle était arrivée d'Australie depuis déjà six mois quand elle l'avait contacté. Ensuite, elle avait refusé notre hospitalité à Grays Orchard, annonçant qu'elle préférait descendre au Travelodge à six kilomètres de chez nous. Et, finalement, deux jours avant son arrivée, qui remontait à la veille, elle avait exigé de voir son oncle seul avant d'accepter d'envisager de me rencontrer.

— Pour qui se prend-elle, nom de Dieu ? s'était exclamé Gus quand la lettre posant ces dernières conditions était arrivée. Elle se conduit comme si nous avions quelque chose à nous reprocher. Je vais lui dire de ne pas venir. Elle nous voit ensemble ou pas du tout, c'est à prendre où à laisser.

Mais je l'avais persuadé de considérer la situation de son point de vue à elle. Cela devait déjà faire peur de rencontrer un oncle qu'on n'avait jamais vu de sa vie, alors que dire quand l'oncle en question était aussi un peintre célèbre. Si elle trouvait cela plus simple, où était le mal ?

— D'accord, avait fini par concéder Gus, qui pourtant aurait préféré bénéficier de mon aide. Accordons-lui cette faveur, alors. Ah ! Carol ! Qu'est-ce que je ferais sans toi ?

Il croyait que je facilitais la visite de cette inconnue par gentillesse, mais j'agissais surtout par curiosité. Jenny établissait un lien avec le passé de Gus. Un passé qui remontait bien avant notre mariage, au temps où j'étais petite fille et où Jenny n'était pas encore née.

J'étais encore coincée dans l'embouteillage quand ils arrivèrent à la porte du Turk's Head. Gus s'effaça devant sa nièce, qui eut l'air de ne pas savoir comment prendre cette marque de courtoisie ; son visage étroit se crispa. Soit elle n'avait pas l'habitude que les hommes la laissent passer devant eux, soit elle voyait en ce geste un signe de condescendance sexiste. Quand il lui prit le bras avec sollicitude, elle se dégagea. Puis, en entrant dans le pub, elle trébucha sur le seuil et Gus dut la rattraper pour l'empêcher de s'étaler de tout son long.

Pauvre Gus ! songeai-je avec pitié, ces retrouvailles n'ont pas l'air de t'amuser beaucoup. Les voitures se remirent à avancer. Je regardai derrière moi l'entrée du Turk's Head. Le grand dos de Gus se découpa dans l'ouverture de la porte du XVIIIe siècle, puis il fut englouti par l'obscurité et disparut à l'intérieur du pub.

Une minute, je songeai à essayer de trouver une place de stationnement pour aller les rejoindre. L'occasion faisant le larron, je ne doutais pas de convaincre Jenny que j'étais son alliée, et Gus apprécierait que je vienne à la rescousse. Je regardai l'heure. Zut ! j'avais promis à Brian d'aller sur le chantier pour recevoir les acheteurs.

Sur la route de Sturford, juste après le rond-point, à l'endroit où la bretelle rejoint la voie principale au niveau du Travelodge et du nouveau supermarché, les voitures reprirent de la vitesse malgré le brouillard qui épaississait. J'allumai mes phares. Devant la miteuse chapelle Elim, une pancarte calligraphiée sur du papier orange fluo proclamait : *Confiez vos problèmes à Jésus : il ne ferme pas l'œil de la nuit.* Cela me fit sourire ; il faudrait que je raconte cela à Gus ce soir. Ce pauvre Jésus, pensai-je, obligé de passer des nuits blanches à écouter des jérémiades. Un instant, j'eus vraiment de la peine pour lui. En tout cas, ce n'était pas moi qui irais l'ennuyer avec mes soucis.

— Quel dommage qu'il y ait du brouillard pour ta première visite à Grays. La maison est tellement belle.

Elle resta de marbre.

— Et alors ? Je m'en fiche. C'est une maison comme une autre, non ? Je ne vois pas ce qu'elle a de spécial.

— Mais je… (Je jetai un coup d'œil à Gus, mais il évita mon regard.) Elle a dû compter beaucoup pour ta mère.

Jenny haussa les épaules.

— Possible, mais ça n'a rien à voir avec moi.

J'étais rentrée depuis à peine vingt minutes et déjà j'étais sur le point de baisser les bras. Normalement, j'arrive à dégeler les invités les plus coriaces, mais Jenny mettait un point d'honneur à résister. La conversation légère n'était de toute évidence pas sa spécialité. Je me demandai quel était le contraire d'une conversation légère – sans doute une conversation lourde –, mais j'eus le sentiment que cela non plus ne conviendrait pas. Comment ne pas plaindre cette pauvre fille qui venait d'Australie pour retrouver ses racines, alors que l'aile de la tragédie planait sur le début de sa vie : il n'était guère surprenant qu'elle trouve ce moment difficile. Sa réticence renforça ma détermination. Plus tard, en me remémorant mes efforts pour bien l'accueillir à Grays Orchard, je me suis souvent demandé s'il fallait en rire ou en pleurer. J'aurais plutôt dû clouer un panneau « DÉFENSE D'ENTRER » en bas du chemin et boucler les portes, mais, bien sûr, je n'en avais rien fait.

Je ne m'arrêtai donc pas là. En mettant le poulet au four, je persévérai.

— Enfin, ce qui compte, c'est que tu sois enfin arrivée. Gus et moi avions peur que tu décides de ne pas venir.

— Effectivement, j'ai hésité, répliqua-t-elle sans une once de chaleur en réponse à mon sourire. Mais les cartes m'ont fait changer d'avis.

— Les cartes ?

— Le tarot ? (Son accent australien effaçait la distinction entre l'affirmatif et l'interrogatif.) Je me suis fait lire l'avenir il y a deux semaines, et la voyante a tiré une combinaison vraiment bizarre. Elle n'y comprenait rien jusqu'à ce que je lui parle de cette maison et de mon père et… enfin, bref, je lui ai tout raconté. Elle m'a dit qu'il était écrit dans les cartes que j'allais venir.

Je me mis à rire.

— Tu ne crois quand même pas à toutes ces bêtises… ?

J'aurais mieux fait de me taire, mais il m'avait semblé préférable d'intervenir avant que Gus ne l'écrase de son scepticisme. À ma grande surprise, il ne réagit pas, se contentant de l'observer, pensif. Voulant me rattraper, j'ajoutai :

— Enfin..., c'est amusant, mais c'est un jeu, ça ne veut rien dire.

— Qu'est-ce que tu en sais ? Pour toi, sous prétexte que ce n'est pas scientifique, ce n'est pas sérieux ! (Elle se tourna vers Gus pour le prendre à témoin.) Et toi, Gus ? Tu ne penses pas que c'est bête, si ? Ton ami Raymond m'aurait comprise, lui. Je parie que vous faisiez tout ça ici, dans le temps : tarot, Yiking, planchette. Non ?

— C'est possible, je ne sais plus. Cette époque est tellement loin.

Jenny eut l'air déçue, ce qui n'avait rien d'étonnant : Gus, bien connu pour se montrer le plus généreux des hôtes, déployait une courtoisie et une politesse excessives. Quand il s'adressait à sa nièce – c'est-à-dire quand il ne pouvait faire autrement –, c'était avec des pincettes et une totale correction, mais en la tenant à distance. La tâche m'incombait donc de la mettre à l'aise.

— Ah ! fis-je remarquer d'un ton léger, Raymond Tucker... Il était un peu curieux, non ? On le voit aux portraits que Gus a peints de lui, tu ne trouves pas, Gus ?

Gus répliqua avec froideur sans même me lancer un coup d'œil.

— Je ne sais pas, Carol. Je ne me suis jamais posé la question.

Réponse parfaitement inepte, et qui, de surcroît, me donnait l'air d'une imbécile.

La situation commençait à m'agacer. Non seulement je me mettais en quatre pour bien accueillir Jenny, mais en plus je me retrouvais à préparer le dîner toute seule. En temps normal, le vendredi soir, Gus m'emmenait au restaurant, ou louait une vidéo, on se faisait des spaghettis et nous restions à la maison. Je travaille dur, et, à la fin de la semaine, j'aime bien me faire un peu dorloter. Mais soit Gus avait oublié quel jour nous étions, soit il était trop perturbé par l'arrivée de cette nièce toute neuve pour se comporter comme d'habitude. De son côté, Jenny n'était à l'évidence pas du genre à proposer son aide. Je lavai donc les légumes et les coupai en essayant de ne pas me sentir exploitée.

— Les cartes parlaient de toi, annonça Jenny à Gus. Enfin, plutôt de toi et de moi, évidemment. (Elle me défia du regard.) Il n'y avait personne d'autre.

— Ah ? fit Gus.

— Et ta mère, elle pense quoi de tout ça ? m'enquis-je.

— On n'en parle pas, jeta Jenny d'un ton sans réplique.

Elle se pencha sur la table de la cuisine pour s'adresser à Gus en me tournant le dos.

— Gus, as-tu encore certains des portraits que tu as faits en ce temps-là ?

— Non. Malheureusement, toutes les toiles ont été vendues lors des deux expositions.

— Pourquoi, « malheureusement » ?

— J'aurais voulu toutes les déchirer.

Jenny retomba contre son dossier, visiblement choquée. Je m'empressai d'intervenir.

— Les deux expositions ont connu un succès retentissant. Le galeriste de Gus dit qu'il aurait pu en vendre cinq fois plus.

Je connaissais ce détail parce que Gus exposait toujours dans la même galerie, et que le propriétaire, Oliver, répétait sans cesse, même s'il devait bien se douter après vingt-cinq ans que cela ne mènerait à rien : « Dommage que vous ne peigniez plus de portraits, Gus. J'aurais pu en vendre cinq fois plus à vos deux premières expositions », ou même davantage, jusqu'à dix fois plus, selon son humeur. Pour finir, Oliver pondérait toujours sa remarque : « Bien entendu, un talent comme le vôtre doit évoluer librement. On ne peut pas s'attendre à ce que vous travailliez sur commande », mais sur un tel ton de regret qu'on comprenait qu'il aurait précisément souhaité le contraire. Les natures mortes et les peintures abstraites que Gus peignait à présent se vendaient bien, mais ce n'était rien comparé à l'engouement qu'avaient suscité les deux premières expositions.

— Tu as dû voir des reproductions, ajoutai-je.

Le visage de Jenny se referma.

— Oui, quelques-unes, dans des magazines, des trucs comme ça, mais c'était il y a longtemps et à l'époque, ça ne m'intéressait pas trop.

— Harriet ne t'a pas montré les catalogues ?

— Peut-être. Je ne sais plus. Elle n'aime pas qu'on lui rappelle cette époque. Ça se comprend.

— Tout de même..., insistai-je en me séchant les mains. Oliver ne s'est pas moqué de Gus pour les catalogues. Il paraît que les collectionneurs se les arrachent. Nous avons les deux. Je vais te les chercher.

Gus se dressa sur ses pieds. Je me dis qu'il allait proposer d'aller les récupérer lui-même, mais, au lieu de cela, il essaya de m'en dissuader.

— Pas maintenant, Carol. Je ne pense pas que ça passionne beaucoup Jenny.

Je crus discerner l'ombre d'un avertissement dans sa voix. Je n'en tins pas compte car je voyais que, bien qu'elle eût préféré mourir plutôt que de l'avouer, Jenny était dévorée par la curiosité.

— Mais bien sûr que si ! m'exclamai-je joyeusement. N'est-ce pas que tu veux les voir, Jenny ?

— Ça m'est égal.

Malgré cette réponse, ses yeux gris trahissaient l'intensité de son intérêt.

— Peut-être demain, insista Gus.

— Non, non, je vais les chercher tout de suite, je sais où ils sont.

Je ne voyais vraiment pas pourquoi Gus ne voulait pas lui montrer les catalogues, et la fureur que je décelai sur son visage en passant près de lui me stupéfia. Je ne me décourageai pas pour autant. Jenny avait beau être désagréable et maladroite, elle avait tout de même le droit de voir les portraits qui avaient – ne fût-ce que brièvement – rendu Gus et ses parents célèbres. Gus souffrait sans doute d'un accès de fausse modestie.

Le brouillard intensifie le silence. Le grenier à pommes, où Gus a installé son atelier, est de l'autre côté de la cour, en face de la cuisine où nous nous tenions ; mais en cette soirée d'avril il me donna l'impression de se trouver à des kilomètres. Dans ce haut bâtiment, le rez-de-chaussée sert de garage et de remise, avec un escalier extérieur montant en diagonale vers la gauche jusqu'à la porte. Il était glissant d'humidité, mouillé par l'eau qui gouttait du toit. On se serait cru en novembre, même les oiseaux se taisaient.

Je poussai la porte de l'atelier et entrai. En pénétrant dans la pièce, je réalisai que je n'y venais presque jamais seule. Je pris mon temps. Jenny ne se formaliserait pas de mon absence et j'appréciais de trouver quelques moments de solitude pour me préparer à la difficile soirée qui s'annonçait. À l'évidence, je n'étais pas au bout de mes peines.

Un grattement – peut-être le bruit d'une souris dans les combles – me fit me retourner brusquement ; allais-je découvrir un membre du groupe de Grays Orchard près de la fenêtre ? Ce genre d'impression me prend parfois par surprise, comme si je saisissais un vieil écho dans l'air. Les fantômes ne sont peut-être que cela, des échos en suspension…

Il m'arrive de me demander s'il est possible d'éprouver de la nostalgie pour une période qu'on n'a jamais connue ; si c'est le cas, alors je crois que je regrette les années où Grays résonnait du bruit des rires, des conversations et des chansons. La maison est trop grande pour Gus et moi, même si nous ne songeons pas à la vendre. Parfois, je m'imagine que j'invite les membres du groupe pour leur montrer à quel point Gus est redevenu heureux avec moi. Je les accueillerais à bras ouverts : Harriet, Raymond et Pauline. Même Katie. Mais pas le père de Jenny. Pas Andrew.

Je me tournai de nouveau vers l'étagère et en descendis les deux catalogues. Le premier était simplement intitulé *Gus Ridley à Grays Orchard*. Sur la couverture figurait un portrait de la mère de Jenny, Harriet, portant une oie blanche au long cou. Même moi, qui n'avais aucune prétention artistique, je comprenais pourquoi la première exposition avait connu un succès aussi énorme. Gus avait représenté ses amis dans leur paradis, vivant leur fantasme bucolique – *Andrew nettoyant sa carabine*, ou *Pauline nourrissant les poules* –, mais en les entourant d'une atmosphère éthérée, surnaturelle, qui excluait toute mièvrerie. Parfois, quand j'exécutais les tâches les plus terre à terre, j'imaginais Gus travaillant à une nouvelle série de portraits : *Carol débouchant la gouttière*, ou *Carol s'endormant devant la télé*. Mais cela ne risquait pas d'arriver, c'était impossible, même si j'aurais pu faire un bon modèle : Gus n'avait plus peint un seul portrait depuis la dissolution du groupe.

La couverture du second catalogue présentait le plus célèbre tableau de Gus : *La Vie selon Katie*. On avait dit qu'il s'agissait de l'un des plus beaux hymnes à l'amour érotique du XXe siècle. Katie avait manifestement été fort belle, et elle et Gus avaient dû être très amoureux. À tel point, même, que Gus n'avait jamais réussi à recréer de lien fort avec une autre femme jusqu'à notre rencontre.

Sa deuxième exposition s'appelait *Une ombre sur l'Éden*, un titre très explicite. La lumière était différente dans ces toiles. On y lisait même un caractère menaçant dans la lumière du soleil, dont une ombre assombrissait l'éclat. Mais cela ne voulait peut-être rien dire, car Gus avait tendance à noircir ses toiles quand il était sous pression. Un jour, à New York, quelques années après la fin du groupe de Grays Orchard, il avait recouvert de peinture noire toute une série de tableaux juste avant leur départ pour une exposition. Les gens du métier se méfiaient encore de lui à cause de cet incident. Cette tendance le reprenait-elle ? Depuis la première lettre de Jenny, il avait changé, c'était indéniable, même si je n'arrivais pas à déterminer en quoi.

Des toiles étaient empilées contre le mur, une ou deux œuvres terminées attendaient sur une étagère du fond. Maintenant, il se spécialisait dans les fleurs. Des compositions semi-abstraites, plus sombres à mon avis.

Au moment où j'allais partir, je remarquai qu'une toile recouverte d'un vieux drap était posée sur le chevalet. Comme Gus me poussait toujours à regarder son travail en cours, je n'hésitai pas à soulever un coin du tissu et à le faire passer par-dessus la colonne du chevalet.

De saisissement, j'eus un brusque mouvement de recul.

C'était un portrait, un portrait de sa nièce, son premier portrait depuis près d'un quart de siècle, mais sans aucun point commun avec ses travaux antérieurs. Il s'agissait d'une esquisse, puissante et intense comme toutes les premières impressions.

Pauvre Jenny. Si elle avait deviné la manière dont son oncle la percevait, rien d'étonnant à ce qu'elle se soit écartée de lui en entrant au Turk's Head.

Presque toute la toile était occupée par une énorme corolle en forme de trompe ; cela aurait pu être une fleur d'hibiscus ou d'amaryllis ou une mystérieuse plante de la forêt vierge. Elle était d'un rouge profond, brunâtre, un rouge de foie ou de sang séché, ou celui des lèvres gonflées d'un sexe féminin. De ces pétales charnus émergeaient la tête et le torse d'une jeune femme – Jenny, sans aucun doute possible, mais si je ne l'avais pas vue à l'heure du déjeuner devant le Turk's Head, j'aurais pu la prendre pour un personnage démoniaque tiré des cauchemars de Gus. Sa peau n'avait pas une couleur humaine normale ; elle était pâle, bleutée, cadavérique, si tendue qu'elle lui donnait l'allure d'une horrible caricature. Ses joues et ses seins n'étaient que des ombres grises. Elle inspirait à la fois pitié et dégoût. Elle souffrait, d'une douleur qui donne envie de fuir parce qu'on sent qu'on ne peut rien y faire. Et plus monstrueux que tout, à l'endroit où son corps émergeait de la fleur, le buste de la jeune fille se terminait par des jambes repliées et mal formées de fœtus. C'était obscène, l'exposition d'un secret immonde qui aurait dû rester caché.

— Qu'est-ce qui te prend tant de temps ?

Je fis volte-face. J'avais été si absorbée par cet ignoble portrait que je n'avais pas entendu Gus entrer dans l'atelier. Il traversa la pièce à grands pas et décrocha le drap pour le faire redescendre sur la toile.

— Tu m'espionnes, Carol ?

Cette accusation était si insultante qu'un instant j'en restai bouche bée. Pourquoi Gus réagissait-il ainsi aujourd'hui ?

— C'est toi qui as peint ça ?

— Évidemment. Tu crois que j'invite d'autres peintres à venir se servir de mon atelier ? Ne dis pas de bêtises.

— Je croyais que tu ne faisais plus de portraits.

— Ce n'est qu'une ébauche, elle ne compte pas. Tu as trouvé les catalogues ? (Il me sourit, mais d'un sourire forcé, regrettant déjà de m'avoir laissée deviner sa colère.) Viens, allons les montrer à Jenny : elle tient absolument à les voir.

Et comme je ne réagissais toujours pas, il continua, feignant la désinvolture.

— Écoute, ce n'est pas une affaire d'État. Juste une idée que j'ai jetée sur la toile pour voir. Si ça se trouve, demain, je repartirai de zéro.

Il essayait de me faire croire que le portrait n'avait pas d'importance, mais il devait bien se douter que je ne serais pas dupe. « Pas une affaire d'État », alors que c'était le premier portrait qu'il peignait depuis un quart de siècle. « Qu'une ébauche », quand la force de cet être effroyable était si puissante que je la ressentais encore malgré le tissu.

— Reste ici si tu veux, déclara-t-il, moi, en tout cas, je retourne dans la maison.

Au moment où il tournait les talons pour partir, je lui demandai :

— Pourquoi cette fille te fait-elle tellement horreur ?

— Ça n'a rien à voir avec elle.

Encore un mensonge. Avant que je puisse protester, nous entendîmes le bruit d'une voiture qui s'arrêtait dans la cour. Gus jeta un coup d'œil vers la fenêtre.

— Qui diable cela peut-il être ?

— Sans doute Brian. Il a dit qu'il me déposerait quelques devis pour me permettre de travailler pendant le week-end.

— Tiens, Brian… On pourrait lui proposer de rester prendre un verre ?

Et sans attendre ma réponse, Gus dévala les marches jusqu'à la cour.

Sa hâte d'inviter Brian à se joindre à nous confirma mes soupçons. Habituellement, Gus considérait mon associé comme un mal nécessaire : il était aimable juste ce qu'il fallait pour ne pas paraître impoli, mais il n'encourageait jamais Brian à venir nous rendre visite à Grays. Gus devait vraiment avoir besoin d'une diversion pour courir l'inviter.

Pensive, je fermai la porte de l'atelier derrière moi, descendis l'escalier et traversai la cour dans l'humidité brumeuse.

Brian et Gus n'avaient rien en commun, mis à part moi, ce qui faisait que, quand nous étions ensemble tous les trois, je finissais toujours par avoir l'impression d'être un pont de corde branlant jeté par-dessus le gouffre qui les séparait.

Gus a quinze ans de plus que moi, Brian, cinq de moins. Gus est un homme grand, très brun, au visage puissant, Brian est massif, baraqué, roux avec des taches de rousseur ; Gus est artiste peintre et Brian entrepreneur, Gus a voyagé partout dans le monde et mené une vie intéressante et originale ; en trente ans, depuis sa naissance, Brian ne s'est pas éloigné de quarante-cinq kilomètres de Sturford. Je pourrais continuer la liste de leurs différences à l'infini…

Gus semblait s'être mis dans la tête que Brian, étant un élément extérieur neutre, allait faciliter cette première soirée avec Jenny. Personnellement, j'en doutais, mais Brian n'était pas homme à refuser l'invitation de Gus. Il resterait volontiers prendre un verre puis dîner dans la foulée, car, après tout, il n'était passé déposer les devis que parce qu'il voulait voir Jenny. Tout ce qui me concernait l'intéressait.

Au départ, je crus que Gus avait vu juste : Brian était enjoué et direct, et il se donna beaucoup de mal pour être gentil avec Jenny. Comme à moi, elle lui faisait sans doute pitié. Elle garda la même froideur distante, mais, à nous trois, nous arrivâmes à nourrir la conversation, parlant travail et affaires locales, ce qui était sans doute ce que Gus avait souhaité. J'étais encore perturbée par l'horrible portrait et attendais avec impatience de me retrouver seule avec Gus. Pour l'heure, la soirée allait se passer sans heurt grâce à Brian et à de généreuses doses d'alcool.

Gus, qui à l'époque buvait rarement plus de deux verres de vin, s'était servi un grand whisky et Jenny demanda la même chose. Je ne sais pas si le whisky était sa boisson d'élection ou si le stress causé par cette première visite à Grays lui donnait soif, mais elle l'avala en un temps record et en prit deux autres avant que je serve le repas. Ensuite, le vin coula à flots. J'en bus plus que de coutume, mais rien à côté de Gus et de Jenny. Seul Brian, qui fit durer sa bière toute la soirée parce qu'il conduisait, resta sobre.

Je me souvins trop tard que Jenny était venue en voiture du Travelodge. Elle ne serait pas en état de reprendre le volant ce soir, et je n'avais plus du tout envie de l'inviter à dormir chez nous. Impossible de poser les yeux sur elle sans penser au portrait.

Nous en étions au tajine de poulet quand Gus commença à retrouver son naturel. Il discuta avec Brian du projet de fermeture du marché aux bestiaux de Sturford, que la municipalité envisageait de laisser remplacer par un supermarché.

— C'est fou ! s'emporta-t-il. Sturford a besoin de tout sauf d'une énième grande surface. Pourquoi ne pas mettre un square à la place, ou quelque chose d'utile ?

— Finalement, ajouta Brian, toujours très calme au cours des discussions, le grand perdant sera la fête foraine du mois d'août. Elle s'installait là depuis des lustres.

— La fête foraine ? (Jenny, qui jusque-là avait joué avec sa nourriture d'un air boudeur, avait relevé la tête.) Est-ce que c'est la fête foraine où… ?

Elle n'acheva pas. Gus fronça les sourcils. Jenny prit une lampée de vin et ajouta :

— Je veux dire, est-ce que c'est la fête foraine où travaillait l'homme qui… Tu sais, quand mon père… ?

Nous devions bien nous douter que ce moment viendrait, mais Gus avait voulu croire qu'il allait s'en tirer.

Brian intervint gentiment.

— Ton père, c'était Andrew Forester, n'est-ce pas ? J'imagine que Gus t'a beaucoup parlé de lui.

Gus lui jeta un regard vindicatif et éluda la question.

— Le sujet ne s'est pas encore présenté. Je suis sûr que la mère de Jenny lui a déjà dit tout ce qui pouvait l'intéresser.

— Elle ne me parle jamais de rien ! lança Jenny.

Elle avait protesté trop fort, avec trop de véhémence, et elle rectifia aussitôt le tir en bredouillant.

— De toute façon, je ne l'écoute pas.

— Carol, coupa Gus, ce tajine est délicieux.

Jenny rougit comme une pivoine et ses yeux se mirent à briller… peut-être parce qu'elle avait trop bu. Elle persista avec entêtement.

— Je veux qu'on me parle de mon père.

— C'est tout à fait naturel, répondit Gus d'un ton si hypocrite que j'en fus gênée pour lui. Je te raconterai avec plaisir tout ce que tu voudras. Andrew était très adroit de ses mains, un génie pour réparer ce qui était cassé. Es-tu un peu comme lui ?

Jenny s'énervait.

— Je me fiche de ça. Ce n'est pas de sa personnalité que je veux parler. Enfin si, ça m'intéresse, mais…

Brian vola à son secours.

— Mais il y a des questions qui t'intéressent plus particulièrement…

— Oui, voilà. Bien sûr, je veux savoir comment il était, je ne sais que peu de chose sur lui. Maman ne m'a jamais dit comment il était mort. Elle m'en a parlé quand j'étais très petite, mais elle a dit qu'il avait été tué dans un accident de voiture.

— Elle a sans doute pensé que c'était mieux pour toi, commentai-je doucement.

Ma réflexion fut accueillie par un regard venimeux.

— Elle ne m'a dit la vérité que le jour où elle a su que j'allais en Angleterre, pour m'éviter un trop grand choc. Mais elle aurait dû me mettre au courant depuis des années. Et elle n'a pas voulu entrer dans les détails, ça l'attristait trop d'en parler…

— C'est compréhensible.

Cette fois, je m'étais blindée et ne fus pas surprise quand elle me fusilla du regard.

Gus garda le silence ; Brian enchaîna donc avec sympathie.

— Tu dois te demander comment il est mort.

— Oui. Enfin, je sais juste qu'il a été tué. Alors je pensais – elle se tourna vers Gus, et un instant elle laissa tomber sa garde, oubliant son hostilité, et formula directement sa demande –, je pensais que tu pourrais me raconter ce qui s'est passé, Gus. Je veux dire, tu étais là. Toi, tu peux me dire comment mon père à été assassiné.

2

Quand, comme Brian et moi, on a grandi à Sturford, on a été nourri par l'histoire du meurtre de Grays Orchard. Pendant au moins six mois, personne ne parlait plus que de l'affaire, et bien que les adultes n'aient pas apprécié d'être utilisés par les médias, nous, les enfants, nous nous étions délectés de notre notoriété et nous avions adoré voir des noms et des visages familiers dans les journaux. Nous avions suivi l'enquête avec fascination et éprouvé une grande déception quand le suspect principal avait trouvé la mort au cours d'une bagarre quelques mois plus tard et que l'affaire avait été classée – même si les rumeurs ne s'étaient pas arrêtées pour autant. Tout le monde avançait sa petite théorie, mais les circonstances étaient relativement claires.

À cette époque, Gus Ridley, sa demi-sœur Harriet et quatre de leurs amis vivaient à Grays Orchard depuis près de deux ans, formant la seule communauté hippie qu'ait connue Sturford de près ou de loin. (« Nous n'étions pas hippies, et ce n'était pas une communauté », protestait toujours Gus avec indignation, mais bien entendu, le stéréotype avait la vie dure.) Nous avions entendu parler de débauche dans la propriété (« De purs fantasmes, insistait Gus. À entendre les gens, on croirait que nous passions notre temps à rejouer les derniers jours de Sodome et Gomorrhe »). Comme chaque mois d'août, la fête foraine eut lieu à Sturford et le groupe de Grays Orchard décida de s'y rendre de concert ; au dernier moment, Harriet voulut rester, prétextant qu'elle ne se sentait pas bien. Elle était en train de dormir quand un homme s'attaqua à elle ; on pensa qu'il était venu cambrioler et qu'il avait changé d'avis en la voyant endormie. Andrew Forester arriva juste à temps pour s'interposer, mais l'homme tira un couteau et le poignarda. Il était mort à l'arrivée de l'ambulance, qui fut accueillie par Gus, rentré du village entre-temps. Un jeune forain avait été soupçonné, que Harriet avait été incapable d'identifier avec certitude. De toute façon, moins de six mois plus tard, il avait trouvé la mort au cours d'une rixe.

C'étaient là les faits bruts, ce que tout le monde savait. Quand j'avais rencontré Gus, j'avais pensé qu'il finirait un jour ou l'autre par me raconter ce qui était arrivé, mais il ne l'avait jamais fait. Et même plus, dès que je mentionnais l'affaire, il me culpabilisait, me donnant l'impression que je cultivais une curiosité malsaine. J'avais donc appris à éviter le sujet, puis je n'y avais plus pensé.

Jusqu'à ce soir-là. On pouvait difficilement reprocher à Jenny l'intérêt qu'elle portait à l'histoire, puisque Andrew Forester, mort avant sa naissance, était son père. S'il était naturel qu'elle demande des détails sur sa mort, elle et Gus tournèrent encore un moment autour du pot. Gus lui dit qu'Andrew avait un caractère emporté, mais qu'il était très apprécié du groupe pour son esprit pratique et sa serviabilité. Dans tous les portraits que Gus avait peints de lui, il était occupé à une tâche matérielle : fendre du bois, réparer la barrière, ou nettoyer son fusil.

Jenny n'était pas la seule à écouter de toutes ses oreilles. Brian, camouflant mal son intérêt, y alla de son commentaire.

— Quelqu'un a fait remarquer plus tard que dans tous tes tableaux où il figure il portait une arme. Dommage qu'il n'en ait pas eu une le seul jour où il en aurait eu besoin.

— Cela n'aurait rien changé, répondit Gus. Andrew était coléreux, pas agressif.

— Et la bagarre qu'il avait déclenchée au Turk's Head la semaine précédente ?

— Je ne vois pas le rapport.

Gus avait l'air de regretter d'avoir proposé à Brian de rester dîner.

— Quand il s'est fait tuer, intervint Jenny, il essayait de protéger maman, non ? Il devait être très courageux pour la défendre contre un homme armé d'un couteau.

Personne ne confirma spontanément l'image de héros que Jenny se forgeait de son père. Elle avait les larmes aux yeux. En de tels moments, quand elle oubliait de faire de la provocation, sa vulnérabilité était touchante, et je fus émue.

Brian, assis face à Gus, le regarda droit dans les yeux.

— Tu es le seul qui puisse lui dire exactement ce qui est arrivé. Après tout, tu étais là.

— Ah ? Tu étais là ? répéta Jenny.

— Non, pas quand il a été poignardé. (Il jeta à Brian un regard noir.) Mais c'est moi qui suis arrivé le premier sur les lieux. Ton père était en train de mourir. Tom Longman, notre médecin, a dit qu'il serait mort même s'il avait été attaqué juste devant le service des urgences. Un des coups de couteau lui avait perforé les poumons, un autre avait entaillé la base de sa gorge. Tom nous a affirmé que personne n'aurait pu survivre à de telles blessures. Il voulait me rassurer, n'empêche que je me suis toujours demandé si je n'aurais pas pu faire plus. Si j'étais rentré plus tôt. Si je m'y étais mieux connu en secourisme. Si, si…

— N'est-ce pas comme ça que tout le monde réagit à la mort de quelqu'un ? demanda Brian calmement. On n'a jamais l'impression d'en avoir fait assez.

Quand Gus est stressé, ou quand il a trop bu, sa paupière gauche retombe sur son œil, le fermant à demi. Ce soir-là, on sentait en lui une tension énorme, il avait déjà bu plus que de raison, et son œil mi-clos lui donnait un air de pirate. Il haussa les épaules, comme pour dire qu'il se moquait des réactions des autres, ne connaissant que ses propres sentiments qui étaient déjà assez douloureux comme cela.

— Tout ce que je sais, c'est que ça me poursuit.

— Tu as vu le coupable ? demanda Jenny.

— Pas bien. Pas assez pour l'identifier formellement.

— C'est pour ça qu'il n'a pas été mis en examen ?

— J'imagine.

Gus garda le silence un moment. Nous attendîmes. Puis il sembla prendre une décision : sans doute Jenny méritait-elle d'entendre l'histoire de la mort de son père.

— Tu veux vraiment que je te raconte ? demanda-t-il.

Jenny, qui n'était pas fille à exposer ses faiblesses, dut se faire violence, mais elle laissa sa curiosité l'emporter.

— Oui.

— Bon, je vais tout te dire.

Gus se versa encore du vin, puis repoussa son verre au milieu de la table afin de signifier qu'il avait besoin de sobriété pour raconter son histoire. Il choisit ses mots.

— C'était le jour de la fête foraine de Sturford. Au dernier moment, Harriet a décidé de ne pas nous accompagner, sous prétexte qu'elle ne se sentait pas bien. J'ai mis ça sur le compte des premières semaines de grossesse, bien que je croie qu'elle n'a jamais eu de vraies nausées. Il faisait chaud, cet après-midi-là. Elle avait envie de s'installer dans le hamac et de lire. Elle a plaisanté quand nous sommes partis, nous a suppliés de ramener un canard en plastique pour le futur bébé.

Avec tous les portraits et les photos de la demi-sœur de Gus que je connaissais, je pouvais me représenter très clairement la scène. Harriet était grande et musclée, avec des jambes longilignes et bronzées et de longs cheveux bruns ; elle avait dû se mouvoir avec la grâce naturelle des femmes au début de leur grossesse, avant que son ventre commence à gonfler. Je l'imaginais traversant la grande pelouse jusqu'au hamac accroché entre les arbres. Je l'imaginais en pleine lecture, puis laissant tomber son livre ouvert sur son ventre et fermant les yeux, la tête emplie des senteurs languides et des sons de Grays Orchard dans la chaleur de cet après-midi d'été.

— Alors ma mère était là depuis le début, intervint Jenny, les yeux ronds de fascination. Elle a dû tout voir. Elle ne m'a rien dit.

— Ça ne m'étonne pas, commenta Gus avec répugnance. Elle doit préférer oublier.

— Donc il n'y a que toi qui puisses me raconter.

Un instant, je crus que Gus allait refuser de continuer, mais il reprit, d'une voix volontairement neutre :

— On a toujours pensé que le mobile de départ était le vol. En ce temps-là, nous ne possédions pas grand-chose qui vaille la peine d'être pris, mais il ne pouvait pas le savoir. Il a peut-être vu les autres traverser les champs et il s'est dit que la maison était vide. Quand il est entré dans le jardin, il a vu Harriet dans le hamac. Cet été-là, elle et Katie se baladaient la plupart du temps à moitié nues. Pauline était plus conformiste, mais Harriet et Katie aimaient se promener en short ou en culotte, avec juste un foulard noué autour des seins. Ceux de Harriet avaient déjà commencé à gonfler avec la grossesse, et ses foulards en coton ne suffisaient plus à les couvrir. Elle s'en fichait pas mal, d'ailleurs. Plus tard, elle m'a dit que le tissu avait dû se défaire pendant son sommeil.

Il s'interrompit. Avec le retour des souvenirs, ses yeux s'étaient assombris de douleur. Je pensai à Harriet ; elle avait dû être très désirable, couchée dans l'ombre ajourée des pommiers, ses seins lourds s'échappant de ce léger carré de tissu en coton.

— Alors il a… ? murmura Jenny.

Gus ignora son intervention.

— Harriet dit qu'en se réveillant elle a vu un inconnu penché sur elle. Il a voulu l'empoigner, mais dès qu'il l'a touchée, elle s'est laissée tomber du hamac et a détalé vers la maison en hurlant. Elle courait vite, et cet après-midi-là, j'imagine qu'elle a battu son record. Andrew a dû l'entendre crier avant même d'arriver au jardin. Une chance pour Harriet qu'il se soit ennuyé à la fête et ait décidé de rentrer, sinon… qui sait ce qui serait arrivé.

Il s'interrompit brusquement.

Personne ne souffla mot. Je jetai un coup d'œil à Brian et vis qu'il était aussi fasciné que moi. Nous avions déjà souvent entendu l'histoire, mais seulement rapportée par des tierces personnes dans le langage neutre des rapports de médecin légiste, ou dans le style plus sensationnaliste de la presse nationale. Maintenant, à mesure que Gus nous narrait les événements de cet après-midi caniculaire d'août, la tragédie prenait toute sa réalité.

— Elle n'est pas entrée dans la maison, continua Gus. Elle a dépassé la porte de la cuisine et a grimpé les marches jusqu'au grenier à pommes qui me sert d'atelier. Plus tard, elle a expliqué que, les portes et les fenêtres de la maison étant grandes ouvertes, elle avait pensé avoir plus de chances en se barricadant dans le grenier, mais je pense surtout qu'elle a paniqué. L'homme l'a suivie. Il n'y avait aucun moyen de fermer la porte de l'atelier – nous étions contre les serrures et les verrous à cette époque. Harriet a dû se débattre avec l'énergie du désespoir. Mon chevalet était cassé et toutes les chaises et les toiles avaient été jetées à travers la pièce. Un vrai saccage. Quand Andrew est arrivé, l'homme avait renversé Harriet par terre et la frappait comme une brute.

Il s'arrêta et, pour la première fois, il regarda Jenny en face, un début de sourire sur les lèvres. Dans le contexte, ce sourire était horriblement incongru.

— Tu veux que je continue ? demanda-t-il.

Incapable de parler, Jenny hocha la tête.

— Andrew devait avoir entendu le bruit dans le grenier. Il est monté en courant et a découvert Harriet, à demi nue et presque inconsciente, en train de se faire tabasser par un inconnu. Andrew avait beaucoup joué au rugby à une époque. Il s'est rué sur l'homme pour le maîtriser. Ce doit être là que Jago a tiré son couteau et qu'il l'a poignardé. Sept fois de suite, pour être précis. Le coup fatal a tranché l'artère principale du cou. Il a survécu quelques minutes, mais l'agresseur a dû se rendre compte qu'il était en train de mourir, et il a pris la fuite.

— Tu l'as vu partir en courant, c'est ça ? intervins-je, brisant le silence.

Gus me fusilla du regard pour lui avoir demandé des détails, mais il répondit calmement.

— Je traversais le verger du bas pour rentrer quand j'ai vu quelqu'un courir sur le chemin en direction de la route. Il était évident que quelque chose ne tournait pas rond. Il allait trop vite. Par une chaleur pareille, personne ne s'amuse à piquer un sprint. Mais je ne l'ai pas assez bien vu pour l'identifier.

— Tu as dit « Jago », intervint Jenny.

Elle avait prononcé le mot avec précaution, comme s'il était dangereux. Je me demandai quel effet cela faisait de goûter sur ses lèvres pour la toute première fois le nom de l'assassin de son père.

— C'est ça, dit Gus. Jago était un gars qui travaillait à la fête foraine. Il avait déjà eu des ennuis, surtout pour des cambriolages et des bagarres – mais jamais aucune accusation de meurtre. Il a tout de suite été le suspect principal.

— Et pourtant, Harriet n'a pas pu l'identifier, fit remarquer Brian, pensif.

— Non.

— C'est ce qui m'a toujours semblé bizarre. (Malgré le regard au vitriol que lui jeta Gus, Brian continua paisiblement, comme s'il discutait de pneus, de briques ou de lambourdes.) Après tout, il avait essayé de la violer. Elle n'aurait pas pu être plus près de lui, et c'était en plein après-midi. Son visage aurait dû rester gravé dans son esprit jusqu'au moindre trait.

— Vraiment, Brian ? Tu dis cela par expérience ? jeta Gus avec une fureur mal contenue. Harriet a eu une crise de nerfs, elle était terrorisée. Elle s'était fait tabasser, avait échappé de justesse à un viol, et elle venait de voir le père de son enfant se faire tuer sous ses yeux. Ce ne sont pas de très bonnes conditions pour envisager froidement la situation, je pense.

— Mais tout de même…, s'obstina Brian.

Je ne voyais pas l'intérêt d'insister sur ce point. Étant du genre à réagir aux crises avec une placidité consommée, Brian ne parvenait pas à comprendre l'effet que cette tragédie avait dû avoir sur une femme sensible comme Harriet. Moi-même, j'avais du mal à imaginer la femme des portraits, si sereine et si sûre d'elle, avoir une crise de nerfs, même en des circonstances aussi atroces.

— À la séance d'identification, elle a cru le reconnaître à quatre-vingt-dix pour cent, mais elle n'a pas voulu risquer de commettre une erreur.

— Et il n'y avait aucun autre indice pour lier le crime au forain ? demanda Brian.

— Aucun. C'était avant l'époque des tests ADN, si tu te souviens.

— Tout de même, c'est drôle qu'il n'y ait pas eu d'empreintes digitales ou d'autres traces.

— Peut-être, mais c'est comme ça.

— Même pas sur l'arme du crime…

Jenny tournait les yeux de l'un à l'autre avec une stupéfaction croissante.

— Où veux-tu en venir ? demanda-t-elle.

Sans l'ombre d'un doute, Brian faisait tout pour provoquer Gus. Il n'aurait pas fallu lui demander de rester dîner. Je lui en voulais beaucoup de son obstination.

— Tu te souviens de toutes les rumeurs qui ont couru, Carol ? demanda-t-il. La plupart des gens de la région étaient convaincus que c'était quelqu'un de Grays qui avait fait le coup. On disait que l'histoire du forain avait été montée de toute pièce pour lancer la police sur une fausse piste.

— Pitié ! gémit Gus. C'est reparti ! Écoute, Harriet était enceinte de neuf mois quand ils ont réussi à mettre la main sur Jago et à le faire comparaître devant elle pour l'identification. Elle ne voulait pas risquer de faire poursuivre un innocent, et elle avait essayé de chasser de son esprit ce qui était arrivé. Elle croyait dur comme fer que ce qui occupe la tête pendant la grossesse influence l'évolution du bébé, donc elle ne voulait surtout pas bousiller son enfant en nourrissant de mauvaises pensées sur son agresseur. Elle se changeait les idées en se préparant une nouvelle vie en Australie et en évitant tout contact avec les gens liés à Grays et au meurtre. Et puis la police n'avait aucun doute sur le coupable. L'affaire a été classée à la mort de Jago. (Voyant la surprise de Jenny, il s'expliqua.) Il s'est fait tuer dans une bagarre au couteau vers l'époque de ta naissance. Il a dû s'attaquer à quelqu'un qui s'est mieux défendu qu'Andrew.

Je crus que Brian allait finir par se taire, mais il ne lâcha pas prise.

— La police n'a pas vraiment classé l'affaire.

Les yeux gris de Jenny étaient ronds comme des soucoupes.

— Pourquoi les gens du coin croyaient-ils que le coupable était quelqu'un de Grays ? demanda-t-elle.

— Mais pas seulement les gens du coin, précisa Brian. La police pensait la même chose. On a interrogé Raymond Tucker...

— C'était dans le cadre normal de l'enquête, interrompit Gus avec impatience. Ça ne voulait rien dire de spécial. Tout le monde a été questionné pendant des jours et des jours, mais Harriet était là quand Andrew a été tué, et elle a vu le fou qui l'a assassiné. Et moi, je l'ai vu s'enfuir, et je peux vous assurer que ce n'était pas Raymond.

— Mais...

— Mais bon Dieu, Brian ! La police a aussi interrogé ton père, il me semble ! Est-ce que ça fait de lui un suspect ?

J'ignorais ce détail.

— Pourquoi a-t-on interrogé le père de Brian ? demandai-je.

— Parce qu'il venait parfois faire des petits travaux ici, répondit Gus. Il avait pris l'habitude de nous rendre visite quand il n'avait rien de mieux à faire. Les endroits comme Grays Orchard attirent toutes sortes de gens.

Brian éclata de rire. J'étais la seule personne présente qui pouvait deviner la fureur dissimulée derrière ce masque.

— Ce n'est pas tout à fait ce que papa nous racontait. Il disait que rien n'aurait jamais fonctionné chez vous sans lui. Il disait que vous n'arrêtiez pas de parler de vivre en autarcie, mais que vous arriviez à peine à planter un clou sans l'appeler pour lui demander conseil.

— C'est peut-être ce qu'il disait à ta mère, mais, en fait, Jack adorait venir. Il était convaincu qu'ici c'était sexe, drogue et rock'n'roll à longueur de journée, et il n'arrêtait pas de traîner chez nous en espérant profiter du spectacle. Je le trouvais pénible, franchement, mais les autres étaient plus tolérants.

Je n'avais pas réalisé avant cet instant à quel point Gus et Brian se détestaient. Oh ! je savais bien qu'ils ne faisaient d'efforts pour s'entendre qu'à cause de moi, mais ils étaient toujours parvenus à dominer leur antipathie. Soudain, l'antagonisme éclatait au grand jour, et ils grognaient en montrant les dents comme deux molosses. Gus était fou de rage parce que Brian avait mentionné les vieilles rumeurs sur Raymond, et Brian, malgré ses sourires et son calme, était tout aussi furieux d'entendre dire du mal de son père. Le père de Brian était l'ivrogne du village, et il avait été emporté par une cirrhose à l'âge de quarante-sept ans. Il avait causé des ennuis sans fin à Brian et à sa mère qui défendaient pourtant toujours âprement sa mémoire.

Brian ouvrit la bouche pour répondre, mais je le devançai.

— Ce ne pouvait être que le forain, sinon la police n'aurait pas classé l'affaire après sa mort. C'est ça le pire, dans les affaires de meurtre, on remue la fange et tout le monde se met à se soupçonner mutuellement. Qui reveut du café ?

— Pas moi, répondit Brian.

Mais, en bon ami qu'il était, il saisit la perche.

— De toute façon, il faut que je rentre. (Il se tourna vers Jenny.) Je te raccompagne ?

Elle commença à protester qu'elle était parfaitement capable de prendre le volant, mais elle dut voir à quel point c'était peu crédible, ou alors elle s'était rendu compte que Brian était une bonne source d'informations. Toujours est-il qu'elle accepta de le laisser la reconduire au Travelodge.

Quand ils furent partis, et pendant que Gus et moi débarrassions, je remarquai d'un ton dégagé :

— Tu ne m'avais encore jamais parlé du crime.

— Non, répondit Gus tout aussi légèrement. Il n'y avait pas de raison de revenir sur le passé. Il est mort et enterré, Dieu merci. Sans mauvais jeu de mots. Ça n'a rien à voir avec nous, hein ? ajouta-t-il avec un sourire.

Et, comme une idiote, je le crus.

3

Le lendemain matin, qui était un samedi, Gus se leva le premier. Il m'apporta du thé avec un rameau de cerisier en fleur posé à côté de la tasse. Venant de lui, ce geste était à la fois une façon de faire la paix et de me présenter ses excuses, ce qui me fit plaisir.

Plus tard, nous prîmes tranquillement le petit déjeuner. La cuisine est l'un des grands charmes de Grays Orchard et un triomphe de l'immobilisme sur le progrès. L'étrange histoire de la maison lui a permis d'échapper à la modernisation. Le sol conserve son vieux carrelage inégal, divers crochets inquiétants pendent du plafond voûté d'origine, une magnifique table en pin brut ancienne occupe le milieu de la pièce, et la cuisinière à bois et charbon capricieuse expire pour les grandes occasions et menace de réduire la maison en cendres quand on n'a pas besoin d'elle. Il n'y a pas un placard agencé ni un plan de travail en mélaminé à l'horizon, mais, une fois qu'on s'y est habitué, le tout marche à merveille, et c'est l'endroit le plus agréable au monde où boire un café en paix le samedi matin.

Le brouillard de la veille s'était presque entièrement dissipé, et le soleil perçait, dispensant dans la cuisine une lumière brumeuse.

Il y avait une cruche de jonquilles au milieu de la table, dont les pétales brillaient comme des soleils. Je vis que Gus les contemplait pensivement. Un des inconvénients de vivre avec un peintre est que toutes les belles choses ont tendance à disparaître dans l'atelier pour les besoins de la cause.

— Ah non ! me rebellai-je, achète-toi des fleurs si tu en veux. Celles-ci ne bougent pas de là.

Il me lança un sourire.

— Je ne peux pas les emprunter ? Juste une demi-heure.

— Vingt minutes, grand maximum.

J'essayai de sourire, mais ne parvins qu'à produire une sorte de rictus. Gus et moi souffrions encore des excès de la veille au soir, et même si nous nous donnions beaucoup de mal pour rendre ce samedi matin aussi ordinaire que possible, nos gueules de bois ne nous facilitaient pas la tâche.

— Tu dois aller travailler, aujourd'hui ? demanda-t-il.

— Il faudrait que j'y passe une heure ou deux ce week-end.

— Demain, plutôt ? J'avais envie de bouger un peu. Que dirais-tu d'aller déjeuner à Bath et de… Oh !

Jenny venait d'entrer par la porte de derrière ; pas de bruit de voiture pour l'annoncer, et elle n'avait pas frappé non plus. Gus se crispa, laissant transparaître son déplaisir, puis il prit sur lui et lui adressa un sourire de bienvenue. Je pense que ni lui ni moi ne tenions à la voir en cet instant, mais nous n'avions pas le choix.

— Tu as fait tout le trajet de Sturford à pied ? demandai-je pendant que Gus mettait la bouilloire sur le feu pour refaire du café.

— Non, je me suis fait déposer par une voiture en bas du chemin.

Si Gus et moi ne nous sentions pas très bien, Jenny semblait franchement mal en point : le dos voûté, les épaules tristes, et les yeux très cernés. C'était bien pire qu'une gueule de bois. La pauvre avait l'air de ne pas avoir dormi du tout – sans doute contrariée par les révélations du dîner. Elle ressemblait plus que jamais à la créature semi-humaine du portrait de Gus. Il l'observait avec ce regard de peintre qui ne voit que des formes et des couleurs plutôt que l'être humain en chair et en os qui lui fait face, ce qui n'arrangeait pas du tout la situation.

Je m'en voulais de l'avoir laissée retourner au Travelodge la veille au soir, je proposai donc du ton le plus engageant possible :

— Que dirais-tu de venir passer quelques jours ici ? Tu es la bienvenue et cela t'éviterait de dépenser ton argent au Travelodge. Gus serait très content, n'est-ce pas, Gus ?

— Oui.

Mais il continuait de l'examiner comme un spécimen de papillon rare. J'espérais que Jenny avait l'esprit trop embrumé par sa nuit blanche pour s'en rendre compte.

Elle me jeta un regard prudent, un début de sourire aux lèvres.

— C'est très gentil, Carol, mais je ne veux pas vous déranger.

— Tu ne nous déranges pas du tout. Cela nous ferait très plaisir que tu viennes, au contraire.

— D'accord, alors je pourrais aller chercher mes affaires et revenir d'ici une demi-heure.

— Ça peut attendre un peu…, intervint Gus d'un ton ferme sans me laisser le temps de réagir. Carol et moi, nous devons aller à Bath aujourd'hui.

Le sourire s'effaça. Maudissant Gus en mon for intérieur, j'intervins.

— Mais nous serons de retour en fin d'après-midi. Tu n'as qu'à venir à ce moment-là.

C'était déjà trop tard.

— Pas la peine, rétorqua-t-elle d'un ton boudeur. Le Travelodge me va très bien, et ça me donne plus de liberté.

Son visage trahissait une horrible déception.

— Tu veux venir déjeuner demain ? demandai-je.

— Non, désolée, lança-t-elle en levant son petit menton pointu pour montrer son indifférence. Je ne suis pas disponible demain.

La scène m'exaspérait. Entre l'inexplicable froideur de Gus et la susceptibilité exacerbée de Jenny, j'allais avoir un mal de chien à la mettre à l'aise.

— Au moins, assieds-toi et prends un café avec nous. Nous sommes tous un peu mal en point après la soirée d'hier. Heureusement, le brouillard s'est levé. L'après-midi sera peut-être un peu plus agréable.

Sans me prêter la moindre attention, elle se tourna vers Gus d'un air décidé.

— Je ne suis revenue que pour chercher ma voiture et parce que je voulais te poser des questions sur Raymond Tucker.

— Raymond ? (À sa façon de s'étonner, on aurait cru que la demande était des plus saugrenues.) Pourquoi t'intéresses-tu à lui ?

— Brian dit que Raymond était bizarre.

— Ah oui ? Pourtant Brian était encore petit à l'époque où Ray vivait ici, je ne pense donc pas qu'il soit très bon juge.

— Mais sa réputation... Et pourquoi la police a-t-elle plus particulièrement pensé à lui comme suspect ?

— Parce que les enquêteurs étaient des imbéciles, voilà !

Jenny appuya ses doigts sur ses tempes, les yeux mi-clos.

— Je n'arrive pas à m'ôter son portrait de la tête. Tu sais, celui que tu as fait de lui, *Destination Atlantide*. Toute la nuit, dès que je fermais les yeux, il me revenait à l'esprit. Je l'imaginais en train de tuer mon père. Et il s'en est tiré.

Avant que Gus n'essaie encore de détourner la conversation, je lui demandai :

— La police a vraiment pensé que c'était Raymond ?

Il eut un sourire.

— Ils le traitaient de sale Arabe, et, oui, je suis sûr qu'ils auraient été ravis de lui coller le meurtre sur le dos s'ils l'avaient pu, mais, malheureusement pour eux, ils n'avaient aucune preuve contre lui. Tu sais, la mère de Raymond était iranienne, et, en 1976, les policiers du coin n'étaient pas les humanistes éclairés qu'ils sont devenus... Donc, à n'en pas douter, ils n'ont pas été tendres avec lui.

J'ignorais tout de ses origines, mais cela expliquait bien des choses : ses yeux noirs veloutés, sa beauté délicate et ses traits fins. Cela expliquait peut-être aussi le côté mystique des portraits que Gus avait peints de ses amis. L'un d'eux se distinguait nettement des autres : Raymond, assis sous un houx dans la position du lotus, les mains posées sur les genoux, les yeux clos. Autour de sa tête se déployaient en arc-en-ciel d'étranges formes colorées. On interprétait généralement cette peinture comme la représentation d'un voyage à l'acide, mais Gus l'avait intitulée : *Raymond médite : destination Atlantide.*

— D'après Brian, intervint Jenny, ce n'est pas la seule chose qui ait motivé la police. Il paraît qu'il s'est battu avec Andrew Forester quelques jours avant le meurtre. Il y a eu plusieurs témoins.

Je remarquai qu'elle disait « Andrew Forester » et non « papa » ou « mon père ». Cela ne devait pas être facile d'essayer d'accéder à la vérité alors que même le langage était semé d'embûches.

— Brian dit que les témoins ont eu l'impression qu'ils se disputaient à propos de Harriet. À propos de maman.

— Pour autant que je sache, Andrew et Raymond ont toujours été très bons amis, répondit Gus sans s'émouvoir. (Il soupira puis continua.) Écoute, Jenny, Brian a l'air d'avoir interprété les commérages à sa sauce, mais il ne te rend pas service, crois-moi. Je comprends très bien ta curiosité. Si j'étais à ta place, je réagirais sans doute comme toi. Mais c'est une fausse piste, cela ne sert à rien. La mort d'Andrew a été terrible, un accident injuste, un coup du sort. Tu sais, j'ai vu l'homme s'enfuir, pas assez bien pour être certain de son identité, mais j'aurais reconnu Ray si ç'avait été lui. Ce n'est qu'un cambriolage qui a mal tourné et a fauché une vie. Raymond était à des kilomètres de Grays Orchard quand c'est arrivé – beaucoup de gens l'ont vu à la fête foraine. Crois-moi, Jenny, il n'y a aucun mystère dans cette affaire. Tu vas perdre ton temps et tes forces si tu prends au sérieux ce que t'a dit Brian.

Gus a une voix profonde et séduisante, qui est aussi, quand il le veut, extrêmement convaincante. J'ai vu des galeristes tomber sous le charme et acheter le double des œuvres qu'ils avaient souhaité acquérir, j'ai vu des gens qu'il ne connaissait ni d'Ève ni d'Adam l'autoriser à planter son chevalet dans leur jardin, quand, pour une certaine lumière sur une pelouse ou sur un mur, il allait frapper à une porte. Jenny avait fort à faire pour résister à son pouvoir de persuasion.

— Mais pourquoi les gens iraient-ils inventer tout ça ? demanda-t-elle.

— Je sais, c'est bizarre. Il n'y a pas de fumée sans feu, dit-on. On voit bien que celui qui a inventé ce dicton ne connaissait pas Sturford. Tu n'as pas idée de la puissance de la machine à ragots dans un petit village comme le nôtre. C'était inévitable qu'ils nous tiennent pour responsables. Pour les gens du coin, nous n'étions qu'une bande de bons à rien, des fainéants de hippies qui faisaient des orgies et se droguaient vingt-quatre heures sur vingt-quatre. Je t'assure, Jenny, on se serait cru au Moyen Âge. Je suis même surpris qu'ils n'aient pas accusé Harriet de sorcellerie chaque fois qu'une vache tombait malade. Peut-être qu'ils la croyaient sorcière, d'ailleurs, ça ne m'étonnerait pas d'eux. Le fait de désigner un coupable parmi nous justifiait tous les petits fantasmes honteux qui les titillaient depuis notre arrivée. Et, bien sûr, ils détestaient tout particulièrement Raymond parce qu'il avait une tête d'étranger et qu'ils n'aiment pas les étrangers. Il suffit de connaître Raymond pour savoir qu'il ne ferait pas de mal à une mouche, alors tuer quelqu'un ! Ce n'est pas dans sa nature. Il te suffirait de passer une demi-heure avec lui pour comprendre que j'ai raison.

Jenny demeura pensive.

— Vous êtes restés en contact ? Tu pourrais t'arranger pour que je le rencontre ?

— Non, nous nous sommes perdus de vue il y a des années, quand Ray a décidé de devenir gourou. Tu as dû entendre parler du groupe qu'il a formé avec Pauline : les Héritiers d'Akasha. Une idée de fou, bien sûr, mais qui n'a sans doute rien de méchant. N'empêche, il n'y a pas moyen d'aller boire un coup au pub et de raconter des histoires cochonnes avec un garçon qui se prend pour l'incarnation d'une divinité, dont la mission sur Terre est de sauver l'humanité. Et il n'apprécierait probablement pas que ses vieux amis débarquent pour lui rappeler que sous tout ce fatras c'est un type très ordinaire.

— Tu ne sais pas comment je pourrais le rencontrer ?

— Aucun intérêt, à moins que tu ne veuilles dire adieu à ton intelligence et entrer dans cette secte de dingues. Mais c'est une fausse piste : il ne pourra rien te dire sur Andrew. Laisse tomber, Jenny. Je t'assure, c'est mieux.

Comme je l'ai dit, Gus sait se montrer très persuasif quand il le veut, et j'eus l'impression qu'il avait convaincu Jenny. Moi aussi, il m'avait convaincue... enfin, presque.

Jenny serra son mug entre ses doigts maigres. Elle faisait toujours la tête. Elle changea de tactique et demanda brusquement :

— Pourquoi n'es-tu pas resté en contact avec ma mère ?

— Pardon ?

Il avait l'air vraiment surpris.

— Elle n'avait que toi comme famille ; tu aurais pu rester près d'elle, au lieu de te barrer en Amérique.

Gus poussa un profond soupir.

— Désolé, Jenny, mais tu n'y es pas du tout. Harriet a été très claire : c'est elle qui a tenu à couper les ponts avec tout ce qui pouvait lui rappeler le passé. Elle ne voulait plus nous voir, refusait tout contact avec nous. Il fallait qu'on disparaisse de sa vie. On la comprend. Ce n'était pas comme si nous avions grandi ensemble ; nous n'étions pas proches comme des frères et sœurs de sang. D'ailleurs, elle est partie refaire sa vie en Australie bien avant que j'aille aux États-Unis.

— Tu ne lui écris jamais.

— Elle non plus. Il y a bien les immondes circulaires de Noël qui ne parlent que de sa nouvelle maison et de ses vacances, mais si elle avait voulu garder le contact, elle m'aurait écrit une vraie lettre.

— Elle t'a écrit ! explosa Jenny. Elle t'a écrit il y a un an, je le sais.

— Quoi ? m'exclamai-je.

Je n'en revenais pas. Gus ne m'avait jamais dit qu'il avait eu des nouvelles de sa sœur d'Australie.

— C'est possible, admit-il avec un haussement d'épaules. Je ne m'en souviens plus. Tu sais, le problème, c'est qu'il est trop tard. Nos chemins se sont séparés. Ça ne voudrait plus rien dire qu'on essaie de se retrouver maintenant.

Sa voix restait calme, aussi vibrante et convaincante qu'au début, mais ses mains tremblaient. Jenny l'avait-elle remarqué ?

Sans doute pas ; elle était trop furieuse.

— Comment peux-tu affirmer une chose pareille ? s'indigna-t-elle. Qu'est-ce qui te dit qu'elle n'avait pas une bonne raison pour te contacter ?

— Elle l'aurait dit.

— Pourquoi ? Peut-être qu'elle préférait voir d'abord comment tu réagirais avant de se confier à toi. Elle a bien fait. Tu ne t'es même pas donné la peine de répondre, alors elle a compris qu'elle devait se retrouver toute seule. Comme toujours.

— Ne fais pas de mélo. Harriet n'a jamais été seule. Et Ian, alors ?

— C'est un nul, celui-là. Il ne s'intéresse qu'au fric et à ce qui s'achète. Il ne comprend rien à ce qui est important pour moi et maman, rétorqua-t-elle, au bord des larmes.

— Que se passe-t-il, Jenny ? demandai-je. Est-ce que Harriet a des ennuis ? Elle a besoin d'aide ?

Elle me fit face. Une lueur assassine brillait dans ses yeux fatigués.

— Non ! Et si elle avait besoin de quelque chose, ce n'est pas toi qu'on irait sonner. Mêle-toi de tes affaires ! Ça n'a rien à voir avec toi. (Elle se leva d'un bond, manquant renverser son mug de café sur la table.) Ça va, ça va, je m'en vais ! Je ne sais pas pourquoi je me suis donné la peine de venir. C'est toujours pareil, merde ! On me raconte n'importe quoi, et j'en ai jusque-là qu'on me mente tout le temps ! Je vais aller voir Tucker. Lui, au moins, doit être assez cinglé pour me dire la vérité.

Gus était tellement soulagé qu'elle s'en aille qu'il ne se donna même pas la peine de discuter, et je ne dis rien non plus. Je crois que ni lui ni moi ne pensions qu'elle allait se fatiguer à essayer de retrouver Raymond Tucker, ce qui est bien dommage quand on y songe, parce qu'il n'aurait pas été très difficile de l'en dissuader : quelques mots rassurants de la part de Gus, quelques phrases compatissantes pour demander pourquoi Harriet avait voulu le contacter. Mais, comme des idiots, nous avons manqué notre chance.

Et plus tard nous devions le payer très cher.

— Allez, on va à Bath, lança Gus après le départ de Jenny. On va faire des courses !

La passion de Gus pour le shopping avait été l'une des grandes révélations des débuts de notre relation. Je m'étais imaginé qu'un peintre connu trouverait indigne de lui de courir les magasins, mais il adorait cela. Surtout, il aimait m'aider à trouver des vêtements. Il critiquait sans scrupules tout ce qui n'était pas à la hauteur de ses exigences mais était dithyrambique dès que quelque chose lui plaisait, et il avait un goût très sûr.

Nous allâmes donc à Bath. En chemin, je lançai une ou deux petites phrases sur Jenny, comme « Elle a dû être très choquée d'apprendre comment son père était mort », ou « Je me demande si elle reviendra ». Gus éluda le sujet, se contentant d'émettre un grognement évasif. Je ne mentionnai pas non plus le portrait qu'il avait fait d'elle. Peut-être aurais-je dû essayer, mais je ne comprenais plus rien à ce qui arrivait, à commencer par cette horrible peinture, et j'avais peur qu'il n'essaie de m'endormir avec des demi-vérités comme j'étais sûre qu'il l'avait fait pour Jenny. Mieux valait ne rien savoir que d'entendre des mensonges. C'était du moins ainsi que je raisonnais. Le revers de la médaille étant que notre sortie fut empoisonnée par notre bonne humeur factice, notre politesse artificielle, celle de deux personnes qui parlent de tout sauf du seul sujet qui les préoccupe.

Après un déjeuner dans notre restaurant préféré, Gus voulut à tout prix m'acheter une robe argentée, dos nu – et pratiquement sans côtés et sans devant. Avec ma peau blanche, mes yeux et mes cheveux bruns, je préfère les couleurs chaudes, mais Gus n'était pas de cet avis. Et puis, étant une femme mariée, je n'osais pas souligner mes longues jambes et mon ample poitrine de serveuse au cœur tendre ! Sur ce point aussi, Gus n'avait pas la même opinion.

— Au prochain vernissage, tu vas faire un malheur, jugea-t-il avec satisfaction tandis que je déambulais pieds nus dans la boutique, avec la désagréable impression que la moitié de ma robe était restée dans la cabine d'essayage. Personne ne regardera les œuvres !

— Tu ne trouves pas que ça fait un peu mauvais genre ?

Je me plaçai de profil devant le miroir et levai le bras, observant l'ombre arrondie de mon sein contre le bord argenté de la robe.

— Pas du tout.

Les vendeuses approuvèrent avec un grand sourire, comme elles le font quand un vêtement va à la perfection à une cliente.

Cela ne s'arrêta pas là. À nos emplettes s'ajoutèrent une veste, deux paires de chaussures et un sac à main en cuir si doux que je le passai et repassai sur ma joue. Pour Gus, nous achetâmes une chemise griffée et six paires de chaussettes à losanges. La journée aurait donc dû être agréable... Mais nous n'étions pas à l'aise, et plus nous essayions de retrouver notre habituelle complicité, plus la distance se marquait.

Ce fut avec soulagement que nous nous retrouvâmes dans la voiture, la musique poussée à plein volume pour nous éviter d'avoir à parler. Je conduisais et Gus choisissait ce que nous écoutions, d'abord une cantate de Bach puis, alors que nous approchions de la maison, une cassette des Mamas and Papas que j'avais achetée dans une station-service quelques semaines plus tôt, parce que cela me rappelait l'école primaire. Nos goûts étaient toujours éclectiques, mais pour une fois je me moquais de ce que nous mettions, pourvu que la musique dresse un mur de bruit entre nous.

— Tiens, ce n'est pas la voiture de Brian ?

La circulation avait ralenti aux abords de Sturford. Je suivis le regard de Gus et aperçus en effet la voiture de week-end de Brian, une berline Vauxhall bordeaux, qui rentrait en ville devant nous.

— On dirait qu'il s'est trouvé une copine, fit remarquer Gus avant d'ajouter : Pas trop tôt !

Nous reprenions de la vitesse.

— Non, intervins-je, c'est Jenny. Bizarre, ils n'avaient pas l'air d'avoir grand-chose en commun.

La voiture de Brian avait tourné devant nous sur une route secondaire. Où l'emmenait-il ?

— Merde ! maugréa Gus. J'espérais qu'elle allait partir.

— Ça t'ennuie tant, qu'elle soit là ?

— Mais bien sûr. Elle est impossible !

— Pauvre Jenny. Ça ne doit pas être facile pour elle.

— Je me demande pourquoi elle est venue.

— C'est normal qu'elle soit curieuse. (J'hésitai.) Elle te fait penser à Harriet ?

Il ne réagit pas pendant un long moment. J'eus peur que ma question ne provoque sa colère, mais il finit par répondre pensivement.

— Sans doute un peu. Elle ressemble plutôt à Andrew.

Je pensai à Andrew et à sa passion des armes. J'imaginais très bien Jenny trimballant un six-coups chargé. Sa susceptibilité était peut-être héréditaire.

Ma première question étant bien passée, j'en tentai une deuxième.

— Comment se fait-il que Harriet et toi vous ne vous soyez rencontrés qu'une fois adultes ?

— Un remariage, répondit tranquillement Gus, sans doute poussé sur la voie des réminiscences par la musique. Harriet a environ trois ans de plus que moi. Mon père a divorcé de sa mère peu de temps après sa naissance. Ensuite il a épousé ma mère, mais ils se sont séparés vers mes sept ans. Il n'y a jamais eu de contact entre les deux familles. C'était un homme difficile, et après le deuxième divorce il s'est transformé en reclus.

— Alors, toi et Harriet, vous ne vous étiez jamais vus avant l'enterrement ?

— Quoi ? (Il souriait, fredonnant avec la musique.) Non, je ne suis pas arrivé à temps pour la cérémonie. J'étais en Inde. Je venais de finir les Beaux-Arts et je faisais la route avec Raymond. Ray voulait trouver la révélation. Moi, Dieu sait ce que je cherchais, mais je n'aurais pas craché sur une petite révélation s'il s'en était présenté une. (Je n'en revenais pas qu'il parle de tout cela si ouvertement.) Nous faisions une halte dans un ashram minable quand j'ai reçu la lettre du notaire annonçant que j'étais maintenant propriétaire de Grays Orchard en indivision avec une sœur que je n'avais jamais vue de ma vie. Ça m'a fait un drôle d'effet. Comme Ray et moi étions fauchés, nous avons vu dans cette lettre un signe du destin nous indiquant que nous devions continuer notre quête spirituelle. Nous croyions vraiment à toutes ces conneries à l'époque – tu sais, l'idée que certaines choses sont prédestinées… C'est pratique ! On pourrait croire que six mois passés au milieu des multitudes du sous-continent indien nous auraient donné un peu plus le sens des proportions, mais nous étions horriblement imbus de notre personne. Comme si les dieux allaient se soucier de l'état des finances de deux routards anglais !

Le souvenir le fit sourire. J'eus envie de lui parler de la pancarte que j'avais vue la veille, celle qui conseillait de confier ses soucis à Jésus parce qu'il ne fermait jamais l'œil, mais Gus parlait si rarement de ses jeunes années que je n'eus pas envie d'interrompre le cours de ses pensées.

— Alors, vous êtes rentrés en Angleterre ? me contentai-je de demander.

— C'est ça. Nous avions prévu que j'irais à Sturford pour faire vendre la maison au plus vite. Ensuite, Ray et moi nous devions retourner directement en Inde avec mon argent pour continuer notre quête fabuleuse.

— C'est là que tu as rencontré Harriet ?

— Oui, dans le bureau du notaire de Sturford. Pas vraiment le lieu rêvé pour une première rencontre entre frère et sœur.

— C'est-à-dire ?

— Nous étions très gênés, pour commencer. On était pas faits pour s'entendre. Je l'ai classée dans la catégorie des bourgeoises ordinaires, le genre fondue de chevaux qui porte des jupes en tweed et des serre-tête en velours dès la trentaine. Elle a dû penser que j'étais une épave ambulante. Nous aurions probablement vendu la maison, partagé l'argent et repris chacun notre route si nous n'avions pas fait une petite visite de Grays Orchard avant.

— Que s'est-il passé ?

— Nous avons demandé à faire le tour du propriétaire. Le notaire nous a conduits là-bas parce qu'il tenait à nous faire visiter le domaine lui-même. C'était un petit bonhomme énergique, un peu à la Dickens. On était en mai, et tous les pommiers étaient en fleur – tu sais comme c'est extraordinaire à cette époque de l'année. Une véritable symphonie de blancs, de roses et de verts. Il avait plu le matin, mais quand nous sommes arrivés l'averse s'était arrêtée. Tu ne peux pas imaginer l'impact de ce concentré d'Angleterre après tant de mois passés en Inde.

» J'ai dû subir un choc culturel à l'envers. En Angleterre, tout était sinistre et gris et fiable et ennuyeux. En Inde régnait la pauvreté la plus abjecte, mais ici on souffrait d'une autre sorte de pauvreté : manque de lumière, de couleur, d'âme. Puis je suis arrivé à Grays et là j'ai été frappé par la beauté de la maison, si vide, si immense, si élégante. Quand on a visité l'étage, le soleil est apparu. Cette lumière qui se déversait à travers la poussière des pièces vides m'a semblé extraordinaire, comme celle d'une nature morte hollandaise. Pendant que le notaire radotait sur les agences immobilières, les taxes et la valeur des propriétés, Harriet et moi nous nous taisions, déjà à mille lieues de nous impressionner l'un l'autre. C'est alors que j'ai su exactement à quoi elle pensait. Comme si je m'étais insinué dans son esprit. Je me suis senti très mal à l'aise.

» Une fois la visite terminée, au moment où nous commencions à descendre l'escalier, j'ai dit : « Attendez une minute. » Je suis remonté, je me suis assis tout en haut de la rampe et j'ai glissé jusqu'en bas. Le notaire, affolé, hurlait qu'elle était peut-être vermoulue et qu'elle risquait de casser ; Harriet, elle, me regardait, et je pressentais que, comme moi, elle se disait que nous aurions dû grandir là, ensemble, quand nous étions petits, que nos parents nous avaient privés d'une partie irremplaçable de notre existence. J'ai demandé au notaire de nous donner les clés en disant que nous ferions le tour des vergers et des jardins tout seuls, et que nous rentrerions à pied à Sturford. Cela ne lui a guère plu, mais il ne pouvait pas refuser. Après tout, nous étions propriétaires. Et, dès qu'il a eu le dos tourné, nous avons couru dehors et traversé la pelouse en galopant, comme deux gamins à la sortie de l'école. Et puis nous sommes arrivés dans le verger…

Il s'interrompit. J'attendis une ou deux secondes avant de lui demander doucement :

— C'est là que vous avez décidé de garder Grays ?

— Oui, bien sûr, mais c'était plus que cela.

— Ah ?

— Je me souviens que je me suis allongé dans l'herbe et que j'ai regardé le ciel à travers les branches en fleurs. Je ne peux pas expliquer ce qui est arrivé. C'était comme si je voyais le bleu et le blanc pour la première fois de ma vie. Je venais de trouver ce que Ray et moi avions cherché partout, pendant ces longs mois en Inde, au dernier endroit où je m'y serais attendu : dans la maison de mon grand-père. Un verger anglais au mois de mai. Aussi simple que ça.

— Mais c'est incroyable !

— Non, pas du tout, tu penses… C'était une illusion. J'avais cherché une révélation, alors je me suis persuadé que j'en avais eu une. Sans doute étais-je entré dans un état second causé par le décalage horaire et la faim, et la joie de posséder enfin mon lopin de terre. Une émotion pas très spirituelle, somme toute.

— Non, je voulais dire l'histoire de la rampe. C'est comme le jour de notre rencontre.

Il se tourna vers moi sans comprendre.

— Excuse-moi, Carol, mais je ne vois pas le rapport.

— Tu ne te souviens pas ?

Il me sourit avec bonté.

— Je me souviens que je t'ai trouvée superbe, même dans ton horrible déguisement d'hôtesse de l'air. Je n'avais pas compris que tu essayais de te vieillir pour te donner l'air responsable et me convaincre de te vendre la maison.

— Mais quand tu m'as fait visiter... tu étais en bas de l'escalier.

— Ah bon ? Tu es sûre que c'était ce jour-là ?

Je n'arrivais pas à répondre. Le moindre détail de cette fameuse visite à Grays était resté gravé dans mon esprit parce que c'était la première fois que Gus et moi nous étions vus. Le téléphone arabe de Sturford avait propagé la nouvelle que Gus Ridley était rentré d'Amérique. Il avait racheté la moitié de la propriété à sa sœur des années plus tôt, et maintenant il allait mettre Grays en vente. Brian et moi avions fait nos comptes et avions décidé de faire une offre tout de suite. La maison pouvait être rénovée et revendue, et, pour le verger du fond, celui qui était déjà entouré sur trois côtés par des lotissements, nous obtiendrions sûrement un permis de construire pour six logements. Cela nous obligerait à demander un gros prêt à la banque, l'opération était donc risquée, mais, si nous parvenions à mener le projet à bien, l'entreprise Brewster et Dray connaîtrait la fin de ses ennuis financiers pour la première fois depuis sa création. C'était vrai, j'avais revêtu le tailleur sérieux que je réservais à mes visites à la banque afin de convaincre le propriétaire de Grays Orchard, absent depuis des années, que j'étais une personne digne de confiance bien que n'ayant pas encore trente ans.

J'avais été très angoissée par le rendez-vous. Tous les jours, pendant mes études secondaires, j'avais vu Grays Orchard par la vitre du car de ramassage scolaire, et maintenant, enfin, j'allais rencontrer son intrigant et énigmatique propriétaire. Gus m'avait fait faire le tour de la maison. « Exploration » conviendrait mieux pour évoquer la visite des lieux ce jour-là, la maison ayant été fermée pendant pratiquement vingt ans. Il y eut beaucoup de « Je me demande si cette porte est fermée à clé ? Non, on dirait qu'elle s'ouvre... Bigre, encore un cimetière de mouches ». On s'était arrêtés au premier étage, et Gus ne disait plus rien depuis un moment. Peut-être s'était-il laissé submerger par les souvenirs qui avaient passé le barrage de sa litanie de commentaires et de plaisanteries. Sentant qu'il avait besoin de rester seul un moment, j'avais prétendu retourner vérifier la dimension d'une des chambres. À mon retour, il avait disparu. Je m'étais engagée dans l'escalier, mais, soudain, exactement comme il l'avait fait le jour où il avait visité la maison avec Harriet, j'étais remontée et j'avais enfourché la rampe. Quand on connaît l'escalier de Grays Orchard, la coïncidence n'est pas si extraordinaire. L'escalier est une des beautés de la maison : il décrit une large courbe, et la rampe de bois sombre est irrésistible. Juste avant que j'arrive en bas, Gus était sorti du salon et avait levé les yeux vers moi avec un grand sourire appréciateur. Il avait tendu les mains pour m'attraper et m'avait aidée à reprendre mon équilibre au moment où mes pieds se posaient sur le sol du hall. L'impact de ce contact avait eu la puissance d'un choc électrique. Je crois que je suis tombée amoureuse de lui sur-le-champ. Ce que lui a ressenti, je ne le sais pas – je ne le lui ai jamais demandé –, mais il a dû se sentir attiré car en cinq minutes nous avions pris rendez-vous pour dîner ensemble le soir même « afin de revoir certains détails ». Nous étions amants avant la fin de la semaine et mariés un mois plus tard.

Les cahots de la voiture sur le long chemin qui passe entre les vergers me ramenèrent au temps présent. Dans le lecteur de cassettes, Mama Cass rappelait à quelqu'un de dire une prière pour elle quand ils seraient séparés.

— La première fois que nous avons visité la maison, dis-je, et que j'ai glissé sur la rampe. Tu dois bien t'en souvenir ?

— Tu as fait ça, chérie ? Moi, je ne l'ai pas fait depuis des années.

Nous avions atteint le bout de terrain situé entre le côté de la maison et le grenier à pommes, et j'avais arrêté la voiture.

Comment avait-il pu oublier un incident qui revêtait une telle importance pour moi ? Je coupai le contact et la musique se tut.

Gus resta assis près de moi dans la voiture à l'arrêt ; sur la banquette arrière s'entassaient des sacs remplis des achats que nous avions faits ensemble. J'aurais cédé le tout avec joie contre la certitude que c'était à moi qu'il pensait avec cette expression lointaine dans le regard. Il n'y avait eu qu'un seul grand amour dans la vie de Gus avant notre rencontre.

— Tu connaissais déjà Katie quand tu as décidé de venir vivre ici ? demandai-je doucement.

— Katie ? (Son sourire, si tendre et affectueux, fit naître en moi une pointe de jalousie.) Oh, oui ! dit-il, je connaissais déjà Katie depuis longtemps.

Je ne crois pas que je lui avais déjà vu cette expression, pas ce mélange précis de tendresse et de regrets.

— Pourquoi vous êtes-vous séparés ? À cause du meurtre ?

J'eus l'impression de voir s'éteindre une lumière. Il répondit d'un ton bref.

— Pas vraiment. Ça s'est fait tout seul.

Jamais de ma vie je n'avais été jalouse, en tout cas pas avec cette intensité. C'était énorme, comme une injection de poison dans les veines, un éclair aveuglant de ressentiment et de haine. Les portraits qu'il avait faits d'elle se succédèrent dans mon esprit – *Katie prenant un bain de soleil*, *Katie et son chapeau de paille*, *La Vie selon Katie* –, plus beaux les uns que les autres. Au moment de notre rencontre, puis de notre mariage, je m'étais persuadée qu'il avait retrouvé le grand amour pour la première fois depuis qu'il avait perdu Katie, mais maintenant, avec horreur, le doute m'envahissait.

Très sombre, il descendit de voiture et se dirigea vers la maison. Je dus me forcer à le suivre. Je me dis que je perdais bêtement mon temps à être jalouse, surtout d'une femme qu'il avait cessé de voir depuis près de vingt-cinq ans. Je commençais cependant à comprendre que la jalousie est sourde à la raison.

4

La visite de chantier durait depuis près d'une heure : nous avions tous froid et la mauvaise humeur montait. Phil Reeves, notre employé local de l'urbanisme, avait l'air de nous en vouloir assez pour exhumer une clause F, section 81, paragraphe 9, ou toute autre partie également obscure de la réglementation que personne ne connaissait. Quant à Samantha Piper, dont les hésitations causaient tous nos tracas, elle semblait prête à déplacer le mur de sa salle de bains pour la cinquième fois. Je décidai d'intervenir pour clore la séance.

— Bien, annonçai-je d'un ton enjoué mais ferme. Je crois que nous avons fait le tour des questions à l'ordre du jour. Nous prenons en charge le coût du drainage supplémentaire demandé par l'urbanisme, Phil. L'étude préliminaire avait sous-évalué les problèmes présentés par la zone basse du terrain, on est bien d'accord là-dessus. Nous sommes obligés de vous compter les frais du nouveau déplacement de votre mur de salle de bains, madame Piper, mais nous le ferons à prix coûtant. De cette façon, nous ne dépasserons pas le budget, à condition de ne plus rien changer aux plans. À votre prochaine visite, le toit sera même peut-être en place.

Vu les bourrasques qui balayaient le chantier, cela aurait dû lui remonter le moral.

— Bien..., commença Samantha Piper de son énervante voix nasillarde, ses petits yeux vifs pétillant de méfiance. Vous pouvez me mettre ça par écrit ?

Un grondement s'échappa de la gorge de Brian, le genre de bruit qui, dit-on, précède les tremblements de terre. Avant qu'il ait pu crier « Certainement pas, plutôt crever ! » je m'empressai de lancer bien fort :

— Ne vous en faites pas, madame, je superviserai tout ça en personne.

Le tout accompagné de mon plus beau sourire de complicité féminine. Comme je l'avais escompté, cela la rassura.

Dix minutes plus tard, nous les avions raccompagnés chacun à sa voiture. Quand Brian se mit à grogner qu'elle aurait sa peau et à pester contre les femmes désœuvrées, je l'interrompis.

— On a le temps de faire un petit tour d'horizon ?

— Toujours ! répondit-il avec un bon sourire, son énervement s'évanouissant à la seconde. La trois est la plus haute.

Je montai derrière lui aux échelles des échafaudages qui entouraient la maison en construction. Notre premier tour d'horizon remontait à l'époque de l'enterrement de mon père. Brian, entré dans notre entreprise familiale à sa sortie du collège, assurait déjà à l'époque les fonctions de chef d'équipe sur les nouveaux chantiers, même si, n'ayant que vingt-trois ans, il n'avait pas de statut véritable dans l'entreprise. Moi non plus, d'ailleurs, à moins de prendre en compte le fait que j'étais la fille du patron et responsable de ses dettes à présent qu'il était mort. Tout le monde pensait que les ouvriers seraient licenciés et que les contrats seraient annulés. Mon père avait pris des risques pour son dernier chantier, et les travaux ne se passaient pas bien. Certains prétendaient même que c'étaient les soucis qui avaient provoqué sa crise cardiaque, à l'âge de soixante-trois ans, mais d'autres ajoutaient qu'il ne s'était jamais remis du départ de ma mère l'année où je devais quitter la maison pour l'université. C'était sans doute un mélange des deux, et pourtant j'avais fait de mon mieux pour compenser l'absence de ma mère en restant travailler avec lui et en assumant un rôle bien plus grand que celui qu'elle avait jamais pu jouer dans l'entreprise. Le notaire faisait déjà de sombres prédictions de dépôt de bilan et notre comptable semblait de plus en plus pessimiste chaque fois que je le voyais.

C'était Brian qui avait suggéré de faire un petit tour d'horizon ce premier après-midi. Nous étions montés en haut de la seule des quatre maisons à être en phase d'achèvement, et nous nous étions assis sur le toit, regardant le crématorium où mon père venait d'être incinéré. Brian avait sorti de sa poche une flasque de cognac, et, pendant que nous buvions, il m'avait annoncé qu'il était prêt à superviser la fin du chantier si j'arrivais à négocier avec la banque et si je m'occupais de la comptabilité. J'avais été à tel point soulagée de ne pas être obligée de licencier les ouvriers que je m'étais même engagée à mettre la main à la pâte. Nous avions terminé le cognac et conclu le marché par une poignée de mains. Deux pies, qui nous dépassèrent en rase-mottes au-dessus du toit, avaient jacassé à grand bruit en nous voyant, et nous avions voulu y voir un heureux présage.

Un an plus tard, Brian et moi avions signé un partenariat officiel, malgré les pessimistes qui nous jugeaient beaucoup trop inexpérimentés pour réussir. Brian avait alors vingt-quatre ans et moi presque trente. Les gens commençaient à nous considérer comme un couple, ce qui ne déplaisait pas du tout à Brian. Comme nous étions associés, nous restions très prudents, et nous avions opté pour un flirt à l'ancienne : Brian m'invitait au restaurant et m'offrait des fleurs, et nous nous faisions parfois des petits câlins, mais sans aller plus loin que la tendresse. Je pense qu'à l'époque j'étais persuadée que notre relation était inévitable, mais je freinais autant que je pouvais. J'espérais encore voyager, faire quelque chose d'inattendu de ma vie, alors qu'une fois que je serais installée avec Brian mon avenir deviendrait complètement prévisible. Puis Gus Ridley était revenu à Grays Orchard et avait mis ma vie sens dessus dessous.

Depuis, Brian et moi avions toujours pris les grandes décisions, ou partagé nos inquiétudes, soit sur un toit, soit sur ce qu'il y avait de plus haut à proximité. C'était agrippés à une cheminée par une tempête de force 8 que nous avions décidé d'acheter ce terrain de Gander Hill et d'y construire six maisons confortables, accessibles à des gens de la région. Malheureusement, cela ouvrait aussi la porte à des clientes comme Samantha Piper qui ne nous causaient que des ennuis.

— Enfin ! elle est partie, déclara Brian avec une nette satisfaction, alors que, accrochés à la charpente, nous regardions sa petite voiture bleue retourner vers Sturford. Elle ne fait que geindre depuis le jour où elle a signé. Je ne supporte pas ce genre de bonne femme.

— Elle est malheureuse. C'est pour ça qu'elle râle tout le temps.

— Et comment sais-tu ça, toi ?

— Elle meurt d'envie d'avoir des enfants, et elle n'arrive pas à tomber enceinte. Sous toutes ses chicaneries et son agressivité se cache un vrai sentiment d'infériorité. Elle pense aussi que son mari a une maîtresse.

— Tant mieux pour lui. Quand est-ce qu'elle t'a dit ça ?

— Pendant que toi et Phil vous faisiez les tests d'écoulement des eaux. Elle ne m'a rien dit directement – elle est beaucoup trop fière pour ça – mais ses sous-entendus étaient clairs.

— T'es pas croyable ! Tu arrives à faire raconter leur vie aux gens en moins de temps qu'il ne m'en faut pour regarder de l'eau dévaler une pente. On devrait lui demander un supplément pour le service courrier du cœur.

— Telle que je la connais, elle refuserait de payer.

— Elle voudrait qu'on le lui mette par écrit.

— Avec une réduction en prime.

Nous nous sourîmes. Les cheveux blond-roux de Brian étaient humides de transpiration et ses sourcils proéminents brillaient de sueur. Je m'appuyai à une panne et regardai Grays Orchard dans le lointain, tout juste visible à travers les branches encore dénudées du printemps.

— Comment s'est passé ton week-end ? demandai-je.

— Très bien.

On avait l'habitude de blaguer sur les week-ends de Brian, réglés comme du papier à musique. Le samedi matin, il allait au supermarché et faisait son ménage : il avait gardé une des quatre maisons de notre premier chantier, et elle ressemblait toujours à une maison témoin. Ensuite il apportait son linge sale chez sa mère. L'après-midi, il jouait au foot avec des copains, cinq joueurs par équipe, puis ils allaient boire un coup au Turk's Head. Puis il retournait chez sa mère pour le dîner, à moins qu'il ne sorte, auquel cas il allait déjeuner chez elle le dimanche et reprenait son linge propre et repassé. Je me demandais comment Jenny s'était insérée dans ce rituel immuable.

Je lui racontai brièvement ma promenade à Bath avec Gus. En temps normal, mes confidences auraient entraîné en retour un récit de ses activités, mais pas aujourd'hui. Pourtant, de toute évidence, il avait pris Jenny en pitié, et comme il avait passé du temps avec elle, j'avais envie d'avoir des détails.

— J'ai essayé d'appeler Jenny au Travelodge hier matin, dis-je, mais on m'a appris qu'elle avait quitté l'hôtel. Elle a dû repartir pour Londres.

Brian ne répondit que par un grommellement. J'avais suggéré le tour d'horizon parce que je voulais discuter de la nièce de Gus, et son silence ne fit qu'alimenter ma curiosité. Lui avait-elle rapporté notre dispute du samedi matin, quand nous avions pris le café ? S'était-elle plainte que je me mêlais de ce qui ne me regardait pas, et était-ce pour cela qu'il refusait de parler d'elle ?

— Ah ! à propos, dis-je, merci d'avoir raccompagné Jenny vendredi soir.

— Je t'en prie.

— Elle est revenue le lendemain matin. Elle s'est débrouillée pour se disputer avec nous sans raison. La situation est compliquée pour elle, mais tout de même, elle ne nous rend pas la tâche facile.

— Mmm. Ce n'est pas tout rose pour elle.

Avaient-ils beaucoup parlé ? La réticence de Brian était si inhabituelle que j'insistai.

— Pourquoi as-tu fait de la provocation, vendredi soir ? Tu voyais bien que Gus ne voulait pas parler du meurtre.

— Je ne cherchais pas à l'ennuyer. Je pensais simplement que Jenny avait besoin qu'on l'aide à découvrir la vérité sur son père. Et sans doute que j'étais curieux aussi. Il y a toujours eu tellement d'interrogations sur ce qui s'est passé…

Il bâilla, et je remarquai soudain qu'il avait la mine fatiguée d'un homme qui n'a pas beaucoup dormi.

— J'ai pensé, reprit-il, qu'elle serait contente de parler de tout ça avec ma mère. Maman a toujours été fascinée par ce meurtre.

— Alors, tu as revu Jenny ?

— Allez, Carol, dit-il avec un sourire, tu sais bien que toi et Gus vous nous avez vus rentrer de la partie de foot samedi après-midi.

— Je n'ai pas bien vu avec qui tu étais.

— Ah non ? Alors pourquoi tu me poses toutes ces questions ?

— Je n'aurais pas cru qu'une partie de foot à dix amuserait beaucoup Jenny, répliquai-je, vexée.

— Ça lui a plu de nous regarder. Ensuite on est allés prendre un verre, et puis elle est revenue avec moi chez maman pour dîner et regarder une vidéo. *Le Narcisse noir.* Maman la montre toujours aux invités qui viennent pour la première fois – un genre de test –, mais je ne crois pas que Jenny ait beaucoup aimé. Tu veux que je te raconte mon dimanche ?

J'aurais plutôt voulu savoir ce qu'ils avaient fait le reste de la soirée du samedi, mais Brian s'amusait bien trop à mes dépens pour que je veuille le reconnaître.

— Ça ne me regarde pas.

— Je pensais que ça t'intéresserait.

— Non, pas vraiment.

Brian se contenta de rire et annonça qu'il ferait mieux de retourner surveiller le chantier. Moi, je devais aller à la grange Shorter, régler quelques détails avec Walter, le doyen de l'équipe.

Dès que j'eus quitté Brian, je regrettai de ne pas lui avoir demandé franchement ce qui se passait. Depuis des années j'espérais qu'il allait se trouver une copine, mais les filles que j'imaginais étaient plus rassurantes, ressemblant un peu à sa mère, et non pas imprévisibles comme Jenny. Je pris la voiture et me rendis sans me presser à la grange. Walter était déjà en plein travail avec Sean, le jeune aide que nous avions embauché deux mois avant, qui courait partout comme s'il était mû par un ressort.

Brian et Jenny étaient tellement peu faits l'un pour l'autre que mon imagination s'emballa. Les avais-je mal observés vendredi soir ? S'étaient-ils lancé des œillades enflammées de part et d'autre de la table de la cuisine sans que je m'en aperçoive ? Le côté carré, rassurant de Brian plaisait-il à Jenny ? Et était-il attiré par sa fragilité et son instabilité ?

Brian ne m'avait embrassée qu'une seule fois. C'était le soir où il nous avait réservé une table au grill-room pour fêter l'achat de Grays Orchard, et où je lui avais appris que l'affaire était à l'eau parce que Gus Ridley avait finalement décidé de rester à Sturford. Brian m'avait avoué que j'étais la seule femme qui ait jamais vraiment compté pour lui, et qu'il espérait que je ressentais la même chose. Je lui avais répondu que j'étais déjà amoureuse de Gus Ridley. Nous avions passé le reste du repas à parler d'autres terrains possibles, puis nous étions rentrés tristes et silencieux dans la voiture. Juste avant de me déposer, il m'avait embrassée. C'était sans doute une dernière tentative pour se faire aimer plus que Gus. Je n'avais pas besoin de trésors de perspicacité pour me douter que ce baiser comptait énormément pour lui, tout comme il devait savoir que cela ne comptait pas du tout pour moi.

Me souvenant de l'intensité de sa passion, je me demandai s'il avait embrassé Jenny et comment elle avait réagi. Avaient-ils couché ensemble ? Rien de plus naturel que de se poser la question.

Je méditai là-dessus en me disant qu'un après-midi passé sur un terrain de foot venteux à regarder une poignée de joueurs taper dans un ballon, suivi par *Le Narcisse noir* en compagnie de la mère de Brian, ne constituait guère un prélude propice à une folle nuit d'amour, mais on ne savait jamais… En fait, je me faisais du souci pour Brian, parce que je ne voulais pas qu'on lui fasse de peine. Mais au fond, tout cela ne me regardait pas, il fallait que je cesse d'y penser.

J'y arrivai plus ou moins, ce matin-là, en m'attelant à fixer le plancher restauré. Un travail agréable et épuisant. Quand nous avions mis à nu l'intérieur de la grange à l'automne, nous avions récupéré le vieux parquet de chêne, remis les lattes en état, les avions poncées et traitées, et maintenant elles étaient très belles, chacune une œuvre d'art en elle-même. Nous avions dû en acheter quelques-unes pour remplacer celles qui manquaient, mais j'étais parvenue à en repérer chez un récupérateur de matériaux anciens, certes à un prix très élevé, mais de dimension et de couleur presque identiques. Tout en clouant le parquet, je me jurai que si les acheteurs de la grange Shorter recouvraient mon beau travail avec de la moquette, je reviendrais l'arracher de mes propres mains.

Je décidai de faire un saut chez moi pour le déjeuner. Cela m'arrivait une ou deux fois par semaine, je ne peux donc pas dire que j'avais une raison spéciale de rentrer ce lundi-là. Gus avait annoncé son intention de sélectionner les toiles destinées à sa prochaine exposition et j'avais hâte de voir lesquelles il choisirait.

L'autoradio déversait la voix d'un journaliste de Classic FM, qui n'en finissait pas de discourir sur la retraite et la vieillesse. La route de Grays Orchard longeait notre verger du bas, où une vapeur verte entourait les pommiers, signe que les bourgeons se gonflaient de sève et que les feuilles allaient bientôt se développer. Encore quelques jours et le miracle commencerait à s'accomplir. La visite de Jenny avait de toute évidence éveillé de terribles souvenirs chez Gus, mais le printemps à Grays Orchard était réparateur : d'ici à quelques jours, nous redeviendrions plus proches que jamais.

L'entrée de la propriété était dangereuse. Les voitures prenaient de la vitesse sur le tronçon de route droite, et on devait donc ralentir et mettre le clignotant bien avant de tourner dans le chemin qui menait à la maison. Une Saab bleu métallisé me collait aux basques depuis plus d'un kilomètre. Je jetai un coup d'œil dans le rétroviseur au moment où elle se déportait pour me doubler.

— Eh bien passe, puisque tu es pressé ! marmottai-je.

Il y eut un crissement de freins et la Saab disparut de mon rétroviseur. Juste au moment où je m'apprêtais à tourner, un break blanc déboucha du chemin à toute allure. Il manqua mon pare-chocs avant de quelques centimètres et fonça dans la circulation. Des coups de klaxon retentirent. Une camionnette qui arrivait dans l'autre sens dut rouler sur le bas-côté et faillit se renverser.

— Jenny !

Elle était penchée sur le volant du break, blanche comme un linge, la bouche ouverte. Des soubresauts agitaient ses épaules : elle sanglotait, et devait être aveuglée par ses larmes.

— Jenny !

C'était idiot de l'appeler, mais cela ne m'empêcha pas de le faire. Il fallait que je l'arrête – en tout cas que quelqu'un l'arrête avant qu'elle ne se tue.

— Jenny ! Arrête-toi !

Ma voix s'étouffa contre le pare-brise.

J'avais fini de tourner et mes quatre roues étaient engagées dans le chemin défoncé qui menait à Grays. Je pilai et regardai derrière moi, terrorisée par le carnage que je redoutais, mais j'eus juste le temps de distinguer une tache de soleil reflétée sur sa lunette arrière tandis que sa voiture disparaissait au loin.

Je repartis sur le chemin, les mains agrippées au volant. À la radio, le sujet portait toujours sur le troisième âge. J'avais mal au cœur. Quelle idiote, quelle pauvre idiote ! Elle avait failli se faire tuer. Elle aurait pu causer un accident, tuer ou blesser des gens. Elle n'était pas en état de conduire : il fallait l'arrêter. Mais comment ? Il était trop tard pour faire demi-tour et essayer de la poursuivre.

Qu'était-il arrivé ? S'était-elle de nouveau disputée avec Gus ? Ou avait-elle fait une bêtise ?

Je tremblais en sortant de la voiture. Le silence était profond. Inquiétant. J'ouvris la porte de derrière mais la cuisine était vide.

— Gus ?

Pas de réponse.

J'appelai à pleins poumons.

— Gus ? Où es-tu ?

Toujours pas de réponse.

Je traversai la cour à toutes jambes et gravis les degrés de pierre qui menaient à la porte du grenier à pommes.

— Gus ? Tu es là ?

Silence.

J'ouvris la porte de l'atelier.

— Gus ?

J'hésitai un instant, n'osant entrer, puis je rassemblai mon courage et pénétrai dans la pièce.

Je ne le vis pas. Les volets étant fermés, il me fallut quelques instants pour m'habituer à la pénombre. Gus ne se trouvait à aucun de ses emplacements ordinaires, ni à son chevalet, ni penché sur la table où il étalait ses dessins.

Ce fut le son d'une respiration haletante qui me guida vers le fond de la pièce, où j'aperçus une silhouette dans l'ombre.

Mon soulagement me fit comprendre combien ma peur avait été profonde.

— Gus, tu es là ! (Ma voix tremblait de soulagement.) Que s'est-il passé ? Je viens de voir Jenny sortir d'ici en conduisant comme une folle. Tout va bien ?

Il ne répondit pas, mais se tourna un peu vers moi et approcha de la fenêtre.

— Cette idiote a failli se tuer, continuai-je.

— Regarde, dit-il, sa voix se brisant sur ce mot.

Il ouvrit les volets, inondant la pièce de lumière.

Je jetai un coup d'œil autour de moi. Les meubles n'avaient pas bougé : la chaise, le chevalet, la chaise longue, les tableaux appuyés au mur. Et puis je vis ce qu'il me montrait. À la place de ses œuvres, il ne restait plus que des morceaux de toile crevée, durcis de peinture, qui pendaient dans les châssis. J'avançai et ma semelle crissa sur du verre brisé.

— Non, ce n'est pas vrai !

Il s'appuyait au mur, bras ballants. Lentement, il se laissa glisser à terre et se retrouva accroupi dans le coin. Il perdait son souffle, comme s'il venait de recevoir un coup de poing dans le ventre, puis il fut pris de tremblements, secoué par des sanglots sans larmes, douloureux, épouvantables.

— Gus, mon Dieu ! dis-je en traversant la pièce et en m'agenouillant à côté de lui. (Il se tourna vers moi et cacha son visage contre mon épaule.) Que s'est-il passé ? Comment a-t-elle pu faire ça ?

Il ne me fallut pas longtemps pour reconstituer ce qui avait dû se passer. Tous les tableaux avaient été endommagés sans espoir de retour, mais celui qui avait le plus souffert était l'ébauche à l'huile du torse nu de Jenny émergeant de sa fleur sanglante. J'imaginai qu'elle avait soulevé le tissu pendant que Gus n'était pas dans la pièce, et que, choquée par sa brutalité, elle s'y était attaquée. Ensuite, elle avait dû continuer sur la lancée de sa folie destructrice et ne s'arrêter qu'en entendant Gus revenir. Elle avait dû descendre en courant pour reprendre sa voiture, le laissant découvrir son forfait. Une fraction de seconde, je fus si furieuse contre elle que je regrettai qu'elle n'ait pas tamponné la camionnette et ne se soit pas tuée. Ç'aurait été bien fait pour elle !

Je regardai autour de moi pour trouver l'arme du crime et aperçus le manche orange du cutter tombé au pied du chevalet.

— Parfait, dis-je sombrement, il y aura autant d'empreintes digitales qu'on en voudra pour la police.

— La police ?

Ce n'était que le deuxième mot que Gus prononçait depuis mon arrivée.

— Je l'appelle tout de suite. Il faut l'arrêter.

Gus secoua la tête lentement de droite à gauche, comme un taureau.

— Non, pas la police.

— C'est pour son bien. Elle a besoin d'aide.

— Non.

Je n'avais pas envie de le contredire, pas tout de suite. En cas de crise, je me raccroche toujours à des réflexes familiers, et ce fut ce que je fis ce jour-là. Je voulus éloigner Gus de ce saccage, mais il refusa de bouger. Ses sanglots se calmèrent, il me repoussa, rejetant le réconfort que je voulais lui offrir, et se leva. Pendant des instants qui me semblèrent durer des heures, il erra dans la pièce, ramassant ses toiles les unes après les autres et passant les doigts sur les bords effilochés de leurs blessures. Au bout d'un moment, je vis qu'il souriait. Un peu plus tard, à ma grande horreur, il éclata de rire.

— Gus, arrête ! Ce n'est pas drôle !

— Non, je sais bien.

Il ne semblait pas penser ce qu'il disait, mais au moins il s'arrêta.

— Allons dans la maison. Je nettoierai tout ça plus tard. Tu te fais du mal.

Il se tourna vers moi, le visage lumineux.

— Tu peux partir, Carol, dit-il calmement. Tu es libre, tu le sais, j'espère ?

— Il est trop tard pour que je retourne travailler aujourd'hui. De toute façon, je ne veux pas te laisser seul.

— Ce n'est pas ce que je voulais dire.

Il y avait quelque chose d'inquiétant dans sa façon paisible de s'exprimer, comme s'il donnait des conseils à une inconnue.

— Tu devrais sauver ta peau tout de suite, avant qu'il ne soit trop tard. Tu n'es pas obligée de rester avec moi. Tu peux t'en aller.

— Qu'est-ce que tu racontes ?

J'étais tellement choquée que, à mon tour, je me sentis au bord du fou rire.

Gus continua calmement.

— Ou alors, c'est moi qui partirai, si tu préfères rester. Je peux toujours retourner à New York. Je trouverai bien où aller.

— Tais-toi, tu dis n'importe quoi. Personne ne va partir. Tu as subi un choc à cause de ce qui est arrivé et…

— Non ! Tu ne comprends pas. Je me fiche pas mal de mes peintures. Je suis même content d'en être débarrassé. Elles ne valaient rien. C'était une affreuse imposture. Tu ne vois pas que j'essaie de te protéger, Carol ? C'est fini, nous deux. Je suis cuit.

— Ne dis pas ça.

La seule façon de tenir le coup était de me dire qu'il délirait, que la perte de ses œuvres lui avait temporairement fait perdre la tête.

— Je t'en prie, Gus, rentrons à la maison. Je nettoierai plus tard, d'accord ?

Il tremblait. Cette fois, quand je le pris dans mes bras, il ne protesta pas. Je lui dis que je n'avais aucune intention de le quitter, ni maintenant ni jamais, et je le rassurai. Je pouvais être assez solide pour deux, je le savais, et, tout en le serrant contre moi, je me concentrai, tâchant de lui communiquer ma force. Je n'avais aucune intention de laisser la rage de Jenny anéantir mon couple comme elle avait anéanti les toiles de Gus.

À force de persuasion, je parvins à le convaincre de retourner dans la maison. Plus tard, pendant qu'il se reposait, je retournai à l'atelier et enfournai le plus gros des dégâts dans des sacs-poubelles. Je me dis que nous ferions face à ce désastre ensemble et que cette épreuve, au bout du compte, finirait peut-être par nous rapprocher encore davantage, mais je pense que, même alors, j'éprouvais quelques doutes. Après cela, il aurait été bien naturel que Gus se replie sur lui-même, mais la crise fut plus grave.

Au cours des semaines suivantes, voyant que Gus prenait de plus en plus ses distances, je fis tout pour me convaincre que sa froideur était causée par le traumatisme du désastre. En lui laissant du temps, tout finirait par rentrer dans l'ordre. Mais, au fond, je devais me douter que nos difficultés cachaient autre chose, parce que notre éloignement avait commencé dès l'instant où Jenny l'avait contacté. Le fossé qui se creusait entre nous n'était qu'en partie lié à la destruction de ses œuvres, et beaucoup, beaucoup plus à Harriet et aux autres membres du groupe. Ils avaient été très proches au temps où ils vivaient ensemble, mais Gus les avait rayés de son existence après cet été-là, et cette époque me restait totalement inaccessible.

5

Pendant les quelques semaines suivantes, l'onde de choc du drame continua à se faire sentir. Il y eut des tâches pratiques à accomplir, comme déblayer les débris et annoncer au galeriste que l'exposition était annulée, ce qui me rappela la triste période de la mort de mon père : les placards à vider et les pourparlers avec les pompes funèbres et le notaire. J'aurais trouvé cette épreuve plus facile si Gus avait pleuré avec moi, mais sa réaction, si différente de la mienne, ne fit que nous éloigner davantage. Je ne comprenais pas son absence de colère envers Jenny. Chaque fois que je suggérais d'essayer de la retrouver, même de déclarer à la police qu'elle avait disparu, il s'y refusait obstinément.

— Non. Il ne faut pas mêler la police à ça. Ce qui est fait est fait.

Je finis par perdre patience.

— Génial ! hurlai-je. Et pourquoi on n'enverrait pas une médaille à cette sale garce pendant qu'on y est ?

Il ne se donna pas la peine de répondre, se contentant de hausser les épaules et de se réfugier dans son atelier.

Ma colère ne trouvait aucun exutoire. Je ne pouvais même pas me plaindre à ses amis parce que Gus m'avait fait promettre, le jour du départ de Jenny, de ne parler à personne de ce qui était arrivé. Pour lui, il s'agissait d'une affaire privée, et même si Jenny s'était très mal conduite, elle restait tout de même la fille unique de sa sœur et il se sentait dans l'obligation de la protéger. Il pensait que nous n'aurions rien à gagner au scandale. Les peintures étaient perdues, et cela ne les ferait pas revenir de poursuivre Jenny. Je lui avais donné ma parole ce jour-là, parce qu'il était encore en état de choc, mais je l'avais aussitôt regretté. Je ne pouvais même pas me confier à Brian, et je me tourmentais à l'idée qu'il considérait peut-être toujours Jenny comme une victime alors qu'elle avait fait preuve d'une violence inouïe.

Après cela, toute complicité entre Gus et moi s'évanouit. L'incroyable scène qu'il m'avait faite dans l'atelier ne se renouvela pas. Lorsque j'essayais de le faire parler, il coupait court avec une politesse extrême, comme avec Jenny quand elle avait voulu poser des questions sur la mort d'Andrew, me signifiant très clairement que le sujet était clos. Mes sentiments pour Jenny étaient confus. Par moments, je fantasmais que je l'obligeais à s'excuser du saccage, ou simplement que je lui hurlais dessus pour me soulager. Mais, parfois aussi, j'étais prise de remords.

À son arrivée à Grays Orchard, j'avais compris que sa position était difficile et je l'avais accueillie de mon mieux, mais, de toute évidence, j'avais sous-estimé la difficulté de la situation et son déséquilibre. La destruction des œuvres de Gus avait été commise dans un accès de rage infantile, et elle avait grand besoin d'une aide psychologique. À tout le moins, il aurait fallu que nous contactions quelqu'un qui la connaissait pour l'informer de ce qui était arrivé, mais dès que je suggérais cette idée, Gus la rejetait d'emblée et se rétractait encore davantage dans sa coquille. Je me dis tristement que, à ce rythme, il finirait bientôt par se retrancher dans son atelier même pour dormir.

Une semaine plus tard, ce fut chose faite.

Le visiteur avait dû crier pour attirer mon attention, mais je ne l'avais pas entendu à cause du bruit de moteur. Ce fut un mouvement à ma gauche qui attira mon attention. Je relâchai le bouton-poussoir de la tronçonneuse et la posai, puis enlevai mes lunettes de protection. Les oreilles bourdonnantes, je secouai la tête pour libérer mes cheveux.

— Bonjour, dis-je.

— Bonjour. Je cherche Gus Ridley.

L'accent australien me fit deviner que cette visite concernait Jenny, et mon intérêt s'éveilla aussitôt.

— Il doit être dans son atelier. Je vais vous accompagner. À propos, je m'appelle Carol.

— Enchanté, Carol. Je suis Ian, le père de Jen. (Je ne m'étais donc pas trompée.) J'ai frappé à la porte de la maison, mais il n'y avait personne. J'espère que je ne vous dérange pas.

— Non, non. C'est une bonne excuse pour faire une petite pause.

C'était un beau samedi venteux de mai, environ six semaines après la visite de Jenny, et je profitais du soleil pour étêter les saules derrière la mare au fond du jardin. J'aurais dû le faire pendant l'hiver, mais c'était plus agréable maintenant que les hautes ombrelles blanches du cerfeuil sauvage montaient dans les haies. Et puis je commençais à manquer de corvées pour tromper ma solitude. Si Gus m'excluait de sa vie encore longtemps, nous pourrions bientôt inscrire Grays Orchard au concours du plus beau jardin de Sturford.

Tout en traversant la pelouse vers la maison, je demandai à Ian :

— Comment va Jenny ?

— Justement... C'est la raison de ma visite.

— Elle n'a pas d'ennuis, j'espère ?

— Je ne sais pas trop. Disons qu'elle nous donne un peu de souci.

Il ne s'expliqua pas davantage, et je devinai qu'il voulait garder ses informations pour Gus.

— Jolie petite propriété, Carol.

— Oui, n'est-ce pas ?

— Grays Orchard... Ma femme a vécu ici autrefois, vous savez. Elle en parle encore parfois. Je me suis toujours demandé à quoi ça ressemblait.

Harriet... J'essayai d'imaginer ce que Harriet, la belle femme que Gus avait si souvent prise pour modèle, trouvait à Ian

Sayer. Jenny l'avait mentionné avec mépris, mais j'avais pensé que c'était parce qu'elle en voulait à tout le monde sans distinction ; maintenant, je n'en étais plus si sûre. Ma première impression fut celle d'un homme qu'on avait envie d'éviter. Il avait une petite cinquantaine, des cheveux noirs clairsemés et un bronzage cuivré. Ses yeux formaient de longues fentes étroites, comme sa bouche. Son sourire presque dépourvu de lèvres lui donnait un air reptilien.

— Le beau temps met la maison en valeur, dis-je. Jenny l'a vue sous le brouillard.

— Pauvre Jen. Elle n'a jamais de chance...

Il sourit en faisant ce commentaire, mais son regard resta vigilant, comme s'il m'évaluait. Cette façon de me regarder me mettait mal à l'aise.

Je le fis entrer dans la cuisine et lui offris une chaise, annonçant que j'allais chercher Gus, mais à peine s'était-il assis qu'il se releva avec un grincement de chaussures.

— Gus est dans son atelier ? Hat m'a dit que c'était un genre d'artiste. (Il me fallut deux secondes pour réaliser qu'il parlait de Harriet.) Il peint toujours, alors ? Je viens avec vous. Je ne suis jamais allé dans l'atelier d'un vrai peintre.

— Il vous fera peut-être visiter plus tard. Il n'aime pas qu'on vienne le voir quand il travaille.

— Je ne le dérangerai pas, répliqua Ian, un sourire plaqué sur ses lèvres minces tandis que ses yeux me dévisageaient froidement. (J'eus l'impression qu'il jouait un rôle.) Je m'entraîne depuis au moins six semaines.

L'étrange jappement de rire qu'il émit après cette déclaration indiqua qu'il avait voulu plaisanter. Il traversa la cour sur mes talons et monta l'escalier de l'atelier.

En fait, il dérangea beaucoup Gus, qui n'apprécia pas du tout l'intrusion, mais cela ne sembla pas perturber Ian Sayer le moins du monde. À peine l'eus-je présenté qu'il se mit à déambuler dans l'atelier, soulevant et reposant des objets ici et là.

— Ravi de vous rencontrer, Gus, après tant de temps. Alors, vous peignez toujours ? Hat m'a dit que vous étiez plutôt connu à une époque. Où sont vos tableaux ? Ils ne sont pas accrochés aux murs ?

— Je vends dans une galerie, à Londres.

— Ah oui ? fit Ian avec un haussement de sourcils. Vous ne vendez pas directement dès que vous en avez l'occasion ? Je dis toujours qu'il faut supprimer les intermédiaires. Je pourrais ramener quelque chose à Hat pour lui faire une surprise. Vous avez des tableaux, ici ?

— Non.

— Dommage.

Ian se tourna de l'autre côté, attrapa un pinceau dans un bocal, le passa sur le dos de sa main puis le replaça à l'envers dans le pot. Gus me jeta un regard, comme pour me demander comment j'osais lui infliger la présence de cet individu.

— Si nous retournions à la cuisine ? proposai-je. Je vais faire du thé.

— C'est fascinant, reprit Ian. Vous êtes sûr que vous n'avez rien de caché dans un coin ?

Il se baissa et tira un morceau de contreplaqué de derrière le chevalet. L'esquisse d'une spirale y était peinte en noir. Il la porta à son nez et renifla.

— La peinture est encore fraîche. Hum… Un peu abstrait à mon goût, mais ça plaira peut-être à Hat. Combien ça va chercher, un truc pareil ?

— Ce n'est qu'une ébauche. Elle n'est pas à vendre.

— Ne faites pas votre modeste, Gus. Tout a un prix, c'est ce qu'on dit, non ? Vous en voulez combien ? Deux cents ? Ça n'a pas dû vous prendre plus d'une heure à faire. Trois cents ? Allez, Gus, c'est pas dégueulasse pour un après-midi de travail.

Gus avança, arracha le contreplaqué des mains de Ian et le jeta avec colère dans un coin.

— Je vous ai dit que ce n'était pas à vendre. Si je pensais que Harriet avait envie d'une de mes œuvres, je lui en offrirais une, mais elle n'en voudrait à aucun prix. Je le sais. Bon, on va le boire, ce thé ?

— D'accord, une bonne petite tasse à l'anglaise, pourquoi pas ? Remarquez, j'arrive de Melbourne ce matin, et je vais sans doute piquer du nez d'ici une ou deux heures. Vous n'aurez qu'à me pousser dans une de vos chambres d'amis. Vous devez en avoir des masses, dans une maison de cette taille.

Gus eut l'air horrifié par la perspective de retrouver ce nouveau beau-frère chez lui à la fin de la journée.

— C'est pas mal, ici, continua Ian alors que nous descendions les marches et traversions la cour. Vous avez combien de chambres ? Six, c'est ça ? Chacune avec sa salle de bains privée, j'imagine. Non ? Et vous n'êtes que deux. Bon, ben c'est la vie, hein. Ça va vous coûter un joli paquet de faire rénover !

— La maison nous plaît dans son état actuel, répondit Gus d'un ton pincé, et les yeux de Ian prirent un air encore plus reptilien.

Je m'imaginai qu'il collait à Gus l'étiquette du Britannique coincé, mais une seconde plus tard il éclatait d'un rire tonitruant.

— On croirait entendre Hat ! Sauf qu'elle n'est jamais satisfaite de ce qu'elle a, elle. Entre nous, Gus, elle n'arrête pas de se plaindre, votre sœur. Jamais contente de rien.

Gus avait l'air de ne plus envisager que la solution de l'homicide.

— Ian se fait du souci pour Jenny, intervins-je en toute hâte tandis que je mettais la bouilloire sur le feu. Elle a des ennuis, paraît-il.

— Exact, approuva Ian.

Il m'observa pendant que j'enlevais la veste de toile que je portais pour travailler dehors, révélant mon T-shirt blanc et mon jean. Il jeta un coup d'œil à Gus, puis se tourna de nouveau vers moi. Je connaissais l'expression, l'ayant souvent vue sur le visage des amis quinquagénaires de Gus quand ils me rencontraient pour la première fois. C'était un mélange fait d'admiration, d'envie, de réprobation et de concupiscence. Je ne m'y étais pas encore complètement habituée.

— Quel est le problème ? demanda Gus.

— C'est Jen elle-même le problème, si vous voulez mon avis. Remarquez, on se fiche pas mal de ce que je pense. Ç'a toujours été une gamine difficile. Je l'ai élevée comme si c'était ma fille. Elle a eu tout ce qu'il y avait de mieux, mais elle ne sait pas quoi faire pour nous embêter. Elle n'est jamais contente de rien. Pour vous dire la vérité – pas de sucre pour moi, merci –, j'ai poussé un soupir de soulagement quand elle a voulu aller tenter sa chance à Londres quelque temps. J'ai pensé qu'on s'était enfin débarrassés d'elle, et pas trop tôt. Et puis on a appris qu'elle allait venir vous voir ici, Gus. Hat n'a pas eu l'air trop ravie d'entendre ça, mais moi je me suis dit tant mieux, que le reste de la famille se la coltine un peu pour changer. Et puis aux dernière nouvelles, cette petite idiote a trouvé le moyen d'entrer dans une secte de mabouls...

— Pardon ?

— Vous avez bien entendu. Les Héritiers d'Akasha, je blague pas. Vous avez dû en entendre parler, Gus, leur chef est un de vos vieux potes.

— Oui, j'ai entendu parler d'eux.

— Tiens donc...

La voix de Ian restait affable, mais il soumettait Gus au même regard calculateur dont il m'avait gratifiée. Il n'y avait pas besoin d'être très malin pour détecter son hostilité. Je me demandai si Gus avait envahi son mariage comme Harriet et les membres de la communauté de Grays avaient envahi le mien, sans que j'aie jamais le plaisir de les rencontrer.

— Vous en aviez de drôles de copains, vous et Hat, dites donc. Je suppose que vous savez que Tucker est un escroc – il n'a monté ça que pour le pognon. N'empêche, s'il ne s'agissait que de moi, je laisserais la gamine faire ses expériences toute seule chez les dingos, ça lui mettrait du plomb dans la cervelle, mais Hat n'est pas d'accord. L'amour maternel, y paraît que ça s'appelle, sauf que pour ce qui est du côté maternel, elle n'est pas vraiment au point.

— Depuis combien de temps Jenny est-elle entrée dans la secte ? demandai-je.

Même si Gus détestait mentionner Ray et Pauline, j'avais entendu parler des Héritiers d'Akasha. Tout le monde à Sturford les connaissait.

— Environ un mois.

— Vous avez été en contact avec elle ?

— Pas directement. Elle est un peu restée chez une amie à Londres avant de se faire recruter, et l'amie, Dieu merci, s'est assez inquiétée pour nous contacter. Je ne sais pas à quoi elle joue. Si vous voulez mon avis, elle cherche juste à attirer l'attention, mais Hat veut absolument qu'on la fasse sortir de là. Comme elle ne me lâche plus avec cette histoire, il a bien fallu que je promette d'essayer de faire quelque chose, seulement je ne suis là que pour une semaine et je n'ai qu'aujourd'hui de libre dans mon emploi du temps. Alors j'ai pensé au bon vieux tonton Gus. Je suis sûr qu'il va se faire un plaisir de nous filer un coup de main, pour changer.

Gus le fixait avec incrédulité.

— Vous voulez que j'aille récupérer Jenny et que je lui fasse la morale ?

— Présenté comme ça, faut dire que ça n'a pas l'air très réaliste, mais vous avez plus de chances de réussir que moi. La dernière fois où Jen m'a obéi, elle portait encore un appareil dentaire. Je suis même sûr que si elle me voyait rappliquer dans le secteur, elle s'y inscrirait à vie, rien que pour me faire les pieds. On ne sait jamais, Gus. Peut-être qu'elle vous écoutera, vous. Après tout, vous faites partie de la famille, et dans une famille, on doit s'entraider en cas de pépin, non ?

— C'est Harriet qui vous a demandé de me convaincre ? demanda Gus.

— Bon Dieu non. Je préférerais même qu'elle ne sache pas que je suis venu. Que ça reste strictement entre vous et moi. Hat est encore un peu sensible quand il s'agit de son petit frère. Elle piquerait une crise si elle savait que je suis venu. C'est pas qu'elle ait pas envie de vous voir, mais je crois qu'elle veut que ce soit vous qui fassiez le premier pas. Je reconnais qu'elle ne vous facilite pas beaucoup la tâche. Elle a toujours été un peu du genre mante religieuse, comme femme, mais il faut reconnaître que cet aspect de sa personnalité a empiré depuis sa maladie.

— Harriet est malade ? demandai-je. C'est grave ?

— Ça ne s'annonce pas trop bien, marmonna-t-il – et je compris que là, il était sincère. La pauvre a eu un premier cancer il y a environ trois ans. On lui a fait des tas de traitements, et pendant quelques mois elle a eu l'air tirée d'affaire, mais depuis peu, ça repart. Les toubibs sont de nouveau sur le pied de guerre, mais Hat refuse de marcher dans la combine. Je la comprends, même si c'est dur de ne rien pouvoir faire. (Ses yeux se remplirent de larmes.) Elle veut prendre son sort entre ses mains. C'est tout elle, ça. À l'heure qu'il est, on ne lui donne plus que quelques mois à vivre.

— Mais c'est terrible !

Atterrée, je me tournai vers Gus pour voir comment il prenait la nouvelle. Il venait de ranger le lait et se tenait près du réfrigérateur, son mug de thé dans les mains. Il fixait le sol et souriait. Un instant, je fus encore plus horrifiée – comment pouvait-il prendre la nouvelle si calmement ? –, puis je compris qu'il devait déjà savoir. Jenny avait dû le lui dire quand elle était venue et il ne s'était pas donné la peine de me transmettre l'information. D'après le regard que nous jetait Ian, il avait l'air d'avoir compris la situation. Cette humiliation publique n'avait rien d'agréable, mais pourquoi m'en étonner ? Gus ne m'avait jamais rien confié de ce qui le touchait profondément.

— Pauvre Harriet, commenta-t-il doucement. Je n'avais pas réalisé que son état était si grave.

— Jen a dû minimiser, c'est bien son genre. Il faut dire que ça ne lui donne pas le beau rôle de se tirer en laissant sa maman seule dans un moment pareil. Voilà pourquoi je compte sur vous, Gus, pour faire comprendre ça à la petite. Hat a besoin de l'avoir près d'elle.

— Je ne pense pas que Jenny m'écoutera plus que vous. Mais, bon sang, quelle mouche l'a piquée d'entrer dans le groupe de Ray ?

Il resta pensif un moment, et je réfléchis aussi en silence. Je me souvenais du visage angoissé et épuisé de Jenny le dernier matin où nous l'avions vue : elle avait menacé d'aller trouver Raymond, l'homme qui avait été impliqué dans le meurtre de son père, si nous refusions de lui dire ce qu'elle voulait savoir. Une énorme bêtise, ou un acte désespéré.

Gus avait dû suivre à peu près le même raisonnement, car il dit sans beaucoup de conviction :

— Si j'étais vous, je ne m'inquiéterais pas trop. D'après ce que j'ai vu de Jenny, elle est têtue mais elle n'est pas idiote. Elle n'est allée là-bas que pour rencontrer Tucker. Elle va vite se lasser quand elle en aura fait le tour, et elle partira d'elle-même.

— Si on la laisse partir, Gus, si on la laisse partir… Vous savez comment sont ces sectes une fois qu'elles vous ont mis le grappin dessus. Ce n'est pas si facile de s'en aller, malheureusement. Je me suis renseigné sur Internet à leur sujet et ce n'est pas très réjouissant.

— Elle s'en rendra compte toute seule. Laissez-lui le temps.

— C'est pour ça que je suis là. Nous devons agir vite. L'état de Hat s'aggrave de jour en jour. Et, bien sûr, son inquiétude pour Jenny n'arrange rien. Elle manque beaucoup à Hat, c'est ça le problème. Et si vous voulez que je vous dise, je crois que l'Angleterre lui manque aussi énormément. Elle est bien trop fière pour l'admettre, mais elle a envie de rentrer au pays et de revoir sa famille. Elle parle souvent de cette maison, vous savez, de tous les bons moments que vous y avez passés ensemble.

— Vraiment ?

Ian ne perçut pas le ton sceptique de Gus.

— Oui. Elle dit qu'elle a vécu ici les plus beaux jours de sa vie. D'après moi, elle a besoin de revenir voir sa famille. D'être dans cette maison où elle se sentait le plus chez elle.

Gus contemplait Ian comme s'il ne le croyait qu'à moitié.

— Savez-vous où est Jenny ? demandai-je. Les Héritiers ont des centres dans plusieurs pays, il me semble.

— Exact. En Grande-Bretagne, en Espagne, au Mexique. Nous avons des raisons de croire qu'elle est encore ici, mais, bien entendu, ils pourraient la déplacer s'ils avaient des soupçons. Raison de plus pour que je ne m'en mêle pas directement. Je ne veux pas qu'elle se planque, si vous voyez ce que je veux dire. La dernière fois qu'elle a appelé Mike, elle était encore en Cornouailles.

— Qui est Mike ? m'enquis-je.

— Notre conseiller financier.

Ian retrouvait son assurance. Les épouses malades et les filles fugueuses n'étaient pas des domaines familiers, alors que les questions économiques le mettaient plus à son aise.

— Comme je vous le disais, Jen n'a jamais été dans le besoin, et je l'ai élevée comme ma propre fille. À vingt et un ans, elle a reçu une bonne somme et des capitaux investis à son nom. Et votre ami Tucker cherche à mettre ses sales pattes dessus. La petite imbécile est en train d'essayer de débloquer les fonds pour les faire passer à la secte, sûrement pour en devenir membre. Mike est un bon copain et il retarde le processus tant qu'il peut, mais légalement l'argent est à elle et il va être obligé de céder bientôt. Ça me fait mal au cœur de penser à tout ce beau pognon qui va tomber dans les poches de ces cinglés.

Gus promit de réfléchir à une façon de les aider et ils échangèrent leurs numéros de téléphone. Comme une heure plus tard Ian ne faisait toujours pas mine de partir, Gus lui fit croire que nous devions sortir le soir, sans quoi il aurait été plus qu'heureux de l'inviter à dîner. Je jouai le jeu en jetant un coup d'œil à ma montre et en disant que je ferais mieux d'aller me changer.

Gus resta à mes côtés sur le gravier devant la maison pendant que nous agitions la main pour saluer son départ au volant de sa BMW de location. Dans le rétroviseur, nous devions donner l'image d'un couple uni. Il était étrange, me sembla-t-il, que notre premier acte de solidarité depuis des semaines fût causé par un mensonge partagé. Dès que la voiture fut hors de vue, Gus s'éloigna de moi en commentant d'un ton désabusé :

— Il veut s'en débarrasser.

— De Jenny ?

— Non, de Harriet. Il en a assez d'être encombré d'une femme malade et il veut la renvoyer dans son pays natal pour que sa famille s'occupe d'elle. Il sait très bien que Jenny ne m'écoutera pas plus que lui – ce n'était qu'une excuse pour venir. Et c'est pour ça qu'il ne veut pas que Harriet l'apprenne. Quelle ordure ! C'est drôle, elle a toujours eu mauvais goût pour les hommes, mais celui-ci est pire que tout. « *Hat* » ! – comment fait-elle pour le supporter ?

Et sur ces mots, il s'enfuit, comme d'habitude, dans son atelier.

Je n'ai jamais su laisser tomber. S'il y a un problème, je retrousse mes manches et je trouve un moyen d'arranger les choses, ou au moins je fais de mon mieux. C'est ainsi que j'ai été projetée à la tête de l'entreprise de mon père avant la fin de mes études. À la réflexion, c'est sans doute aussi pour cette raison que je continuais à la diriger. Pour l'heure je me retrouvais dans un vrai sac de nœuds, et même si tous ces problèmes concernaient d'autres que moi, ils avaient une influence sur ma vie.

Si Gus avait été distant avant la visite de Ian, nos rapports se détériorèrent encore après son passage. Il se mit à me rejeter franchement. J'eus le sentiment que si je lui disais : J'en ai assez, je te quitte ! il m'aiderait à faire mes valises. Heureusement, j'ai de la suite dans les idées, et je n'avais pas l'intention d'abandonner si vite. J'essayai de me montrer compréhensive – après tout, c'est triste d'apprendre que sa sœur n'a plus que quelques mois à vivre, même si on ne l'a pas vue depuis des années. En plus de cela, trois ans de travail venaient de partir à la poubelle sous ses yeux. Mais quand il eut repoussé toutes mes marques de sympathie, je fus forcée de chercher une autre façon de débloquer la situation.

Jenny était la source de nos ennuis. Tout avait commencé à son arrivée, mais j'étais moins en colère contre elle maintenant que j'avais fait connaissance avec Ian. Je la plaignais plutôt.

Autant il avait eu sincèrement de la peine en parlant de Harriet, autant il n'avait pas montré le moindre soupçon de tendresse envers Jenny. Il avait certes couvert sa belle-fille d'argent et de cadeaux, mais on l'imaginait mal lui prodiguant de l'affection. Sans doute était-ce pour cette raison qu'elle avait placé autant d'espoirs dans une rencontre avec son oncle, et réagi si mal quand il n'avait pas répondu à ses attentes. Cette pauvre Jenny devait être de ces malchanceux qui malgré leurs efforts s'enfoncent au lieu de s'en sortir. D'où l'idée de se jeter dans les bras des Héritiers d'Akasha quand son entrevue avec Gus avait mal tourné.

Pourtant, des trois, c'était Harriet, que je n'avais jamais vue, qui me faisait le plus de peine. Ce n'était déjà pas drôle d'être malade, mais, en plus, être fâchée avec son unique enfant sans avoir de moyen de la joindre, cela rendait la situation particulièrement tragique.

— Brian, demandai-je un après-midi, alors que nous étions en train de marquer le terrain de Gander Hill pour permettre aux paysagistes de commencer leur travail le lendemain. Tu sais des choses sur les Héritiers d'Akasha ?

Il me lança un regard surpris.

— Non, pas vraiment. Pourquoi ?

Je lui racontai brièvement la visite de Ian et ce qu'il nous avait dit de l'entrée de Jenny dans la secte.

— Gus pense qu'elle y est allée parce qu'elle a envie de rencontrer Raymond Tucker. Ian voudrait que Gus monte une opération de secours.

— Ah, oui ? Mais est-il sûr qu'elle ait besoin qu'on aille la sauver ?

— C'est surtout pour sa mère. Elle est très malade. (Je lui racontai le peu que je savais sur la maladie de Harriet.) Tu imagines dans quel état serait Jenny si Harriet mourait avant qu'elles soient réconciliées ?

— Ce serait horrible, évidemment, mais elle est assez grande pour savoir ce qu'elle fait, non ?

— Pas si elle a subi un lavage de cerveau.

— Je vois mal comment on arriverait à lui faire ça !

Brian sourit avec une réelle admiration qui me fit me demander si, pendant le week-end qu'ils avaient passé ensemble, le week-end qu'il ne m'avait toujours pas raconté, Jenny ne lui avait pas fait plus grande impression que je ne l'imaginais.

— Elle est parfaitement capable de se débrouiller toute seule, conclut-il avec fermeté. Qu'est-ce qu'on fait de la grosse pierre ? On l'intègre dans le jardin ou on la fait enlever ?

— Et si on essayait de la mettre de l'autre côté ? Attends, je te donne un coup de main.

À nous deux, nous la tirâmes et la poussâmes jusqu'à l'endroit voulu.

— Ça leur donnera peut-être l'idée de faire une rocaille, commentai-je.

Depuis quelque temps, les seuls moments supportables étaient ceux passés à travailler avec Brian.

Quand la pierre fut déplacée, il déclara :

— Je connais cette tête, Carol. Dis-moi ce que tu mijotes.

— J'ai envie d'en savoir un peu plus sur la secte. Je pourrais aller à une de leurs réunions d'information.

Il n'eut pas l'air convaincu.

— Si j'étais toi, je ne me mêlerais pas de ça. Tu ne connais pas Jenny et tu n'as pas la moindre idée de ce qui se joue dans cette famille.

— C'est ma famille aussi, je te le rappelle. Et je ne vois pas le mal qu'il y aurait à assister à une réunion. J'ai cherché les Héritiers d'Akasha sur Internet, et ils publient des délires sur la fin du monde et sur l'Atlantide. Jenny n'a pas besoin d'être mêlée à ce genre d'histoires en ce moment.

— Ça ne lui fera aucun mal.

— Tu ne crois pas à toutes ces imbécillités, au moins ?

— Bien sûr que non ; je ne crois à aucune religion. Ce n'est pas pour autant que je vais aller sortir de force les gens des églises et des mosquées pour leur démontrer qu'ils ont tort.

S'ils y trouvent leur compte, ça ne me dérange pas. Alors, qu'est-ce que tu en dis ?

Il planta son pied en haut de la grosse pierre, prenant la pose du montagnard qui vient d'atteindre un sommet, et me fit un grand sourire.

Je me rendis compte que Brian était en train de changer. Son visage avait durci, minci, en quelques mois. Ce n'était plus le collégien qui était venu travailler pour mon père, puis qui avait déversé sur moi pendant des années son affection d'amoureux transi, mais un garçon dynamique, sûr de lui, et, je le découvrais avec surprise, très bel homme.

6

L'été s'était fait attendre, mais, la mi-août venue, le soleil rattrapa le temps perdu. À Londres, on étouffait dans le métro ; après une demi-heure dans la chaleur et la puanteur d'une rame, je ressortis nauséeuse et en nage. Je me retrouvai dans une rue jonchée d'ordures, le cœur battant, et je fus tentée d'entrer dans un café pour me rafraîchir avant de me lancer dans l'inconnu. J'avais eu du mal à contacter les Héritiers d'Akasha : si leur objectif était le recrutement de masse, ils avaient encore beaucoup de progrès à faire. Deux jours plus tôt, j'avais trouvé un communiqué sur Internet annonçant une réunion publique à Ealing. Malgré le peu de temps que cela me laissait, l'occasion était trop bonne pour la manquer, mais je ne savais pas du tout à quoi m'attendre. Je me souvenais de toutes les rumeurs que j'avais entendues, qui affirmaient que les sectes endoctrinaient leurs adeptes et en faisaient des zombies. Je me mis à observer les gens qui se dirigeaient du même côté que moi en me demandant si eux aussi se rendaient à la réunion.

Grossière erreur. La rue grouillait de passants à l'air malheureux. Il n'y a rien de tel qu'un mariage qui bat de l'aile pour vous sensibiliser à la détresse des autres. Devant moi, je remarquai un garçon obèse aux cheveux gras, qui, passant près d'un groupe d'adolescents du même âge qui chahutaient devant un marchand de journaux, leur jeta un regard envieux, avant de rabaisser le nez sur ses chaussures et de continuer sa route d'un pas traînant. Sa solitude me fit mal.

Ne sois pas idiote, me dis-je. Tu ne peux rien faire pour lui, mais tu pourras peut-être aider Harriet et sa famille.

À cela s'ajoutait l'espoir que, en trouvant des solutions à leurs problèmes, je pourrais me débarrasser des miens. Il devait bien y avoir une issue à tout ce malheur – et puis j'étais curieuse.

Je traversai pour avancer à l'ombre, et dépassai des boutiques de bricolage et des dépôts-ventes minables. Vers la fin de la zone commerçante, je trouvai la maison que je cherchais, une bâtisse de brique rouge mitoyenne d'un côté, et qui, de l'autre, n'était séparée des voisins que par une étroite allée. Un hortensia poussiéreux orné de fleurs roses genre barbe à papa occupait presque tout le jardinet avant.

La porte était ouverte et un papier collé à la vitre indiquait : « Héritiers d'Akasha : premier étage ». J'hésitai. Un mal de tête commençait à poindre. Derrière moi, le portail du jardin grinça, un vieil homme passa l'hortensia et me rejoignit sur le seuil.

— C'est ici, la réunion ? demanda-t-il.

— Oui.

Nous entrâmes ensemble.

La maison était divisée en deux appartements. Dans l'escalier miteux, la peinture blanche de la rampe était devenue grise avec le temps, recouverte d'une épaisse couche de crasse londonienne. Un murmure de voix descendait du premier.

En haut, une femme massive d'une soixantaine d'années, teinte au henné et portant une chemise de soie brune marquée de cernes de sueur sous les bras, accueillait les arrivants.

— Bonjour, je m'appelle Maureen. (Son collier d'ambre tressautait sur sa poitrine quand elle parlait.) Écrivez votre nom ici… et votre adresse. Parfait. C'est pour nos archives. Et si vous voulez bien inscrire votre nom sur ce badge et l'épingler bien en vue… impeccable. Voilà, maintenant, nous savons tous qui nous sommes. Entrez, installez-vous. Prenez une chaise et… (s'adressant au vieux monsieur qui était monté plus lentement derrière moi :) Bonjour… Je m'appelle Maureen. Écrivez votre nom ici…

Cet accueil m'évoquait de façon irrésistible les fêtes d'anniversaire de mon enfance, et je m'attendais presque qu'elle me donne un ballon. Résistant à l'envie d'arracher mon badge et de partir en courant, je franchis la porte ouverte.

Je ne sais pas ce que j'aurais pu imaginer trouver – une mise en scène de messe noire, sans doute, et à tout le moins un peu d'encens et quelques symboles mystiques –, mais certainement pas la salle de séjour très ordinaire remplie de gens banals que je découvris. Aucun signe étrange de l'occulte. Les murs étaient peints d'un mauve pâle neutre et les meubles avaient été poussés contre les murs pour laisser place à un cercle de chaises disparates.

Une dizaine de personnes étaient déjà installées. Je choisis une chaise de jardin en plastique vert et m'assis, me reculant de quelques centimètres pour me distancer du cercle, puis je jetai un rapide coup d'œil autour de moi. À part deux jeunes Japonaises à ma droite qui bavardaient à voix basse, tout le monde semblait être venu seul, comme moi. Mon radar à misère humaine était en surchauffe. Je goûtais presque sur ma langue l'âcreté de l'anxiété mêlée d'espoir et de gêne.

De la rue nous parvenait le grondement de la circulation. Un ventilateur vrombissait sur une table basse devant la cheminée. Il faisait très chaud.

Je regardai mon badge sur ma poitrine. Il portait d'étranges caractères contournés vert et or, et sous l'espace où j'avais mis mon nom était inscrit, en fausse écriture celtique, le mot « *Aspirant* ». J'eus l'impression que le seul acte de le porter marquait mon acceptation du groupe. Moi qui avais espéré me cantonner à un rôle d'observatrice, me réservant le droit de m'esquiver dès que je trouverais l'atmosphère trop lourde, je compris que cela ne serait pas si simple. Mais le pire était encore à venir.

Huit autres personnes se joignirent à nous, regardant autour d'elles avec embarras, avant de trouver une chaise libre et de s'asseoir. Plusieurs, comme je l'avais fait, se reculèrent un peu du cercle en s'installant. Presque personne n'ouvrait la bouche et, pour la plupart, les regards étaient fuyants.

Puis, venant d'en bas, nous entendîmes une voix de femme annoncer :

— Il est plus de sept heures. Autant commencer.

Des pas légers résonnèrent dans l'escalier et deux femmes entrèrent dans la pièce en fermant la porte derrière elles.

Elles étaient aussi différentes que possible. La plus âgée devait avoir environ cinquante ans. Elle était petite et ronde, avec des traits épais et des boucles brunes régulières comme dans les permanentes d'autrefois. À première vue, c'était une femme pleine d'esprit pratique qui avait les pieds sur terre, du genre qui se laisse mettre toutes les responsabilités sur le dos et qui se tape tout le boulot en ne se plaignant que rarement.

L'autre avait environ mon âge. Grande et altière, elle avait une peau couleur caramel, des cheveux noirs frisés ornés de perles, des pommettes hautes d'Indienne, des yeux noirs en amande, et elle se déplaçait avec une grâce infinie. Toutes deux portaient la même longue toge de soie bleu océan, mais elle pendait sans grâce sur la plus âgée, telle une vieille robe de chambre, alors que l'autre femme semblait parée d'atours royaux.

Les Aspirants se redressèrent sur leur siège, attentifs, tandis que les deux femmes se dirigeaient avec des bruissements de soie vers deux chaises placées tels des trônes devant la cheminée. La plus âgée portait un grand panneau. Elle se débarrassa du ventilateur en le posant par terre et installa le panneau sur la table, révélant une photographie de Raymond Tucker retravaillée à l'ordinateur. Il avait beaucoup vieilli depuis le portrait intitulé *Destination Atlantide* que Gus avait peint de lui, et les retouches à l'aérographe n'y changeaient pas grand-chose. Sa tête et ses épaules étaient entourées d'une gloire de rayons dorés surmontée d'un arc-en-ciel aux couleurs vives. Il dirigeait vers nous son regard noir et profond, esquissant un sourire entendu. Je me demandai si les autres avaient autant envie de pouffer que moi.

La grande et belle femme prit place sur sa chaise à haut dossier et leva les yeux au plafond tandis que la plus âgée prenait la parole en balayant du regard le cercle qui l'entourait.

— Bonsoir, Aspirants. Je m'appelle Palu ; moi et ma collègue Serafa, nous allons vous présenter brièvement les Héritiers d'Akasha. (Elle parlait d'un ton monocorde avec un fort accent des Midlands.) Tout d'abord, Serafa va vous parler de notre mouvement, puis nous ferons un tour de table pour vous permettre de nous dire un peu qui vous êtes. Nous sommes surtout intéressés par ce que les Aspirants peuvent apporter au groupe en termes de savoir-faire et d'expérience. Ensuite, j'évoquerai quelques aspects pratiques de notre travail qui pourraient vous intéresser, après quoi il y aura une brève séance de questions-réponses. Puis nous ferons une petite pause pendant laquelle on servira du thé et des biscuits pour nous laisser le temps, à Serafa et à moi, de nous concerter pour vous attribuer vos catégories. Nous devrions avoir terminé pour neuf heures, au cas où vous auriez peur de rater vos correspondances. Voilà, à toi, Serafa.

Je transpirais à grosses gouttes. Je n'avais pas du tout envisagé de devoir parler. Comment allais-je les convaincre que j'étais une Aspirante sérieuse ? Et si j'y parvenais, la secte allait-elle me poursuivre pendant des mois pour m'obliger à rejoindre ses rangs ?

Au moment où Serafa allait commencer, il y eut un remue-ménage du côté de l'entrée. Elle se rassit avec un froncement de sourcils irrité. Un retardataire essayait de se glisser derrière Maureen, qui avait placé sa chaise devant la porte. Elle se leva d'un bond pour le laisser entrer, puis le guida sur la pointe des pieds derrière le cercle pour le conduire à l'un des derniers sièges libres, une chaise en sapin à barreaux branlante. Il lui adressa un signe de remerciement et s'assit.

Il y eut un frisson d'intérêt dans le groupe. Le nouveau venu devait avoir environ trente ans ; il avait un beau visage bien défini, avec des yeux d'un bleu très clair et une masse de cheveux blonds qui tombait avec charme sur son front. Les autres avaient tous l'air de paumés, alors que lui était un homme d'action qui ne cherchait pas à fuir le monde. Il semblait sorti tout droit d'un magazine, sûr de lui et bien vêtu. Je n'ai jamais été attirée par les gens trop propres sur eux, mais il était sans conteste très bel homme. Il était assis face à moi, de l'autre côté du cercle. Son regard bleu assuré rencontra le mien un instant et il eut un temps d'arrêt, comme s'il voyait que, comme lui, je me distinguais du troupeau. Je détournai vite les yeux.

Serafa attendit que le silence retombe avant de se lever, se dressant devant nous, impérieuse et magnifique. Elle nous regarda lentement les uns après les autres, puis prit posément la parole.

— Écoutez-moi bien, tous. Le compte à rebours a commencé. Nous traversons une ère de désastres. L'humanité ne peut pas éviter le cataclysme qui approche.

Elle fit une pause pour nous laisser assimiler ses paroles. Sa voix était basse et mélodieuse, et elle délivrait son discours comme on chante une mélopée plutôt qu'en s'exprimant normalement. Malgré l'annonce de la tragédie, il n'y avait pas trace d'émotion dans sa voix, ce qui, paradoxalement, donnait d'autant plus froid dans le dos. Elle continua.

— Nous en voyons les signes partout autour de nous. Écoutez la radio, regardez le journal télévisé : partout, ce n'est que désolation. Les scientifiques parlent à tort de réchauffement de la planète, mais ils confondent les symptômes avec la maladie. Notre belle planète se révolte contre l'homme : des raz de marée, des inondations, des tremblements de terre et des tornades effrayantes, des feux de forêt incontrôlables et la fonte des calottes glacières. Tous les ans, de nouvelles maladies, de nouvelles calamités s'abattent sur l'humanité souffrante. Bientôt, ces catastrophes qu'on dit naturelles seront si courantes qu'elles seront passées sous silence. Nous constatons tous les conséquences des maladies dont souffre la Terre, mais peu de gens en comprennent les causes profondes. Pourquoi les scientifiques, même les plus intelligents, restent-ils aveugles à la vérité ? Parce qu'ils sont égarés par leur vision pseudorationnelle de l'univers. Ils ne veulent pas reconnaître que notre planète est un organisme vivant, qui respire, et que ces catastrophes à répétition sont la seule façon dont dispose la Terre pour se débarrasser des parasites qui la détruisent – cette masse grouillante qui croît et se multiplie à l'infini : les êtres humains. Bientôt la Terre devra recourir à son arme la plus terrible pour se débarrasser de cette infestation.

Serafa s'interrompit de nouveau. Nous retenions tous notre souffle. Son discours forçait l'attention.

— Imaginez, continua-t-elle froidement, que notre planète est une ourse gigantesque à la fourrure couverte de puces et de vermine. Que peut faire cette pauvre bête pour se débarrasser des parasites qui la torturent ? D'abord elle se gratte et se secoue. C'est l'étape des tremblements de terre et des ouragans que nous connaissons aujourd'hui. Mais ce n'est pas suffisant. Il n'y a qu'un seul autre moyen pour notre ourse de se nettoyer, tout comme il n'y a qu'une façon pour la Terre de se débarrasser des êtres humains qui la détruisent.

Un sourire se dessina sur ses lèvres. Elle semblait envisager l'imminente destruction de l'humanité avec un calme étonnant.

Elle prit un verre d'eau sur la table, en but une gorgée, le leva comme pour porter un toast et le reposa.

— L'eau, dit-elle simplement. Depuis le tout premier moment où la vie est sortie des océans, l'eau est symbole de pureté, de propreté et de renaissance. Il en va de même aujourd'hui. Le seul moyen dont dispose notre bel animal pour se débarrasser des parasites qui l'attaquent est de se plonger dans un lac profond d'eau pure comme du cristal et de rester submergé jusqu'à ce que toutes les puces, jusqu'à la dernière, tous les poux jusqu'au dernier, tous, jusqu'à l'ultime tique accrochée à la racine des poils, soient noyés et meurent. Il en ira de même pour notre Terre. L'heure du nettoyage, le temps des cataclysmes et des grands bouleversements provoqués par l'inversion de nos pôles approche, le jour où notre planète se recouvrira des eaux purificatrices n'est pas loin. Même le plus haut sommet, même le mont Everest lui-même disparaîtra. Imaginez : des poissons nageant dans les rues de Londres ; des algues flottant autour du sommet de l'Empire State Building ; des dauphins et des baleines jouant au-dessus des sables du

Sahara. L'humanité sera balayée de la surface du globe. Nous disparaîtrons toutes et tous à jamais.

Elle est folle, songeai-je, mais, malgré moi, un frisson de terreur me parcourut le dos. Je regardai autour de moi pour observer la réaction des autres. En face, une femme aux cernes noirs passait la langue sur ses lèvres sèches. À côté d'elle, un jeune homme à l'air nerveux hochait la tête si vigoureusement que ses lunettes glissaient sans cesse en bas de son nez. Les deux jeunes Japonaises étaient hypnotisées ; une femme âgée, drapée dans un sari en batik, qui était venue s'asseoir près de moi juste avant le début, écoutait avec une profonde attention. Même le dernier arrivant, l'homme blond et jeune avec sa veste impeccable et ses chaussures cirées, même lui semblait fasciné et gardait les yeux rivés sur le visage de Serafa. On voyait que la plupart des participants avaient un besoin immense de croire.

Je ne m'étais pas beaucoup interrogée sur la philosophie du groupe, ayant été trop occupée à découvrir comment fonctionnait la secte et où l'on pouvait assister à des réunions. Aucun des documents que j'avais trouvés sur Internet ne m'avait vraiment éclairée, à l'exception des avertissements angoissés d'une ou deux personnes ayant eu maille à partir avec les Héritiers d'Akasha. Tous ces discours apocalyptiques correspondaient bien à ce qu'on attendait d'une secte, et je me réjouissais à l'idée de pouvoir en rire plus tard avec Gus ou Brian, dès mon retour dans le monde normal. Mais tout de même, on imaginait sans peine qu'une personne fragile comme Jenny ait pu se laisser subjuguer par Serafa. Elle s'exprimait avec une totale conviction ; loin d'insister pour nous forcer à la croire, elle laissait penser qu'elle nous faisait une faveur insigne en daignant nous adresser la parole.

Nous attendîmes dans un silence profond, méditant sur notre fin inéluctable. Après quelques minutes, Serafa reprit son discours.

— Certains d'entre vous se demandent peut-être comment je sais tout cela. La réponse est simple. La Vérité sacrée a été transmise par une poignée d'initiés depuis le commencement du monde. L'histoire de la civilisation remonte à des temps immémoriaux, bien plus loin qu'on ne le croit d'ordinaire. Dix mille ans avant la construction de la première pyramide en Égypte, les rescapés d'une civilisation antérieure se sont dispersés à la surface de la Terre. La Flamme sacrée a été entretenue à travers les âges par un groupe d'élus, gardiens de la Vérité. On les a connus sous des noms divers, dont certains vous sont peut-être familiers, comme les Héritiers d'Akasha. Depuis toujours, dans les coins les plus reculés du globe, leurs descendants, les Acolytes de Ra, conservent la Vérité éternelle.

Elle s'écarta pour nous permettre de contempler le portrait de Raymond Tucker. Une fois de plus je réprimai un fou rire. Étions-nous vraiment censés croire que le vieux copain de Gus était un Acolyte de Ra ? Ou que Ealing était un coin reculé du globe ? Je m'agitai sur ma chaise et toussotai tandis que mes yeux se remplissaient de larmes de rire. Serafa me considéra pensivement avant de continuer.

— Ceux d'entre vous qui progresseront sur la Voie d'Akasha – s'il y a des Élus parmi vous – en sauront plus quand l'heure sera venue. Pour l'instant, il vous suffit de savoir que nous sommes entrés dans la dernière phase de ce cycle. L'horloge qui marque le temps depuis trois mille cinq cents ans va sonner le 23 décembre 2012. La prédiction a été faite.

Il y eut encore un long silence. Elle semblait avoir grandi pendant son discours, et son expression était sereine, triomphante. Le grondement de la circulation montait toujours de la rue, pouls d'un univers qui se précipitait dans une fuite aveugle vers sa destruction. Le regard de Serafa s'attarda sur le visage de l'homme qui était arrivé en retard. Il était assis bras croisés, pieds bien à plat par terre. Incapable de soutenir son regard, il changea de position, baissant les yeux. Une fois de plus, Serafa contempla les Aspirants les uns après les autres. Quand son regard s'arrêta sur moi, mon envie de rire s'étrangla d'un coup. La bouche sèche, j'eus l'impression qu'elle lisait dans mes pensées et devinait mon imposture. Ne te laisse pas impressionner, me dis-je. Ils sont tous fous.

Serafa eut un sourire indulgent.

— Cela vous semble fou ? (J'eus un frisson.) Tout le monde sait, continua-t-elle, que quand Noé, qui était gardien de la Vérité sacrée, a annoncé à l'humanité qu'un déluge terrible allait inonder la Terre, on s'est moqué de lui. Il s'y attendait, comme nous nous y attendons aujourd'hui. Nombreux sont ceux qui reçoivent notre message, mais leur oreille intérieure reste fermée à la Vérité. Il faut du temps pour parvenir à ouvrir ses yeux et ses oreilles à la Vérité, la Vraie Vérité, la Grande Vérité qui reste inaccessible aux cinq sens que nous partageons avec les animaux. Ce n'est qu'à force de méditation que nous apprenons à capter les réalités extrasensorielles qui nous sauveront. Dans nos centres, nous animons des ateliers destinés à développer cette aptitude, mais la grande majorité ne comprend pas notre travail. Leur inconscience les frappe du sceau de la destruction. Comme au temps de Noé l'adepte, seuls certains seront épargnés, une poignée de semences qui portera l'espoir d'une vie nouvelle dans le cycle suivant. Y a-t-il parmi vous ici ce soir des appelés assez forts et motivés pour porter l'être humain vers cette grande ère nouvelle qui s'annonce ?

Cette fois, quand elle s'arrêta, l'atmosphère était électrique. Même le bruit des voitures s'étouffait et ne semblait plus qu'un bourdonnement distant. Malgré les fenêtres ouvertes il n'y avait pas un souffle d'air et on suffoquait. J'avais la tête qui tournait, et, une seconde, j'eus une sorte d'hallucination étrange. Elle a raison, pensai-je. Je ferais mieux de me joindre à eux avant qu'il ne soit trop tard. Puis je me secouai et me demandai si une des manipulations de la secte n'était pas de réduire l'apport en oxygène pour rendre les Aspirants plus réceptifs.

Ayant livré sa question finale, Serafa se laissa glisser sur sa chaise, tel un grand oiseau bleu se posant sur son perchoir. Palu se leva. Son visage, maintenant que je l'examinais de plus près, me parut vaguement familier.

— Merci, Serafa.

Quand résonna sa voix monocorde et ennuyeuse, il y eut un mouvement général indiquant que l'assistance sortait de sa demi-transe : les semelles frottèrent le parquet et les pieds de chaise raclèrent le sol.

— Maintenant, avant que je vous parle un peu de notre travail, vous allez pouvoir nous dire quelques mots sur vous, sur ce que vous recherchez et ce que vous avez à nous offrir. Nous allons commencer à partir de ma gauche dans le sens des aiguilles d'une montre. Voyons (elle se pencha pour lire le badge d'un jeune homme au crâne rasé). Troy, c'est à toi, commence.

Il eut l'air pris de panique.

— Âge ?

— Vingt-trois ans.

Un adepte, assis juste en dehors du cercle, sortit un calepin. Ses cheveux gris et fins étaient ramenés en une sorte de catogan mal attaché et il portait un épais cafetan blanc. Il se mit à écrire.

— Profession ? demanda Palu.

— Ingénieur.

Palu et le scribe dressèrent visiblement l'oreille. Troy s'enhardit.

— J'ai eu mon diplôme il y a deux ans, j'ai trouvé un travail et j'y suis encore aujourd'hui. Ma spécialité, c'est les flux de circulation. J'ai effectué une étude approfondie des feux synchronisés.

Il s'animait, s'enthousiasmant pour son sujet, mais Palu ne s'intéressait déjà plus à lui. Elle l'interrompit brusquement.

— Qu'attends-tu du groupe ?

— Je... Je cherchais...

J'aurais voulu pouvoir l'aider à traverser son calvaire. Il semblait suprêmement malheureux, comme s'il cherchait surtout des amis et une famille, un but dans la vie, quelque chose en quoi croire.

Palu le fixait d'un regard dur.

— Oui, Troy ?

— J'ai envie de voyager, finit-il par répondre.

J'eus l'impression que le scribe traçait une croix devant son nom.

Ensuite vint le tour des deux Japonaises, mais elles parlaient si bas que personne ne les entendit, sauf peut-être Palu et le scribe, qui n'eurent pas l'air particulièrement intéressés. Puis ce fut le tour de la femme en sari de batik qui était assise à côté de moi. Elle dit qu'elle s'appelait Fiona et qu'elle avait quarante-deux ans, sans doute un mensonge car elle paraissait en avoir au moins dix de plus. Elle resta très vague quant à ses talents professionnels, disant simplement qu'elle était intéressée par l'art et la littérature et qu'elle s'était occupée de poules et de chèvres. Palu et le scribe ne montrèrent aucun enthousiasme mais Fiona se lança dans une longue explication lyrique sur ce qu'elle recherchait. Elle raconta qu'elle s'était récemment fait tirer les cartes, que le tarot lui avait prédit un énorme changement dans sa vie, et que, une semaine plus tard, sa vieille mère dont elle s'occupait depuis quinze ans était morte, et le même jour une amie lui avait parlé des Héritiers d'Akasha. Elle avait fait une série de rêves qui, après interprétation, démontraient qu'elle était destinée à survivre au grand cataclysme.

Puis ce fut mon tour.

— Nom ?

— Carol Brewster.

J'avais tout de suite décidé d'utiliser mon nom de jeune fille et une fausse adresse, au cas où Raymond Tucker tomberait sur des renseignements qui pourraient me relier à son vieil ami Gus. Je n'avais donné à Gus qu'une vague idée de ce que je comptais faire, et, connaissant son aversion pour tout ce qui avait trait à l'ancien groupe de Grays Orchard, je ne voulais pas qu'il y ait de risque de recoupement.

— Âge ?

— Trente-quatre ans.

— Profession ? demanda Palu en regardant sa montre, une Rolex d'homme.

— Je travaille dans le bâtiment.

Il y eut un sursaut d'intérêt. Les trois Héritiers d'Akasha m'examinèrent de près, même Serafa, qui depuis qu'elle avait fini son discours se contentait de contempler le plafond d'un air rêveur.

— Tu travailles pour une entreprise de construction ? demanda Palu.

— J'ai ma propre entreprise. Avec un associé. Les affaires ne marchent pas trop mal en ce moment.

— Et quel est ton rôle dans l'entreprise ? Tu as une part active ?

— Oui, bien sûr. Je me charge de la gestion financière et des décisions stratégiques. Je travaille aussi à une rénovation de grange pour l'instant, mais j'aide souvent mon associé sur le neuf.

— Donc tu serais capable de diriger un chantier ?

La question venait de Serafa. C'était la première fois qu'elle posait les yeux sur un Aspirant depuis que cette partie de la séance avait commencé, et qu'elle daignait adresser la parole à quelqu'un. C'est ridicule, je le sais bien, mais je fus flattée.

— Bien entendu, répondis-je. C'est ce que je fais tous les jours. Selon l'échelle du chantier, m'empressai-je d'ajouter. Nous ne nous sommes encore jamais attaqués à des projets plus ambitieux que des maisons de six pièces.

Le scribe écrivait à toute allure.

— Et tu attends quoi du groupe ? demanda Palu.

Nous étions arrivés au moment que je redoutais le plus. J'avais réfléchi, pensant d'abord inventer un mensonge compliqué sur une vie antérieure ou une prémonition, mais j'avais jugé plus prudent de coller au maximum à la réalité.

— En fait, je suis juste venue par curiosité. J'avais entendu parler des Héritiers d'Atlantide – enfin, je veux dire d'Akasha – et je voulais voir de quoi il s'agissait. Sans plus.

J'enfonçai les ongles dans mes paumes. Quelle idiote de m'être trompée sur le nom de la secte ! Il y eut un silence gêné. J'avais très peur qu'on ne dénonce la supercherie devant le cercle des Aspirants crédules. Dehors, la vie londonienne continuait son cours, mais déjà ce groupe étrange avait pris sa propre réalité ; c'était un monde à part, avec ses règles propres et sa morale.

Palu me dévisageait, ses traits grossiers chiffonnés par la perplexité ; elle semblait ne pas savoir que penser. Le scribe avait cessé d'écrire. Serafa, un sourire énigmatique sur le visage, tendit sa main en éventail devant elle pour s'examiner les ongles. Je retenais mon souffle.

Le silence devint insoutenable.

— Je m'y intéresse depuis des mois, hasardai-je, mais je ne me sentais pas prête, jusqu'à maintenant.

Enfin, Palu hocha la tête en signe d'approbation, et le scribe cocha mon nom. Maintenant, c'était au tour de l'homme assis à ma gauche, qui se décrivit comme étant un « sage ». Je commençai à me détendre. Le Sage voulut savoir pourquoi Akasha ne respectait pas davantage l'écologie ; il fit remarquer que le bulletin d'informations n'était même pas imprimé sur papier recyclé. Palu répondit vertement qu'il était beaucoup trop tard pour se préoccuper de l'environnement puisque la Terre préparait sa propre solution et que rien de ce que l'humanité pourrait entreprendre n'éviterait la catastrophe.

— Prenons un exemple, intervint Serafa de sa voix basse et mélodieuse. Imaginez un véhicule, un énorme poids lourd, mettons, un quinze tonnes. Ce camion descend une colline à toute allure. Ses freins ont lâché et il est sur le point de tomber dans un précipice à cent cinquante kilomètres à l'heure. Quelle importance si le conducteur roule à l'ordinaire ou au sans plomb ?

Elle se cala sur son dossier avec un petit sourire satisfait. D'abord, l'ours infesté de vermine, maintenant un camion sans freins ; Serafa aimait se servir de métaphores pour expliquer sa philosophie. Je n'eus aucune envie de faire remarquer que les quinze tonnes roulaient au gasoil.

Palu passa à la voisine, qui s'appelait Grisel et avait été brûlée comme sorcière dans une vie antérieure. Cette pénible expérience avait eu pour résultat de lui conférer des pouvoirs de guérisseuse dans sa vie actuelle. Elle avait l'air de s'attendre que le groupe soit impressionné, mais Palu se contenta de hocher la tête et de passer rapidement à la personne suivante. Elle avait hâte d'en finir. À mesure que les participants se décrivaient d'une voix hésitante, l'accumulation de toutes ces solitudes, de ces vies ratées, devenait intolérable. J'avais l'impression d'absorber leur douleur comme un buvard. Je me demandais comment Palu et Serafa arrivaient à porter le poids de tant d'espoirs déçus, mais elles n'avaient pas l'air abattues. La méditation les aidait peut-être à tenir le coup, ou alors elles s'en fichaient royalement.

Bientôt arriva le tour de l'homme qui était arrivé en retard. Quand on lui demanda son nom, il répondit à voix trop basse et fut obligé de répéter.

— Matthew Smith, dit-il, trop fort, cette fois.

Ses yeux bleu glacier soutinrent le regard de Palu avec défi et un petit muscle se tendit en haut de sa joue.

— Profession ? demanda Palu.

— Je suis océanographe, répondit-il fermement.

Cela devrait plaire, pensai-je, mais le scribe ne nota rien.

— Pour qui travaillez-vous ?

— Je suis travailleur indépendant, donc je vais où on m'envoie pour mes contrats. Je reviens d'une mission sur une plate-forme pétrolière dans la mer du Nord.

Les trois membres du groupe l'observaient attentivement, et le scribe posa son stylo.

— Où avez-vous fait vos études, monsieur Smith ? demanda Serafa.

Il hésita. Il avait l'air de se méfier. Peut-être se demandait-il pourquoi on s'adressait à lui par son nom de famille alors qu'on tutoyait tout le monde. Je sentis monter une petite pointe d'angoisse. Pourquoi le traitait-on différemment ?

— À l'université de Londres, dit-il, relevant légèrement le menton.

— Quel collège ?

Une nouvelle hésitation.

— King's, répondit-il.

Il y eut encore un long silence. Il y avait de la tension dans l'air. Je me dis qu'ils le soupçonnaient peut-être de mentir sur ses qualifications pour rendre sa candidature plus intéressante.

Au bout d'un long moment, Palu demanda d'un ton contenu :

— Vous êtes Tim Fairchild, non ?

— Je vous ai dit que je m'appelais Matthew Smith.

— À quoi bon mentir, monsieur Fairchild ? Nous avons votre photo dans notre fichier.

Il devint écarlate.

— Et alors ? Un nom, quelle importance ?

— Monsieur Fairchild, nous sommes dans l'obligation de vous demander de sortir sur-le-champ.

Il croisa les bras, plantant les pieds encore plus fermement sur le plancher.

— Nous sommes dans une réunion publique. J'ai autant le droit d'être ici que n'importe qui.

— S'il vous plaît, partez, monsieur.

— Pourquoi ? Qu'est-ce que j'ai fait ? J'ai le droit de savoir ce que fabrique votre groupe, non ? Je reste jusqu'à la fin.

— Non, monsieur Fairchild. Nous devons insister. Partez, maintenant. Vous êtes venu sous une fausse identité, et les observateurs hostiles ne sont pas acceptés à nos réunions. Je vous prie de quitter les lieux immédiatement.

— Vous ne pouvez pas m'obliger à partir.

— Nous préférerions ne pas en être réduits à ça, mais...

— Vous avez peur de moi, hein ? (Il regarda autour de lui, une expression de dégoût se peignant sur son visage régulier.) Vous avez peur que je dise à cette bande de gogos qui vous êtes. Toutes ces idioties sur le réchauffement de la planète et la fin du monde, ça ne sert qu'à les appâter, hein ! Vous jouez sur leurs peurs pour les mettre sous votre domination. S'ils savaient la vérité, ils se sauveraient à toutes jambes, espèces d'imposteurs !

— Ça suffit ! s'écria Serafa en levant la main.

— Ah, oui ? Vous plaisantez, je ne fais que commencer.

Je remarquai alors que Palu jetait un coup d'œil vers la porte en faisant un petit signe de tête. Un homme et une femme qui étaient restés assis près de Maureen se levèrent sans bruit et approchèrent de Tim Fairchild en opérant un mouvement tournant derrière les chaises. C'était un couple peu engageant. L'homme était grand et adipeux, avec une bedaine qui dépassait de son pantalon, mais la femme avait l'air encore plus dure. Elle avait des cheveux gris taillés en brosse, un débardeur noir collant d'où dépassaient des bras très musclés, un pantalon et une tonne de bijoux en argent assez effrayants. Je réalisai avec horreur que Tim ne les avait pas vus.

— C'est fou, lança-t-il avec mépris. Je ne sais pas comment vous osez venir ici tout tranquillement pour nous abreuver d'inepties sur la méditation et les perceptions extrasensorielles. Ça n'a rien à voir avec ce que vous faites. Vous détruisez les gens, le voilà votre but ! Vous séparez les familles et volez les enfants à leurs parents. Vous êtes de mauvaises gens, mal intentionnés, vous ne cherchez qu'à acquérir du pouvoir sur les autres ! (Il jeta un regard farouche aux Aspirants qui l'entouraient.) Écoutez-moi, bande d'idiots, ne gobez pas tout ce qu'on vous raconte ! Partez tant qu'il en est encore temps. Ne les laissez pas vous endoctriner. Je sais bien qu'ils font comme si ce n'était pas bien méchant, mais ils vous trompent. Ils sont dangereux. Ils détruiront votre vie comme ils ont détruit la mienne. Ils vous arracheront vos enfants et vous n'aurez plus rien. Ils...

Il remarqua mon visage affolé. L'homme et la femme s'étaient arrêtés derrière lui. Tim tourna brusquement la tête. Il dut percevoir un mouvement au moment où la femme se ruait sur lui. Il essaya de l'éviter mais elle lui agrippa le poignet et lui tordit le bras dans le dos. Il se jeta sur le côté et sa chaise tomba par terre à grand bruit. À cet instant, le gros homme bondit avec une vitesse étonnante. D'une main il saisit le col de veste de Tim tandis que de l'autre il lui prenait le bras gauche. Tim fit des efforts héroïques pour se libérer, mais l'homme appliqua une pression sur sa tête et son cou au moment où la femme avançait son pied chaussé d'un ranger, lui faisant perdre l'équilibre. Avec un hurlement de rage, il tomba en avant. Sa tête se retrouva au niveau de la poitrine de la femme et ses chaussures bien cirées dérapèrent sur le sol alors qu'il essayait de résister à ses deux attaquants, qui le traînaient sur le parquet. Maureen, angoissée et transpirante, s'était levée pour ouvrir la porte. Les Aspirants contemplaient la scène dans un silence horrifié, trop stupéfaits pour réagir.

— Bande de salauds ! hurla Tim, une mèche blonde tombant sur ses yeux, le visage rouge de rage. Bande de salauds, comment osez-vous ? Lâchez-moi, je vous dis ! Vous n'avez pas le droit ! Où est mon fils ? Qu'est-ce que vous lui avez fait ? Où le cachez-vous, bande de pervers ? Psychopathes ! Je le récupérerai ! Lâchez-moi !

Ses assaillants l'avaient entraîné jusqu'à la porte. Il se débattait toujours, et les deux videurs dégoulinaient de sueur en poussant des grognements. Mais leurs forces conjuguées eurent raison de lui. Chaque fois qu'il essayait de poser les pieds par terre, ils lui faisaient de nouveau perdre l'équilibre. Il y avait de la salive et du sang au coin de sa bouche et sa chemise était déchirée sous le col. Avec ses cheveux ébouriffés et ses vêtements en désordre, je le trouvais dix fois plus séduisant qu'avant.

— Arrêtez, ordures ! Lâchez-moi ! Vous n'êtes qu'une bande de cinglés, vous n'avez pas le droit, je ne vous laisserai pas les garder, je les retrouverai ! Je…

Ses coudes cognèrent les côtés du chambranle tandis qu'on le traînait sur le palier. Il poussa un cri déchirant.

— Rendez-moi mon fils !

On n'apercevait plus que le dos massif du gros homme qui poussait Tim hors de vue. Personne ne pouvait plus voir ce qui se passait dans l'escalier, mais de violents grognements, des chocs de corps contre le mur, des pas trébuchants, et un dernier hurlement de douleur et de désespoir nous parvinrent.

— Arrêtez, salauds, vous me cassez le bras. Lâchez-moi !

Un grand claquement résonna dans tout le bâtiment, celui de la porte d'entrée qui se refermait, puis le silence se fit. J'avais un goût de peur dans la bouche. Je n'arrivais pas à croire que nous étions tous restés là sans rien faire, mais tout s'était passé si vite et de façon si inattendue… Je portai la main à mes lèvres. Les autres Aspirants avaient l'air tout aussi choqués. Seules Palu et Serafa paraissaient indifférentes.

Serafa se frotta le bout des doigts les uns contre les autres, comme si elle nettoyait de la poussière. Palu redressa la chaise tombée et l'écarta du cercle, puis fit signe aux deux personnes qui avaient été assises de part et d'autre de Tim de se rapprocher pour réduire l'espace.

Elle nous adressa un sourire rassurant en se rasseyant.

— Désolée, mes amis, dit-elle calmement. Nous nous attendions depuis un certain temps à voir arriver Tim Fairchild. C'est un homme dangereux.

J'étais horrifiée. Il ne m'avait pas semblé dangereux du tout, bien au contraire. Il avait plutôt l'air d'un homme honnête et ordinaire qui n'avait eu d'autre ressource que de lancer cette action désespérée. Une ou deux personnes s'agitèrent sur leur chaise, mal à l'aise, mais nul ne répondit. Finalement, je n'y tins plus.

— Mais son enfant ? demandai-je. Il avait l'air très malheureux.

Palu me regarda froidement.

— Nous ne divulguons jamais les histoires personnelles des membres de notre organisation. Notre travail est basé sur la confiance. Toute personne désirant partir maintenant est libre de le faire. Il est très difficile d'être accepté dans le groupe, mais il n'y a rien de plus facile que de le quitter.

Rendez-moi mon fils ! Et les enfants ? songeai-je. Ont-ils vraiment le choix, eux ?

Nous entendîmes la porte d'en bas s'ouvrir et se refermer puis des pas dans l'escalier, et les deux videurs reprirent leur place, indiquant par un bref hochement de tête que leur travail était achevé. Dans la rue sous les fenêtres, le bruit des voitures étouffait tous les autres sons.

Palu se pencha pour lire le nom du vieil homme qui m'avait suivie dans la maison. Assis à côté de Tim, il avait dû se pousser pour ne pas recevoir de mauvais coups pendant l'« incident » ; il semblait particulièrement secoué.

— Lionel, lança Palu avec entrain, peux-tu te présenter, s'il te plaît ?

Peu à peu, la tension retomba. Lionel lui expliqua assez longuement qu'il était retraité mais qu'il avait travaillé pendant près de cinquante ans comme tailleur. Il pensait pouvoir aider à créer des costumes de cérémonie pour les membres du groupe, tout en admettant humblement qu'il ne servirait sans doute pas à grand-chose après le grand cataclysme, s'il survivait jusque-là. Il expliqua qu'il avait beaucoup réfléchi à la question, et qu'il était d'accord pour qu'on le laisse sur Terre le moment venu, tant qu'on l'autorisait à vivre dans la communauté en attendant.

Paula avait l'air pensive.

— Et tes attentes ? demanda-t-elle.

— Je veux trouver de la compagnie. Enfin, quoi, vieillir entouré d'amis, expliqua-t-il, levant vers nous des yeux délavés et pleins d'espoir. Mon fils et sa femme sont partis vivre au Canada et ma sœur est en maison de retraite, poursuivit-il.

J'eus le plus grand mal à me retenir d'aller le prendre dans mes bras et de le ramener avec moi à Grays.

— Bien, dit Palu quand le dernier des Aspirants eut terminé, maintenant, c'est à mon tour de vous parler de nos centres de l'Atlantique et ensuite nous pourrons faire une pause pour le thé et les biscuits. Serafa et moi, nous nous tiendrons ensuite à votre disposition pour répondre à vos questions.

La réunion continua. Je n'écoutais qu'à moitié. Le cri déchirant de Tim Fairchild me poursuivait toujours et je me demandais ce qui se cachait derrière cette tragédie. Il voulait retrouver son fils qui devait encore être très jeune ; donc, probablement, sa femme ou son ex-compagne était entrée dans la secte sans lui demander son avis. Palu décrivait de sa voix monotone leur centre de Cornouailles et expliquait les différents statuts accordés aux Aspirants et ce qu'ils impliquaient, mais comme je n'avais aucune intention de mettre les pieds chez eux, je ne me donnai pas la peine de retenir ces détails. J'avais du mal à croire que Jenny, toute fragile qu'elle fût, ait pu se laisser convaincre par leurs élucubrations.

Enfin, Palu annonça qu'il était temps de prendre le thé. Elle nous dit qu'elle allait se retirer à côté avec Serafa pour attribuer leur statut aux personnes présentes, mais qu'à leur retour nous aurions l'occasion de leur poser toutes les questions que nous voudrions.

Quand elles quittèrent la pièce, l'assistance commença à se détendre, mais avec prudence, comme à l'école primaire quand la maîtresse est appelée hors de sa classe à l'improviste. Je décidai de partir tout de suite : je n'avais aucune envie de leur thé et de leurs gâteaux secs, et aucun désir de connaître mon statut, mais je remarquai que Lionel regardait autour de lui, mourant visiblement d'envie de parler à quelqu'un ; ses voisins s'étaient mystérieusement évaporés dans la nature. Je traversai la pièce et m'assis à côté de lui.

— Alors, dis-je, que pensez-vous de tout ça ?

Il était tellement heureux de bavarder qu'il me fut impossible de m'esquiver avant le retour de Palu et de Serafa. Pendant ce temps, les deux gardes du corps avaient endossé le rôle de serviteurs. Supervisés par Maureen, ils faisaient passer des plateaux de thé et de petits biscuits.

— Attention, dis-je au jeune homme nerveux qui buvait son thé, il pourrait y avoir de la drogue dedans.

Le thé chaud avait embué ses lunettes. Il ouvrit de grands yeux et ne sourit même pas.

J'en avais plus qu'assez. Je posai ma tasse et ma soucoupe, me levai et allai à la porte. Maureen, arborant deux nouvelles taches de transpiration sur le devant de sa chemise, m'intercepta.

— Tu cherches les toilettes ?

— Non, je m'en vais.

— Ah ? fit-elle, déçue. Et ton statut ?

Elle me poursuivit jusque sur le palier.

— Attends, voilà Palu qui revient. Elle va te donner ton enveloppe.

— Non, vraiment…

Mais elle expliquait déjà à Palu que j'étais obligée de partir. Palu me lança un regard pénétrant, puis chercha dans sa pile d'enveloppes brunes celle qui portait mon nom.

— Nous te verrons peut-être en Cornouailles, dit-elle en me la tendant.

— C'est-à-dire que…

Elle n'attendit pas ma réponse. Elle retourna dans la pièce principale avec Serafa, et Maureen les suivit en fermant la porte derrière elles.

J'entendis des raclements de chaises indiquant que les membres du groupe reprenaient leur place, puis la voix de Palu.

— J'imagine que vous avez tous hâte de connaître votre statut.

Je fourrai mon enveloppe brune dans mon sac et pris la fuite.

7

Après avoir traversé la rue, je me retournai pour regarder la maison. Dehors les passants se promenaient, profitant des derniers rayons du soleil, mais je savais que derrière une certaine fenêtre, à l'étage, on discutait des Acolytes de Ra et de la fin du monde. C'était si irréel que j'en eus le vertige.

Je tournai les talons et partis d'un pas rapide vers le métro.

Une voix d'homme retentit derrière moi.

— Carol ?

Je fis volte-face et vis Tim Fairchild qui sortait d'un café en courant. Une méchante ecchymose tuméfiait son visage et sa chemise était sale et déchirée.

— Je pensais bien que c'était vous, dit-il. Vous vous appelez Carol Brewster, c'est ça ?

Je hochai la tête.

— Vous n'avez pas eu trop de mal ? demandai-je.

— Rien de cassé – une sacrée chance avec ces deux gorilles. Vous avez quitté la réunion avant la fin ?

— J'en avais assez entendu. Ils sont fous à lier.

Il se détendit un peu.

— Je me suis bien dit que vous aviez l'air trop intelligente pour tomber dans le panneau. Vous êtes pressée ? (Il jeta un coup d'œil inquiet à la maison.) Le problème, c'est que je ne veux pas qu'ils me voient. Il faut que j'arrive à leur parler, mais ça ne sera possible qu'en les prenant par surprise. S'ils savent que je les attends, ils partiront en courant. D'ici, nous pouvons surveiller la porte… vous voulez bien me tenir compagnie ?

— Bien sûr.

Après ce qui venait de lui arriver, je ne pouvais guère refuser, et puis, comme toujours, j'étais curieuse.

D'un point de vue stratégique, le café se trouvait à un emplacement idéal, mais c'était son seul mérite. Il sentait le renfermé et la vieille friture ; l'eau minérale que je commandai me fut servie dans un verre portant des marques de rouge à lèvres sur le bord et quand j'en fis la remarque au serveur, il le remplaça de mauvaise grâce. Tim avait pris une table près de la fenêtre et durant toute la conversation jeta des coups d'œil vers la maison de l'autre côté de la rue. Avec sa mèche blonde et ses traits réguliers, il aurait été beau comme un acteur de cinéma si l'inquiétude n'avait creusé de profondes rides entres ses sourcils, et si le dessous de son œil gauche n'avait été gonflé et meurtri.

Il me regarda avec méfiance.

— Ça ne vous dérange pas si je vous demande pourquoi vous êtes allée à cette réunion ? demanda-t-il.

— Par curiosité, je pense.

— Vous n'êtes pas journaliste ?

— Non, je travaille dans le bâtiment, comme je l'ai dit.

— Alors, vous en avez pensé quoi ?

— J'ai trouvé ces propos délirants. (Maintenant que j'étais sortie de l'atmosphère oppressante du groupe, je n'avais aucune envie d'admettre le frisson de terreur qui m'avait parcourue pendant le discours de Serafa, et quand elle avait deviné ce que je pensais.) Ce n'est pas croyable qu'il y ait des gens qui gobent ces sornettes.

— Ne les sous-estimez pas. Ils ont peut-être l'air d'une bande d'amateurs, mais ce sont de géniaux manipulateurs. Beaucoup de leurs adeptes exercent des professions libérales, alors qu'on s'attendrait à trouver plus d'esprit critique dans ce milieu. On est entourés de gens qui ont besoin qu'on leur dise quoi penser et comment vivre leur vie. C'est tout beau et tout gentil jusqu'à ce qu'on se fasse prendre à l'hameçon.

— C'est ce qui est arrivé à votre femme ?

Il détourna les yeux.

— Ma femme est morte.

— Oh ! Je suis désolée. Mais comme vous avez dit qu'ils gardaient votre fils, j'ai pensé...

— Il s'appelle Davy, dit-il avec un tremblement dans la voix. Il n'a que six ans. Vous voulez voir sa photo ?

Sans attendre ma réponse, il tira un portefeuille de cuir de sa poche intérieure et en sortit une photo qui avait été tellement manipulée que les bords et les coins en étaient tout abîmés.

— Mon fils.

— Il est très beau.

Et je disais vrai. Il avait les cheveux blonds et les yeux bleus de son père et un sourire innocent à vous briser le cœur. C'était épouvantable de penser qu'on le séparait du seul parent qui lui restait.

— Je ne comprends pas, dis-je. Si sa mère est morte, vous êtes son tuteur.

— Bien sûr, théoriquement, mais ce n'est pas si simple. Attendez ! (Il se tendit comme un ressort.) Ils sortent !

Je me tournai sur ma chaise pour regarder la maison derrière moi. Le Sage était sorti le premier ; son intérêt pour l'écologie lui avait peut-être donné une vue plus critique des méthodes du groupe. Lui succédèrent Grisel, la sorcière réincarnée, puis les deux jeunes Japonaises. Les uns après les autres, les Aspirants traversèrent l'étroit espace laissé par l'hortensia rose et sortirent dans la rue. Certains allèrent à des voitures garées non loin, mais la plupart, comme moi, se dirigèrent vers le métro. Le dernier à paraître fut Lionel, le tailleur à la retraite, suivi de près par Maureen, qui semblait avoir du mal à se débarrasser de lui. Il finit par partir dans la rue, retombant dans l'apathie et perdant lentement l'expression heureuse qu'il avait eue pendant qu'il bavardait avec elle.

Je l'imaginai retournant à son appartement solitaire, et retrouvant la compagnie d'une perruche ou d'un vieux chat.

— Regardez, dis-je, c'est le vieux monsieur qui était assis à côté de vous. Voyons s'il a envie de se joindre à nous.

Je ne m'étais soulevée que de quelques centimètres de ma chaise quand Tim m'agrippa le poignet, me plaquant le bras sur la table.

— Ne bougez pas. Il ne faut pas qu'ils sachent que je suis là. Leur voiture est au bout de la rue et... (Il me regarda et me relâcha la main.) Pardon, dit-il avec un sourire d'excuse.

C'était le premier sourire que je lui voyais, et son visage s'illumina brièvement d'un charme tout juvénile avant que son attention soit de nouveau accaparée par l'activité de l'autre côté de la rue.

— Regardez, commanda-t-il.

Les deux gorilles étaient en train de sortir. Ils échangèrent quelques mots avec Maureen, puis traversèrent et s'éloignèrent d'un pas rapide en prenant le trottoir du café. Tim se rencogna dans l'ombre, mais c'était inutile. Le gros adipeux et l'affreuse méchante étaient plongés dans leur conversation et ils nous dépassèrent sans nous voir.

— Allez, sortez ! marmonna Tim en fixant intensément l'autre trottoir. Montrez-vous, espèce de sales garces, qu'est-ce que vous attendez ? (Il semblait avoir oublié ma présence, et ne tenait plus en place.) Pourquoi ne sortent-elles pas ? Je me demande...

— Que comptez-vous faire ?

— Il faut que je leur parle. Je vais les obliger à entendre raison... *Non !* cria-t-il en se levant d'un bond. Merde !

Il faillit renverser la table dans sa hâte. Il courut à la porte, puis les événements se précipitèrent. Palu et Serafa étaient sorties de la maison, avaient traversé et surgi sur le trottoir. Juste à cet instant, une voiture verte conduite par la garde du corps aux gros bijoux d'argent, son collègue assis à côté d'elle, arriva à toute allure et s'arrêta avec un crissement de pneus devant la maison. Tim avait plongé dans le flot de la circulation pour les intercepter. Palu, qui avait contourné le véhicule pour monter derrière la conductrice, pâlit de surprise quand elle le vit fondre sur elle. Elle se dépêcha d'ouvrir la portière, mais, dans sa précipitation, s'accrocha le pied dans le bas de sa longue toge bleue et bascula en avant sur la banquette. Un instant, on ne vit plus d'elle qu'un énorme derrière bleu et des sandales. Puis elle reprit son équilibre tant bien que mal et attrapa la poignée pour fermer avant que Tim ne l'atteigne. Je vis ses lèvres bouger : elle criait un ordre à la conductrice. La voiture redémarra alors que Palu essayait encore de tirer la portière à elle. Tim plongea en avant pour attraper la poignée extérieure. Il y eut un instant de lutte et la portière s'ouvrit toute grande, attirant Palu vers la rue, mais elle ne lâcha pas. Puis le mouvement de la voiture lui donna l'avantage, refermant la portière tandis que Tim courait à toutes jambes, toujours accroché à la poignée, criant à la conductrice d'arrêter.

— Attendez ! (J'avais couru dans la rue et observais la scène, impuissante.) Arrêtez ! Mais arrêtez-vous ! Il va se tuer !

La voiture prit de la vitesse. Tim tenait toujours la poignée, mais son bras était en extension et il se faisait emporter. Un instant, je crus avec angoisse que sa main était coincée, qu'il ne pouvait pas se libérer et qu'il allait se faire traîner sur la chaussée jusqu'à une mort certaine ; mais soudain il lâcha prise avec un hurlement de rage qui domina les vrombissements de moteur, et il se retrouva seul au milieu de la rue, levant les bras de désespoir, alors que la voiture fonçait et disparaissait au bout de la rue.

Ils étaient partis.

Tim était tellement mal en point après ses démêlés avec les Héritiers d'Akasha qu'il m'aurait fallu un cœur de pierre pour l'abandonner tout de suite. Et puis j'ai toujours eu un faible pour les âmes en détresse, et Tim touchait le fond du désespoir. Il avait dû tout miser sur la réunion, mais il n'avait réussi qu'à récolter des mauvais coups ; sa défaite était totale.

Après avoir payé l'addition, nous marchâmes au hasard jusqu'à la tombée de la nuit. Tim était à bout de nerfs, bouillant de frustration de s'être trouvé face à l'ennemi sans rien pouvoir faire.

— C'est ces deux sales garces qui font tourner la baraque, m'apprit-il pendant que nous nous promenions dans un parc qui sentait bon l'herbe tiède et où des gamins tapaient dans un ballon de foot. Tucker n'est plus là que pour la façade. Il paraît qu'il n'a pas prononcé un mot depuis des années. Ses associées le tiennent en lui fournissant des filles. Elles le laissent choisir celles qu'il veut dans la secte. C'est répugnant, absolument répugnant, et mon Davy vit au milieu de ces dégénérés. Comme il me manque !

Il fallut que je le persuade de s'arrêter dans un pub près de Shepherd's Bush pour qu'il me raconte enfin toute l'histoire. À une table voisine de la nôtre, trois filles entrèrent en ébullition à la vue de Tim, qui commandait nos consommations au bar. Elles interrompirent leurs confidences sur leur travail et leurs petits amis dès qu'il vint me rejoindre, portant deux pintes de bière et un sachet de sandwiches. Leur discussion n'eut plus pour but que d'attirer son attention, émaillée de détails sur leurs exploits sexuels. J'aurais pu leur dire de ne pas gaspiller leur salive. Vu l'attention que leur portait Tim, elles auraient aussi bien pu être un groupe de grands-mères en train de comparer des modèles de tricot. L'histoire qu'il avait à me raconter ne laissait place à rien d'autre.

— Si vous m'aviez rencontré il y a un an, commença-t-il avec tristesse, j'étais un homme comblé : j'avais une femme merveilleuse, un enfant magnifique, et je venais de recevoir une promotion que je méritais depuis longtemps. Nous vivions encore dans un appartement trop petit, mais nous comptions déménager cette année. Mon père était directeur et propriétaire de pensionnat, et il devait prendre sa retraite. Il a toujours été extrêmement généreux. Il avait prévu, quand il vendrait l'école, de me donner de l'argent pour que Lucy et moi nous puissions enfin acheter une maison correcte où élever Davy. Tous nos rêves se réalisaient.

Pendant qu'il parlait, ses yeux bleus pétillaient au souvenir de son bonheur passé. À la table voisine, une rousse avec des boucles en tire-bouchon dit en coulant un regard vers lui :

— Le gros délire : j'étais sur le dos, les fesses à l'air, et il passe devant moi en me criant sans se retourner : « Ben alors quoi, qu'est-ce que tu fiches ? »

Elle hurla de rire et les autres se joignirent à elle.

— Je me souviens de notre anniversaire de mariage, continua Tim, il y a juste un peu plus d'un an. Nous sommes allés passer la journée à Kettering chez mes parents. Nous avions pris des cassettes de chansons d'enfants pour le voyage, mais nous avons chanté pendant presque tout le trajet dans la voiture. Davy venait d'apprendre « Que faut-il faire du matelot ivre ? » et nous inventions des couplets pour le faire rire, des idioties comme « l'accrocher dans le placard et lui faire des misères, ou l'attacher à sa chaise jusqu'à ce qu'il demande pardon » et Davy s'amusait comme un fou. C'était une journée magnifique, le rêve, et sur le chemin du retour, le soir, je me souviens d'avoir dit à Lucy que j'étais content que nous ayons pris des photos, parce que nous aurions toujours un souvenir de cette journée merveilleuse. Je n'ai jamais fait développer la pellicule. Je l'ai encore, mais j'imagine qu'elle n'est plus bonne. De toute façon, je ne supporterais pas de les voir.

Ses poings se serraient sur la table. À côté, nos voisines se racontaient des blagues douteuses, mais il n'entendait rien.

Il eut du mal à continuer, mais il se lança.

— Ma femme s'est noyée le 24 octobre de l'année dernière. Un accident. Personne n'a jamais su ce qui s'était passé. Mes parents étaient venus à Londres pour garder Davy pendant le week-end et nous permettre à Lucy et à moi de passer deux nuits en tête à tête. Nous sommes allés dans les Montagnes Noires. Je me sens responsable, évidemment. Je marche vite et je m'énervais de devoir ralentir pour Lucy. Nous étions allés à pied de notre hôtel à un pub pour déjeuner, mais au retour j'ai dit que j'allais rentrer par un autre chemin, passer par la montagne au lieu de prendre par la vallée avec elle en longeant la rivière. La dernière fois que je l'ai vue, elle me faisait des signes pendant que je prenais le sentier du haut. Elle rayonnait de joie, elle était belle et heureuse, et j'ai failli faire demi-tour. Je n'avais pas envie de m'éloigner d'elle, ne serait-ce que deux heures. C'est affreux…

Il s'interrompit.

— Arrêtez, dis-je, si c'est trop douloureux.

— Non. Cette image est gravée dans ma tête. Dans ma tête et dans mon cœur. Je revis les événements sans arrêt, sans répit, toute la journée. J'ai deviné qu'il était arrivé quelque chose en ne la voyant pas à l'hôtel, mais je ne suis pas parvenu à convaincre ces crétins de réceptionnistes que c'était vraiment grave. Ils essayaient de me rassurer… je savais que ce n'était pas normal. Ils n'ont lancé les recherches que presque à la tombée de la nuit, et il était trop tard. De toute façon, il était sans doute déjà trop tard au moment où je suis arrivé à l'hôtel. Lucy ne nageait pas très bien, et là où elle a dû glisser le courant est dangereux, même pour un bon nageur. Mais on n'a pas retrouvé son corps avant l'après-midi suivant. Mon père était venu de Londres dès le matin, laissant Davy à ma mère. Il a dit que ce serait trop angoissant pour l'enfant d'être présent, et qu'il valait mieux le tenir à l'écart. Maintenant, bien sûr, je regrette que Davy et moi nous n'ayons pas traversé cette épreuve ensemble, parce que plus tard, quand l'enterrement et l'enquête et toutes les formalités ont été terminés, je n'ai plus eu le courage de lui faire face. Mes parents n'arrêtaient pas de me dire que Davy était très heureux avec eux, qu'il s'adaptait bien à la vie du pensionnat, qu'il se faisait gâter par tous les grands élèves et qu'il devait jouer le petit berger dans le spectacle de Noël. Alors je me suis dit qu'on repartirait du bon pied après les fêtes. J'étais un vrai zombie, je n'aurais pas été de bonne compagnie pour un enfant.

— Ne vous faites pas de reproches.

— Non… (La gratitude adoucit son regard bleu.) Mais c'est difficile de s'en empêcher parfois, vous savez.

Semblant sortir d'une transe, il sourit, se souvenant sans doute que cette fois il avait un auditoire, alors qu'il devait se rejouer l'histoire en boucle toute la journée. J'avais envie de le serrer fort dans mes bras pour le réconforter. Mais à cette pensée, je ressentis une petite mais distincte pointe de désir. Mon été sans amour semblait, pour la première fois depuis que j'avais rencontré Gus, m'avoir rendue sensible aux charmes des autres hommes.

— Davy est resté avec vos parents ? demandai-je.

— Oui. Après Noël, il a fallu que je parte en stage de formation. Puis j'ai trouvé une dame qui acceptait de venir matin et soir pendant que j'étais au travail pour donner son petit déjeuner à Davy, l'emmener à l'école et l'en ramener, mais elle s'est cassé la jambe. J'avais l'impression que le sort s'acharnait contre moi et que mes tentatives pour nous permettre de nous retrouver n'aboutiraient jamais. Je montais le voir tous les week-ends, et il avait l'air vraiment heureux avec mes parents. Je me suis demandé si ce n'était pas égoïste de vouloir l'arracher à l'environnement sécurisant du pensionnat. Puis Pâques est arrivé sans même que je m'en aperçoive. De toute façon, nous nous étions mis d'accord pour que Davy passe les vacances chez mes parents pendant que je travaillais.

» Le lendemain du lundi de Pâques, mon père a été foudroyé par un infarctus. Il faisait faire le tour de l'école à des parents de futurs élèves quand il s'est effondré dans la salle de dessin. Il est mort avant son arrivée à l'hôpital. Au début, j'ai eu du mal à intégrer la nouvelle. Cela venait si vite après Lucy… Je dois dire que ça m'a porté un grand coup. À partir de ce moment, en plus de tout le reste, il allait falloir que je m'occupe de ma mère. Elle avait toujours été complètement dépendante de mon père. Il prenait toutes les décisions, dirigeait l'école et s'occupait d'elle par-dessus le marché. Il avait une personnalité très charismatique. Il y a eu tellement de monde à la cérémonie funèbre qu'il a fallu transmettre le service par haut-parleur à tous les gens qui n'avaient pas pu entrer dans l'église. C'était vraiment touchant de se rendre compte de l'importance qu'il avait eue pour tant de personnes. Après l'enterrement, j'ai discuté de l'avenir avec ma mère. L'école devait être vendue de toute façon. Avec une partie de l'argent, nous avons décidé d'acheter une maison près de mon travail où elle viendrait vivre avec moi et Davy. Notre pauvre famille se retrouvait, du moins ce qu'il en restait..., mais au moins, nous serions ensemble.

Il se laissa retomber sur son dossier et son regard se perdit dans le vide. Les filles à la table voisine cessèrent de parler au même moment. Elles avaient dû enfin se rendre compte que Tim n'avait vraiment pas la tête à ça. Quand il reprit son histoire, elles se mirent à parler à voix basse tout en écoutant d'une oreille ce qu'il disait.

— Tucker et son équipe ont forcé notre porte à ce moment-là. (Il soupira.) Ils ont dû se donner du mal pour la convaincre. Remarquez, ils ont une sacrée expérience. Leur spécialité depuis le départ, c'est les petites mémés sans défense qui ont de l'argent. Tucker et Pauline travaillaient comme taxis ; son truc à lui, c'était de gagner la confiance d'une vieille dame, de lui raconter qu'en fait il était un Acolyte de Ra, et hop, une ou deux d'entre elles s'y sont laissé prendre et lui ont légué leur magot. Ça l'a lancé. J'imagine qu'il a vu l'annonce nécrologique de mon père dans le journal et qu'il a voulu voir ce qu'il pourrait tirer de ma mère. Une lettre de condoléances, la proposition d'une visite... J'en suis malade rien que d'y penser ! Je savais bien qu'elle était crédule, mais à ce point... Je ne crois pas qu'elle s'y serait laissé prendre si elle ne l'avait pas connu dans sa jeunesse.

Je tressaillis, traversée par une sorte d'intuition, mais avant que j'aie pu mettre mes idées au clair, Tim continua.

— Ces salauds ont aussi essayé d'influencer Davy. La façon dont ils ont monté mon propre fils contre moi, c'est répugnant. J'ai remarqué qu'il avait un comportement bizarre et qu'il n'avait plus l'air aussi content de me voir quand j'arrivais les vendredis soir, mais, franchement, j'ai mis ça sur le dos des traumatismes que ce pauvre gosse avait subis. D'abord sa mère, puis son grand-père. Il devait se demander qui allait encore partir. Je me suis dit que la situation finirait par s'arranger une fois que nous vivrions tous sous le même toit. J'avais trouvé une maison qui nous aurait convenu et avais fait une offre.

» Et puis, le jour où ma mère a mis la main sur l'argent de la vente de l'école, j'ai reçu un message m'annonçant qu'elle et Davy rejoignaient un groupe appelé les Héritiers d'Akasha et qu'en fin de compte ils ne viendraient pas vivre avec moi. Je n'en suis pas revenu. J'ai cru à une mauvaise blague. Je veux dire, je n'avais jamais entendu parler des Héritiers d'Akasha. Et pourquoi aurait-elle fait une chose pareille ? Je me suis juste dit que la mort de mon père lui avait dérangé l'esprit. Il n'y avait eu aucun signe avant-coureur – en fait, elle semblait tenir le coup remarquablement bien –, mais maintenant, je me rends compte que c'était le point de départ de la perte de ses repères. J'ai tout fait pour entrer en contact avec elle, mais je me heurtais à un mur. Ils refusaient de me laisser l'approcher. Ils ne veulent même pas l'autoriser à se servir du téléphone. Ce soir, c'était mon dernier espoir. Je pensais que je pourrais aller à un de leurs week-ends d'initiation, et qu'une fois dans la place je trouverais le moyen d'entrer en contact avec elle. Si je pouvais lui parler ne serait-ce qu'une demi-heure, je sais que j'arriverais à lui faire entendre raison. Elle n'est pas méchante, au fond, seulement très malheureuse et désemparée. Ils l'ont endoctrinée et maintenant j'ai tout perdu.

Les filles à la table d'à côté rassemblaient leurs affaires, s'apprêtant à partir. Je contemplai Tim pensivement. La beauté se transmettait souvent de mère en fils.

— Comment s'appelle votre mère ? demandai-je.

— Fairchild, comme moi.

— Mais son prénom ?

Il eut l'air surpris.

— Katherine.

Je ressentis une petite déception, mais il ajouta :

— Le plus souvent on l'appelle Katie.

C'était cela !

— Et est-ce que Raymond Tucker et elle se connaissaient parce qu'ils vivaient tous les deux dans une maison qui s'appelle Grays Orchard ? demandai-je.

Son regard s'assombrit.

— Comment savez-vous ça ? Vous faites partie de la secte ?

— Des Héritiers d'Akasha ? Sûrement pas. Mais je vis à Grays Orchard. Gus Ridley est mon mari. Il a peint les fameux portraits de votre mère.

— Je ne comprends pas… Quelle coïncidence incroyable !

— Pas tant que ça. Je ne suis pas simplement venue à la réunion de ce soir par curiosité. La nièce de Gus est aussi entrée dans la secte. Même point commun : sa mère connaissait Tucker du temps de Grays Orchard. En fait, des rumeurs ont couru à l'époque, accusant Tucker du meurtre du père de Jenny. C'était aussi un membre du groupe, et il s'appelait Andrew. Je pense que Jenny est entrée en contact avec eux parce qu'elle voulait rencontrer Tucker pour voir quel genre d'homme c'était, mais j'imagine qu'une fois qu'ils tiennent quelqu'un ils ne veulent plus le lâcher. Comme votre mère, Jenny a de l'argent, ce qui doit faire d'elle une proie d'autant plus intéressante.

Tim avait vite compris.

— Le groupe de Grays Orchard… J'ai vu des tableaux de votre mari.

— Votre mère était très belle.

Il fallait que je réajuste mes pensées. Quand Tim m'avait raconté la mort tragique de sa femme et la façon dont sa mère était tombée entre les griffes des Héritiers, je m'étais formé l'image d'une petite vieille dame mal fagotée, aux cheveux gris, fade, alors que le nom de Katie évoquait une jeune femme sensuelle. *La Vie selon Katie*, le plus célèbre portrait que Gus avait fait d'elle, la montrait couchée, nue, en travers d'un grand lit (celui dans lequel nous dormions encore), les jambes et les bras constellés de taches rose et or par le soleil, le sexe en évidence. Quand le tableau avait été exposé pour la première fois, il avait fait scandale, mais maintenant on y voyait l'une des plus tendres représentations d'amour érotique du XXe siècle. Katie, le grand amour de la jeunesse de Gus ; peut-être même, malgré ma difficulté à le reconnaître, le seul grand amour de sa vie. Et je venais de passer trois heures en compagnie de son fils.

— Gus a peint d'incroyables portraits d'elle, fis-je remarquer.

— Oui, répondit-il avec une trace de réprobation dans le sourire. Ils sont assez francs. Ma mère prétendait que cela n'avait rien à voir avec elle, et c'est compréhensible. C'était en totale contradiction avec son rôle de femme de directeur d'école respectable, et vous imaginez bien comment les élèves auraient pu tirer parti de ces portraits.

Malgré son sourire, il semblait préoccupé. Cela n'avait sans doute pas été facile pour lui non plus, quand il était enfant, de voir sa mère à travers le regard d'un homme qui n'était pas son père.

Nous disséquâmes encore un petit moment les circonstances qui nous avaient conduits tous les deux à la réunion des Héritiers d'Akasha dans cette pièce du premier étage à Ealing.

— Palu faisait partie du groupe aussi, m'apprit Tim. Son vrai nom est Pauline et c'est elle qui a tout commencé avec Tucker. Tucker et elle travaillaient pour la compagnie de taxis de sa famille quand ils ont commencé à persuader des vieilles dames riches de leur léguer leur argent. Ils sont mariés, même si depuis environ cinq ans elle doit le partager avec l'autre femme, Serafa. On dit qu'elles sont lesbiennes, et que maintenant que Tucker est impuissant il prend son pied en les regardant coucher ensemble. Ça me rend malade de penser que mon fils est mêlé à toutes ces saletés.

— Mais la police ne peut rien faire ? Tout de même, vous êtes le père de Davy. Ce n'est sûrement pas légal que votre mère vous le prenne comme ça.

— Bien sûr que non, et s'il faut que je fasse intervenir la justice, je le ferai, mais je voulais surtout éviter ça. Ce pauvre Davy a vécu assez de bouleversements. Vous imaginez les dégâts que cela causerait s'il était arraché à sa grand-mère par des inconnus ? Comment pourrions-nous construire une relation de confiance et d'amour avec un tel passé ? Malgré toutes ses erreurs, ma mère est la seule personne avec laquelle il se sente en sécurité pour l'instant. Et puis, elle a autant besoin d'aide que lui. En admettant que j'arrive à tirer Davy de là, qu'adviendrait-il d'elle ? Par respect pour la mémoire de mon père, je me dois de la faire sortir aussi. Et ce n'est pas impossible : je saurais la convaincre si seulement je trouvais le moyen de lui parler.

— Il doit bien y avoir une façon d'entrer en contact.

Tim me contemplait pensivement.

— Avez-vous l'intention de poursuivre votre enquête ? demanda-t-il. Vous allez essayer de retrouver votre nièce ?

— Comment voulez-vous que je fasse ?

— En allant à un de leurs stages. Ce serait facile pour vous. Ils ne vous soupçonnent encore de rien, et de cette façon vous pourriez aider la famille de votre mari, ainsi que moi par la même occasion.

— Vous ?

— Oui. Une fois que vous seriez dans la place, vous pourriez contacter ma mère, et peut-être la persuader de me rencontrer quelque part. Si seulement je pouvais lui parler, il ne me faudrait qu'une demi-heure ! Cela changerait tout.

— Je ne pense pas que…

Il se pencha vers moi avec ferveur.

— Vous avez votre catégorie ? Tout dépendra de ça.

J'avais complètement oublié l'enveloppe brune que Maureen m'avait mise dans les mains juste avant mon départ. En l'ouvrant, j'y avais trouvé une feuille portant mon nom et quelques mots : « Catégorie B. Retraite d'initiation Aspirant d'un week-end, 30 £. Semaine complète de retraite Aspirant, 75 £. »

— C'est bien, comme catégorie ? demandai-je.

Tim poussa un long soupir de soulagement.

— B, c'est formidable. Votre métier a vraiment dû les impressionner. C'est vrai ou vous l'avez inventé ?

— Non, je vous l'ai dit tout à l'heure. Je suis bien associée dans une entreprise du bâtiment.

— Parfait. Ils veulent vraiment de vous, c'est pour ça qu'ils vous ont proposé un tarif aussi bas. Cela va nous rendre la suite beaucoup plus facile. Catégorie B, ça ne pouvait pas être mieux. Il faut être au moins médecin ou spationaute pour obtenir un A.

— Ou océanographe ?

Il fit la grimace.

— Là, c'était une bêtise – j'en fais toujours un peu trop –, mais je pense qu'ils m'avaient déjà reconnu, s'ils ont ma photo dans leurs dossiers.

— Qu'y a-t-il de si appréciable dans l'océanographie ?

— C'est à cause de leur délire sur le nouveau déluge – ils appellent ça la Submersion de vérité. Ils disent chercher des moyens de maintenir la vie sous l'eau pendant la longue période où la Terre sera totalement submergée, mais ce n'est qu'une façon de soutirer de l'argent à des gens crédules comme ma mère et la nièce de votre mari. Tous les fonds provenant de la vente de l'école de papa ont disparu, à propos. Une vie entière de travail partie en fumée. Mais cela m'est égal. Je me fiche de tout, du moment que je récupère Davy.

— C'est vraiment terrible, je voudrais pouvoir faire quelque chose.

— Mais vous le pouvez !

Il se pencha vers moi, me dévisageant de ses yeux bleus. Je n'avais jamais vu un regard aussi intense.

— Il faut m'aider, Carol. Vous arrivez juste au moment où je croyais qu'il n'y avait plus aucune issue, et je reprends espoir. Vous pourriez aller à une retraite Aspirant ; cela ne dure qu'une semaine.

Il dut voir à quelle point cette perspective m'horrifiait car il s'empressa d'ajouter :

— Mais même si vous n'alliez qu'à un de leurs stages du week-end, ce serait un début. Leur centre britannique est en Cornouailles. Ils ne me laisseront jamais approcher, mais vous, ils vous accueilleront à bras ouverts. Et une fois là-bas, vous pourriez essayer de découvrir où sont Davy et ma mère.

Avec un peu de chance, vous pourriez même leur parler… et à Jenny aussi.

Il ne me fallut pas longtemps pour prendre ma décision.

— Je voudrais bien vous aider, Tim, mais c'est impossible. D'abord, je ne pense pas que j'arriverais à grand-chose, et puis…

— Oui ? Pourquoi ? Vous avez peur d'eux ?

Je passai le doigt sur le bord de mon verre avant de répondre.

— Oui, peut-être bien.

— Il n'y a aucune raison d'en avoir honte. Les Héritiers d'Akasha ne sont pas des enfants de chœur. J'en sais quelque chose ; j'ai des traces de coups qui le prouvent, et encore, elles ont été infligées lors d'une réunion publique. J'imagine qu'ils passent à la vitesse supérieure quand ils sont sur leur terrain. Mais vous n'auriez rien à craindre. Je ferais en sorte que vous ne soyez jamais seule. Je trouverais à proximité un endroit où dormir pour que nous puissions rester en contact par téléphone portable. Et ça ne durerait que deux jours.

Je regrettais beaucoup de le décevoir mais ma décision était prise.

— Désolée, Tim, mais je ne peux pas.

J'en avais assez vu pour être sûre et certaine de ne plus rien vouloir avoir à faire avec les Héritiers d'Akasha.

8

Cet épisode déclencha une horrible scène de ménage le lendemain, la première vraie dispute qui ait jamais éclaté entre Gus et moi. Nous avions eu des différends par le passé, avions haussé le ton et boudé chacun dans notre coin, mais là, ce fut pire que tout.

L'accrochage fut causé par la naïve illusion que, en lui parlant de la réunion des Héritiers d'Akasha, je parviendrais peut-être à me rapprocher de lui.

— Tu ne devineras jamais qui j'ai rencontré hier, dis-je en rentrant du travail. Tim Fairchild, le fils de ta vieille amie Katie.

— Pardon ?

Gus tranchait des tomates sur une planche à découper, une bouteille de bière à moitié vide posée sur le plan de travail devant lui. Il s'arrêta, la lame planant au-dessus de la chair mûre.

— Tu as vu qui ?

— Tim Fairchild. Il était à une réunion de dingues où je suis allée.

Je compris aussitôt que j'avais eu tort de lui parler à la façon dont son cou et ses épaules se tendaient et au pli de ses yeux. Mais il était trop tard pour faire machine arrière et, de toute façon, j'en avais plus qu'assez de jouer la carte de la compréhension discrète et d'accepter qu'il garde ses secrets sans me donner un seul merci en échange. Et puis je ne me résignais pas à me contenter d'un mariage qui ne survivrait que grâce au silence et au mensonge. Je poursuivis donc bravement, et lui racontai ma rencontre avec Palu et Serafa et la façon dont elles avaient fait jeter Tim dehors. Puis je lui parlai de Katie et de la mort de son mari, expliquant comment, de même que Jenny, elle était tombée sous le pouvoir du groupe de Tucker. Je résumai beaucoup parce que je sentais bien que je m'enferrais, mais quand j'eus terminé, Gus piqua une colère épouvantable. Il hurla que je n'avais pas à l'espionner, que j'étais une vraie fouille-merde et que je ferais mieux de ne pas me mêler des affaires des autres. Je n'avais encore jamais vu cet aspect de sa personnalité : il se montra cruel, intransigeant et vindicatif ; mais ce qui m'horrifia le plus, c'était qu'il semblait se moquer complètement du drame qui avait frappé la famille de Katie.

— Qu'ils crèvent, je m'en fiche ! s'emporta-t-il. Est-ce que tu ne peux pas te mettre dans la caboche que je ne m'intéresse pas à toute cette clique ? Fous-moi la paix !

Mais je n'avais aucun intention de m'arrêter là. Je rétorquai qu'il était égoïste et dur et il m'ordonna de ne pas fourrer mon nez dans des histoires auxquelles je ne comprenais rien. Je lançai qu'il avait tort de compartimenter sa vie, et il me reprocha d'être jalouse de gens que je n'avais jamais rencontrés. Il ajouta que j'étais minable et je lui criai que c'était un salaud. Je ne me rappelle pas lequel de nous fut le premier à remarquer que si nous avions su à qui nous avions affaire, nous ne nous serions jamais mariés, mais de là il n'y eut qu'un pas pour nous déclarer mutuellement que nous étions libres de partir.

À un moment, nous nous retrouvâmes face à face, si pleins de rancœur et de colère que seule une vraie bagarre, un vrai contact physique, aurait pu nous soulager. J'étais sur le point de le frapper, et je me demande parfois ce qui serait arrivé si je l'avais fait, mais je me retins ; ainsi notre colère resta intacte et continua de couver en nous.

— Mais qu'est-ce que tu as, Gus ? Pourquoi est-ce que tu fiches tout par terre ?

Il rit.

— Non, c'est toi, Carol, c'est toi qui gâches tout !

Puis il sortit de la pièce, fou de rage.

Un grésillement de viande brûlée s'échappait du four. Machinalement, je sortis le plat : des côtelettes d'agneau que j'avais enduites de romarin, d'ail et de citron – un délicieux dîner d'été. Je jetai le tout à la poubelle et sortis. Il n'y a rien de plus triste qu'un repas préparé dans la joie qu'on termine en solitaire, la colère et la tristesse au cœur.

Je roulai au hasard pendant une heure ou deux avant de rentrer à Grays Orchard au crépuscule. J'étais furieuse, malheureuse et très irritée. Il n'y eut pas de grande réconciliation sur l'oreiller après notre dispute, rien qu'un retour graduel à notre trêve fragile. J'eus envie de m'éloigner de chez moi pendant quelque temps pour réfléchir, mais je ne savais pas où aller.

Les gars de l'entreprise affirmaient que les femmes avaient le coup de main, ce qui était sans doute une façon de dire qu'ils estimaient la tâche au-dessous de leur dignité. Quoi qu'il en soit, le grand nettoyage précédant l'emménagement des clients nous était toujours dévolu, à moi et à Norma, la mère de Brian. Ce matin-là, nous devions faire le ménage de la maison de Samantha Piper, à Gander Hill. J'eus un coup au cœur en voyant la quantité d'enduit et de peinture qui était tombée sur le parquet, mais Norma adorait astiquer. Brian avait promis de venir nous rejoindre pour nous aider dès qu'il pourrait se libérer. C'était rare qu'il se propose, mais depuis peu il lui arrivait de venir me donner des coups de main à l'improviste.

— Tu n'as pas l'air dans ton assiette, avait-il fait remarquer deux jours plus tôt. Des ennuis avec ton homme ?

J'avais hésité avant de répondre. À Brian, plus qu'à n'importe qui, je voulais toujours donner l'impression que mon couple était d'une solidité à toute épreuve, mais je lui racontai tout de même la réunion des Héritiers d'Akasha et lui livrai une version édulcorée de la réaction de Gus. Je ne crois pas qu'il ait été dupe mais il ne dit pas grand-chose.

— Préviens-moi dès que tu auras envie de faire un petit tour d'horizon. Tu fais de la peine à voir depuis quelques semaines. Tu as perdu toute ta gaieté.

Il n'ajouta rien, c'était inutile. Brian me connaissait mieux que Gus ne me connaîtrait jamais : voilà pourquoi nous étions si proches et aussi pourquoi je n'avais jamais pu envisager de vivre avec lui. Mieux valait un Gus imprévisible que la monotonie d'un avenir dépourvu de surprises.

Je ne savais pas très bien ce que Norma savait de mes rapports avec Brian. En tout cas nous nous étions toujours très bien entendues. Elle devait avoir deviné ses sentiments, mais elle avait bien trop de tact pour en parler. Norma avait été victime de tant de méchants bavardages du temps où Jack, le père de Brian, s'était rebellé à coups de gnôle contre la morale bourgeoise, qu'elle avait acquis une sainte horreur des commérages. En fait, une des caractéristiques les plus attachantes de Norma était qu'elle ne disait jamais de mal de personne.

Elle était solidement bâtie, comme Brian, qui avait aussi hérité de ses cheveux roux, qui chez sa mère tournaient au gris. C'était une grande énergique. Nous avions l'habitude de faire les pièces ensemble, et nous progressâmes côte à côte, à quatre pattes sur le plancher, en grattant la peinture et l'enduit. La conversation coule toujours plus facilement quand on travaille ensemble, et, vu ma présente obsession, j'étais sûre que nous parlerions du groupe de Grays Orchard, mais à ma grande surprise ce fut Norma qui entama le sujet la première.

— Brian dit que la nièce de Gus est entrée dans la secte de Raymond Tucker, dit-elle en s'attaquant à une coulure d'enduit très épaisse. Tu devrais la faire sortir de là avant qu'il lui arrive quelque chose.

— Je voudrais bien. Brian t'a dit que j'étais allée à une de leurs réunions ?

Elle me jeta un regard incrédule, et je lui parlai de ce que j'avais vu chez les Héritiers d'Akasha ainsi que de la brutalité avec laquelle ils avaient traité Tim.

— Ça ne m'étonne pas, finit-elle par commenter. Tucker était une véritable ordure.

— Tu l'as bien connu ?

— Assez bien, oui. Oh, il pouvait être charmant quand il voulait, mais il me donnait la chair de poule. Il avait des yeux noirs bizarres, qui vous avalaient. Tu savais qu'il pratiquait l'hypnose ? Il m'a proposé de me faire une séance une fois, mais non merci, très peu pour moi. Déjà à l'époque, je le voyais venir avec ses gros sabots. De l'hypnose, je te jure ! Je ne serais pas étonné qu'il se soit servi de cette méthode pour piéger toutes les pauvres petites vieilles qu'il a escroquées. Quel dommage que la police ne l'ait pas enfermé quand il en était encore temps !

— Quoi, pour le meurtre ?

— Exactement. Ça crevait les yeux que c'était lui le coupable et pas ce pauvre gars de la fête foraine. Il n'a pas traîné pour filer à l'étranger dès que la police a classé l'affaire – et en Espagne, en plus. C'est drôle, non, que justement il n'y ait pas eu de traité d'extradition à l'époque ? Le paradis des criminels, on appelait ça !

J'aurais très bien compris que Norma s'indigne que Raymond s'en soit tiré, puisqu'elle l'estimait coupable, mais son animosité personnelle me surprenait.

— Tu connaissais aussi Katie ? demandai-je. Comment était-elle ?

— La jolie fille ? Oh, il n'y avait rien à lui reprocher, à elle. C'était la plus sympathique de ce lot de bons à rien – sans compter Gus, bien sûr. Elle était très bien élevée, très bon genre, mais pas coincée. Je la voyais souvent à cause de son petit garçon qui avait à peu près le même âge que Brian. Je le lui gardais de temps en temps.

— Tim ? m'exclamai-je avec surprise. Il était à Grays Orchard ?

— Seulement de temps en temps. Il vivait surtout avec son père, mais il venait parfois voir sa mère. Un gentil petit bonhomme, pas difficile du tout. Remarque, il prenait de mauvaises habitudes à Grays. Il n'y avait pas d'heures dans cette maison. Ce n'était pas un endroit où élever un enfant, et au bout d'un moment son père a été obligé d'interdire qu'il vienne. Je le comprends, j'aurais fait pareil, mais on voyait bien qu'il manquait terriblement à Katie. Bon, voilà, on a fini pour ici. Tu préfères passer l'aspirateur ou continuer dans la cuisine ?

— Ça m'est égal, dis-je distraitement.

J'étais abasourdie par ma découverte. Ainsi, Katie était déjà mariée et avait un jeune enfant quand elle était allée vivre avec Gus à Grays Orchard. Voilà qui achevait de démontrer mon humiliante ignorance de tout ce qui touchait à la vie de Gus avant notre rencontre.

Quand Brian arriva, nous étions assises dehors au soleil et Norma venait de déboucher un Thermos de thé. Nous lui fîmes remarquer pour le taquiner qu'il arrivait pile au bon moment.

— Nous parlions de Raymond Tucker et des Héritiers d'Akasha, ajoutai-je. Ta mère pense que je devrais aller sauver Jenny.

— Êtes-vous bien sûres qu'elle en ait besoin ? demanda-t-il, ses cheveux roux formant un halo coloré dans le soleil.

— Elle partirait si elle avait deux sous de jugeote, s'entêta Norma. Je l'ai trouvée plutôt mignonne, quand on pense à la mère qu'elle a !

Je me tournai vers Norma avec surprise.

— Tu n'aimais pas Harriet ?

Elle fit entendre un ricanement indiquant qu'il n'y avait même pas à se poser la question.

— C'était la pire des pires, celle-là.

— Qu'est-ce qui te la fait autant détester ?

— Je ne la déteste pas. Je ne déteste personne. Ce n'est pas dans ma nature. J'ai pitié d'elle, c'est tout. Je ne voudrais pas avoir ses crimes sur la conscience. Tout a fini par mal tourner à cause d'elle. Tucker a porté le chapeau, mais c'était sa faute à elle. Cette femme était une mangeuse d'hommes, elle était terrible, une vraie nymphomane. Personne ne lui résistait. Il fallait bien que ça finisse dans le sang. Je suis surprise que ça ait duré si longtemps. Quelle dégoûtation, ce qui se passait là-bas !

— Hé, maman, du calme ! protesta Brian, gêné.

Norma lui lança un regard de reproche.

— Tu crois qu'Andrew s'est fait tuer parce qu'il se disputait avec Raymond à propos de Harriet... ? dis-je. Si c'est Raymond qui a tué Andrew, bien sûr.

— Évidemment que c'est lui ! Et Harriet les a tous obligés à mentir sur ce qui s'était passé. Les faits parlent d'eux-mêmes. Enfin, est-ce que ça vous semble normal qu'une femme ne puisse pas identifier l'homme qui l'a agressée ? Passe encore s'il avait été masqué, mais on ne peut pas être aussi proche d'un homme, en plein jour, sans pouvoir le reconnaître lors d'une identification.

J'admis que cela semblait bizarre. Norma continua.

— À mon avis, elle se fichait complètement de cette identification. Elle n'a jamais vu que son propre plaisir. J'ai été contente qu'elle fiche le camp. Je plains l'Australie – c'est là qu'on déportait les criminels, non ? Elle a dû s'y sentir dans son élément.

— Maman...

Mais Norma, le visage empourpré, n'écoutait rien. Je ne l'avais jamais vue dans cet état.

— Elle a dû se délecter du scandale. Je parie que cette sale traînée a jubilé de voir deux hommes se battre pour elle. Ça me rend malade. Dommage que ce ne soit pas elle qui ait fini avec un couteau dans le ventre. Vous voulez que je vous dise ? C'est elle qu'on aurait dû arrêter pour la mort de Forester. Tucker tenait peut-être le couteau, mais s'il y a une justice en ce bas monde, elle le paiera un jour.

Je n'en revenais pas. Elle bouillait de fureur. Je me souvins alors de ce que Gus avait raconté du père de Brian, de son habitude d'aller traîner à Grays Orchard pour un oui ou pour un non. On comprenait pourquoi Norma, qui n'avait jamais rien eu d'extraordinaire, avait pris en horreur la fascination que les jeunes marginaux exerçaient sur son mari. Et leur souvenir continuait de la mettre en rage. Elle en avait de l'écume au coin des lèvres.

Brian semblait très gêné.

— Maman, je t'en prie, arrête.

Elle lui jeta un regard noir.

— Je le dis comme je le pense, lança-t-elle d'une voix dure.

— Harriet est plutôt mal en point à présent, expliquai-je. Son mari est venu nous voir, et il paraît qu'elle est vraiment malade. Elle a un cancer. Il paraît que les médecins ne lui donnent plus que quelques mois à vivre.

— C'est vrai ? (Elle s'était tournée vers moi, sourcils froncés, ne sachant plus s'il fallait écouter sa compassion naturelle ou son désir de vengeance.) La maladie, observa-t-elle après un bref intervalle, ce n'est pas toujours simple. J'ai entendu dire à la radio que l'esprit pouvait avoir une influence sur le corps.

— C'est-à-dire ?

— Parfois, le corps se venge à cause des mauvaises actions qu'on a commises. Les gens se bouffent de l'intérieur.

— Maman, tu ne crois pas à ces trucs de charlatans, quand même ! protesta Brian. Vous venez ? En tout cas, moi, j'ai du ménage à faire.

Plus tard, une fois Norma repartie chez elle et pendant que Brian et moi rangions le matériel, je fis remarquer :

— Je n'ai jamais vu ta mère comme ça. Pourquoi cette affaire la touche-t-elle à ce point ?

Il me regarda comme si j'étais vraiment obtuse, puis il soupira.

— On ne peut pas lui en vouloir. Le meurtre de Grays Orchard marque un moment charnière dans sa vie avec papa. Il avait toujours été un gros buveur, mais l'alcool n'est devenu un vrai problème qu'après la mort de Forester. Ça l'a complètement démoli, et ça a détruit leur couple par la même occasion.

— Je ne vois pas le rapport.

— Tu ne te souviens pas ? Gus en a parlé l'autre soir pendant le dîner avec Jenny. Papa allait très souvent à Grays et il a même été un des suspects principaux.

Je le dévisageai. Ses yeux verts étaient pailletés d'or et il souriait, mais il avait l'air de souffrir. Dans son enfance, non seulement Brian avait été le fils de l'ivrogne du village, mais son père avait été suspecté de meurtre par-dessus le marché. Vu les violences que déclenchent les rumeurs d'adultes dans les cours d'école, je comprenais soudain d'où lui venaient sa force et son endurance. Nous étions associés depuis des années, mais je ne m'étais jamais donné le mal d'expliquer certains aspects de sa personnalité. Je devinai qu'il ne me disait pas tout, sans savoir si c'était pour protéger sa famille ou pour m'épargner, moi.

— Je pensais qu'il n'avait été interrogé que comme témoin.

— Une fois, passe encore, mais papa a été entendu cinq fois par la police. Et quand tout a été terminé, une fois que Harriet a eu disparu en Australie, que Gus a été parti à New York et Tucker en Espagne, c'est maman et papa qui ont dû rester à Sturford. Ce genre d'accusations vous colle à la peau, tu sais.

Oui, j'en savais quelque chose. Je me sentais enlisée jusqu'au cou dans ce trouble marécage qui remontait pourtant au temps où j'étais encore enfant. Et le pire, c'était que cette histoire broyait mon couple. Si je ne pouvais pas en parler à Gus, il me fallait agir, faire quelque chose. Je me souvenais des silences terribles qui avaient empoisonné la vie de mes parents. « Moins on en parlera, mieux cela vaudra », telle avait toujours été la devise de mon père, et j'y avais cru jusqu'au jour où je l'avais trouvé assis à la table de la cuisine, pleurant toutes les larmes de son corps et tenant dans sa main le mot que ma mère avait laissé en partant avec toutes ses affaires.

La crise avait commencé avec l'arrivée de Jenny, et s'était dramatiquement aggravée quand j'avais parlé à Gus de ma rencontre avec le fils de Katie. Peut-être était-il déjà trop tard pour nous réconcilier, mais je n'avais pas l'intention d'abandonner encore. Mon ignorance me torturait ; j'avais l'impression que ma vie avait brutalement changé de cours à cause d'un mystère dont je n'avais pas la clé. Jenny et Katie étaient parties toutes les deux chez les Héritiers d'Akasha. Était-ce là que je trouverais des réponses à mes questions ?

— Brian, dis-je, est-ce que tu pourrais te débrouiller sans moi quelques jours ? J'ai envie de partir en week-end.

— Bonne idée. Justement, j'allais te conseiller de prendre des vacances. Où veux-tu aller ?

— J'ai envie de mer. Je pensais un peu à la Cornouailles.

9

Tim descendit en Cornouailles par le même train que moi, mais dans une autre voiture, et nous évitâmes tout contact. Je passai devant lui plusieurs fois en allant au bar ; il avait acheté un livre à Paddington, mais, au bout de presque quatre heures de trajet, il en avait lu à peine une page. Chaque fois que je le voyais, il regardait par la fenêtre, sourcils froncés, avec son habituelle expression d'inquiétude. Son angoisse m'allait droit au cœur : je savais que sa valise était chargée de cadeaux pour Davy.

À ma grande contrariété, Je n'avais pas trouvé de place dans un week-end d'initiation avant le début de septembre, et j'avais dû attendre. Gus et moi cohabitions comme deux étrangers. Je me mis à rester tard au travail – j'aurais fait n'importe quoi pour différer le moment de rentrer à Grays, où je ne me sentais plus chez moi. Et puis, quand il n'y avait plus personne au bureau, je pouvais téléphoner à Tim pour organiser le week-end. Puisque Gus ne devait pas connaître ma destination, je faillis mettre Brian dans le secret, mais finalement, je préférai n'en rien faire et donnai à Tim le nom et le téléphone de Brian en cas d'urgence. Je préférais ne pas imaginer ce qui pourrait constituer une urgence, mais, ayant été témoin de la manière forte employée par la secte pendant une réunion publique en plein Londres, j'aimais autant ne pas prendre de risques.

À ce souvenir, j'éprouvai un frémissement d'inquiétude. Je plongeai la main dans la poche de ma veste en lin où était caché mon téléphone portable : ce serait mon seul contact avec le monde normal. Je le touchai très souvent pendant le long voyage.

Je descendis à Redruth. Tim avait prévu toutes les étapes du week-end avec un soin méticuleux. Il devait continuer jusqu'à l'arrêt suivant où l'attendait une voiture de location. Alors que le train repartait, je l'aperçus qui me regardait à travers la vitre. Un instant, je fus affolée par l'énormité de la responsabilité qui pesait sur moi. Puis je redressai la tête, soulevai ma valise et sortit d'un pas décidé de la gare. Pour moi aussi, ce week-end était source de beaucoup d'espoirs.

Les chauffeurs de taxi discutaient, appuyés à leurs voitures, sous le chaud soleil de septembre.

— Le Château de l'Atlantique, dis-je, ajoutant le nom du village proche de l'hôtel.

Le taxi fit une drôle de tête.

— Vous y êtes déjà allée ? demanda-t-il en mettant ma valise dans le coffre.

— Non, c'est la première fois.

— Eh ben, vous n'allez pas être déçue ! jeta-t-il avec son accent chantant de Cornouailles.

— Pourquoi dites-vous ça ?

Je montai à l'arrière pendant qu'il casait sa brioche derrière le volant.

— Oh, j'ai rien contre eux. Chacun fait ce qu'il veut, et ils gagnent leur vie, comme tout le monde. Et puis, vous savez, en Cornouailles, on a l'habitude d'être à l'ouest ! On va pas se laisser impressionner par quelques loufdingues de plus !

Il éclata d'un gros rire qui me donna l'impression qu'il avait déjà fait la plaisanterie très souvent.

Des loufdingues… ce n'était pas rassurant.

La luminosité changea à mesure que nous approchions de l'hôtel : tout devint plus clair, plus éblouissant. Quand je lui en fis la remarque, le chauffeur m'expliqua le phénomène.

— C'est parce que nous sommes entourés par la mer. L'eau réfléchit la lumière. Voilà pourquoi on a tellement de peintres par ici. Et de loufdingues, ajouta-t-il avec un petit rire.

Nous prenions d'étroites routes bordées de hauts talus. Le chauffeur expliqua que même si dans la région on appelait cela des haies, en Cornouailles, les haies n'étaient pas de vraies haies, mais des murs avec des plantes qui poussaient dessus. Je n'écoutais qu'à moitié, luttant contre une panique croissante. Et si les Héritiers d'Akasha devinaient que je n'étais pas une vraie Aspirante ? Et s'ils me réservaient le même sort qu'à Tim ? Et s'ils n'étaient pas contents que je les espionne et qu'ils décident de me faire taire ?

Dès que l'envie de fuir devenait trop forte, il me suffisait de revoir l'expression de Gus au moment de nos adieux, ce matin-là, et je retrouvais ma détermination. Pour une fois, il avait laissé glisser le masque, et j'avais vu son soulagement de me voir partir, ne fût-ce que quelques jours. Mon absence apporterait un répit à la tension insoutenable de notre vie de couple, mais j'avais aussi décelé de la peur dans son regard. Pourquoi de la peur ? Craignait-il que je ne revienne pas ? Par-dessus tout, je le devinais malheureux de voir s'effondrer ce que nous avions construit ensemble tout en se sentant incapable d'éviter la débâcle. S'il m'avait donné le moindre signe, je serais restée, mais il n'avait pas dit un mot pour me retenir.

Tant pis s'il avait abandonné tout espoir, moi pas. Pas encore.

— Vous avez la frousse ? demanda le chauffeur.

— Vous lisez dans les pensées ? demandai-je avec un sourire.

— Non, je laisse ce soin à votre gourou. On est arrivés.

Le toit du Château de l'Atlantique était visible à plus d'un kilomètre. Situé au fond d'une vallée entourée de hautes falaises sur deux côtés, la mer à l'arrière, il ressemblait à n'importe quel hôtel de plage de l'époque victorienne. Mais dès que j'eus payé la course, récupéré ma valise et fus entrée dans le hall d'accueil, je me rendis compte que c'était une tout autre affaire à l'intérieur.

Pour commencer, il y avait une agitation considérable. Une demi-douzaine de personnes entouraient le bureau de la réception, parcourant des listes ; un autre groupe était rassemblé autour du panneau d'affichage ; deux personnes descendaient l'escalier en courant avec des planches de surf sous le bras, et de toutes les chambres s'échappaient des bavardages animés. Je n'étais jamais allée en pension, mais j'étais sûre que le premier jour du trimestre devait ressembler exactement à cela.

Je me joignis au groupe de la réception, et au bout d'un moment une femme surmenée trouva mon nom sur une des listes.

— Ah oui, Carol Brewster. Voilà. Retraite d'initiation d'un week-end, catégorie B. Désolée de toute cette agitation, mais nous avons deux stages qui commencent en même temps cet après-midi. J'ai bien dit à la direction que ce serait infernal, mais personne ne m'écoute jamais. Tu es chambre 11, dans l'aile Nirvana avec Elaine. Ce sera elle ton Guide personnel pour le week-end. Elaine ! appela-t-elle d'une voix suraiguë pour percer la clameur.

Une jeune femme se détacha du groupe qui s'agglutinait autour du panneau d'information et nous rejoignit avec un sourire chaleureux.

— Salut, tu dois être Carol. Moi c'est Elaine. Je vais te montrer notre chambre.

— Nous avons une chambre à deux ? (J'avais compté sur une chambre privée pour pouvoir garder le contact avec Tim.) Je veux bien payer s'il le faut un supplément pour être seule.

Elaine n'eut pas du tout l'air de prendre ombrage de ma réticence à partager une chambre avec elle, mais elle n'avait pas l'air très susceptible de façon générale. Elle avait environ vingt ans, un visage rond et des cheveux bruns, longs et fins.

— On n'a pas le droit d'être seul dans une chambre, je suis désolée, dit-elle joyeusement en montant l'escalier avec moi. Tu vois, la vie communautaire, c'est l'élément principal du programme, et les Aspirants doivent être accompagnés partout par un Guide personnel. Les Pèlerins et les Voyageurs dorment tous en dortoir – enfin, ici nous appelons ça des maisons longues, comme les Indiens d'Amérique du Nord – donc c'est déjà une concession énorme d'avoir une chambre à deux. C'est parce que les Aspirants n'ont pas l'habitude de partager.

Elle me précéda dans un long couloir, puis nous passâmes une porte de communication qui menait à une annexe moderne. Chaque fois que nous rencontrions quelqu'un, Elaine lui adressait systématiquement son « salut » affable.

— Tu connais tout le monde ici ? demandai-je au bout d'un moment.

— Ça dépend de ce que tu entends par là. Nous sommes tous là pour le même objectif. Nous voulons trouver la voie et former le pont qui nous fera traverser la Submersion de vérité. Donc tous ceux qui sont ici sont mes frères et mes sœurs. Salut ! lança-t-elle à l'adresse de quelqu'un d'autre qui sortait d'une chambre.

— Et donc moi aussi ? demandai-je avec un sourire.

— Oh, toi surtout, parce que je suis ton Guide personnel pour la durée de ton séjour. Si tu as envie de poser des questions, ne te gêne pas.

Je réfléchis un moment.

— Combien y a-t-il de personnes ici ?

— C'est difficile de tenir le compte. Il doit y en avoir au moins une vingtaine ou une trentaine qui suivent les stages longs. Et puis il y a tous les Pèlerins et les Voyageurs, mettons une cinquantaine ou une soixantaine. Et je ne te parle que du bâtiment principal. Je pense qu'en ajoutant tous les gens de la Maison neuve et de la ferme, nous devons être près de deux cents en tout.

Je commençais à me dire qu'il serait plus difficile que je ne l'avais escompté de trouver Katie et Jenny.

— Comment peut-on savoir qui est ici ?

Elle eut l'air surpris.

— Oh, moi, je n'en sais rien, ce n'est pas mon domaine, je ne suis que Pèlerin niveau un.

— C'est-à-dire ?

— On est surtout chargés des corvées de cuisine et de ménage. Tu es ma première Aspirante. J'espère que tu ne me poseras pas trop de questions difficiles ! (Elle fit un grand sourire, découvrant des gencives roses.) On y est, chambre 11.

Elle ouvrit la porte d'une pièce d'une sobriété spartiate, avec deux lits en fer et un petit lavabo.

— Choisis le lit que tu préfères.

— Ce n'est pas là que tu dors d'habitude ?

— Non. Je ne suis là que pour le week-end, pour m'occuper de toi. Normalement, je suis à Valhalla, une maison longue de femmes. C'est dans l'aile ouest du vieux bâtiment.

— Je peux prendre le lit près de la fenêtre ?

— Si tu veux. (Elle se laissa tomber sur l'autre lit, puis se releva d'un bond.) Ah, j'ai failli oublier. Voilà ton emploi du temps du week-end. Les activités précédées d'un astérisque sont recommandées pour les Aspirants niveau deux.

— C'est ça que je suis ?

— Oui.

— Et le niveau un, c'est quoi ?

— C'est aller à une réunion publique. Tu as sans doute envie de prendre dix minutes pour t'installer. Le thé est servi dans la salle à manger entre quatre et cinq heures, il nous reste une demi-heure. Je t'attends en bas.

— Merci. Ah, Elaine, au fait, j'ai encore une question à te poser. Il y a quelqu'un ici qui s'appelle Katie ?

Je n'avais pas prévu de lui demander cela directement, mais Elaine avait l'air très gentille, et s'il y avait deux cents personnes, je pouvais très bien passer tout le week-end sans tomber sur elle. En revanche, ce serait trop risqué de lui demander si elle connaissait Jenny en même temps. Il valait mieux attendre.

Son visage s'illumina.

— Katie ? Tu la connais ?

— Non, mais un de ses vieux amis m'a demandé de la saluer de sa part. Il paraît qu'elle est entrée dans le groupe il y a quelques mois.

— Plus longtemps que ça. Katie, c'est une de mes meilleures copines. Elle vient de passer un mois en AquaRetraite, mais elle a terminé hier. Elle sera sûrement dans la salle à manger. Je vous présenterai.

— Merci.

Je ne m'étais pas attendue que ce soit si facile. J'étais tellement soulagée qu'il ne me vint pas à l'esprit de me demander pourquoi Katie, qui devait avoir près de cinquante ans, s'était liée d'amitié avec une petite jeune comme Elaine.

— N'hésite pas à me poser toutes les questions que tu voudras si tu en as d'autres.

Et, avec un grand sourire, Elaine ferma la porte derrière elle.

Tout allait bien jusqu'à présent. Dans dix minutes, j'allais être présentée à Katie. Dans mon rôle d'Aspirante enthousiaste, ce serait facile de trouver des sujets de conversation. Si elle me donnait l'impression de regretter d'avoir rejoint le groupe, je trouverais un moyen de l'aider à partir. Si, comme cela semblait plus probable, elle s'était laissé influencer à un moment où son deuil la rendait vulnérable, mon plan était de l'attirer en dehors de la propriété, ne serait-ce que pour une promenade sur le chemin côtier. Après cela, ce serait à Tim de jouer. Il semblait persuadé que s'il arrivait à lui parler en tête à tête il la convaincrait sans mal de rentrer avec Davy : elle était très malléable, disait-il, et c'était cela qui avait fait d'elle une proie aussi facile.

Soudain, je fus ravie. Depuis que Gus et moi étions allés à Bath, je pensais un peu trop à Katie. Jusqu'alors, j'avais eu assez confiance en moi pour ne pas me préoccuper de la femme qu'il avait aimée du temps où il peignait ses célèbres portraits, mais maintenant ce n'était plus pareil. Maintenant, j'étais très curieuse.

Pour Jenny, ce ne serait pas aussi facile. Elle avait manifestement besoin d'aide, elle aussi, mais il faudrait que je sois très prudente en entrant en contact avec elle. D'abord, c'était la seule personne qui pouvait avoir des doutes sur mes motivations et qui pouvait révéler mon lien avec Gus Ridley. L'explication que je lui fournirais devrait être aussi proche que possible de la vérité : je dirais que Gus et moi avions des difficultés dans notre couple, que j'avais entendu parler du groupe de Raymond, trouvé ses idées intéressantes, et décidé d'essayer un stage d'un week-end. Je me doutais qu'elle voudrait m'éviter. Il était peu probable qu'elle accueille avec plaisir ce rappel de ce qu'elle avait fait à Gus, et elle s'attendrait que je lui en veuille.

Chaque chose en son temps, me dis-je. D'abord Katie, Jenny ensuite.

Puisque la solitude était un luxe au Château de l'Atlantique, je décidai de profiter au maximum de l'occasion que me laissait Elaine pour téléphoner à Tim. Il serait content d'apprendre que Katie était encore en Cornouailles. Je sortis mon portable de ma poche et l'allumai.

Pas de réception.

J'appuyai sur tous les boutons, vérifiai la batterie et réessayai. Toujours pas de réception. Je ressentis une sorte de malaise. Que se passait-il ? Mon téléphone marchait parfaitement quand j'avais appelé Tim en allant à Paddington le matin. Était-il cassé ? Ou le groupe utilisait-il des techniques de brouillage destinées à couper du monde les adeptes et les visiteurs ?

J'allai à la fenêtre et regardai dehors. Le soleil avait disparu derrière une haute bande de nuages. Au-delà des pelouses qui descendaient vers une haie de conifères en limite de propriété, la mer avait l'air froide et menaçante, comme si une tempête se préparait. Je fis une dernière tentative pour me connecter, mais sans succès, puis je sortis de l'annexe Nirvana par le long couloir et retournai dans le bâtiment principal. Une rumeur de voix me guida vers la salle à manger.

Quatre longues tables de réfectoire couvraient la longueur de la pièce. Il devait y avoir plus de cent personnes. Le thé se prenait de toute évidence sans cérémonie ; tout le monde se servait de bon appétit. J'hésitai un instant à la porte, cherchant un visage familier dans cet océan humain, puis je repérai Elaine qui me faisait de grands signes depuis la table la plus proche de la fenêtre. J'agitai le bras en retour et me faufilai entre les tables pour la rejoindre. Elle était entourée de jeunes de son âge, qui me saluèrent tous avec chaleur.

— Je vous présente Carol. C'est son premier week-end d'initiation Aspirante.

Un chœur de « Bonjour, Carol ! » retentit.

— Je ne vais pas m'amuser à te présenter tout le monde parce que tu ne te souviendras jamais de tous les noms, dit Elaine. Mais nous sommes tous des PNU – Pèlerins niveau un – et ils t'aideront dès que tu en auras besoin.

— Merci.

— Ah, oui, reprit Elaine, j'ai failli oublier. Je te présente Katie.

Une énorme déception succéda à un bref instant de joie. La jeune fille qui était assise à côté de moi était beaucoup trop jeune. Elle avait les cheveux foncés et les dents en avant. Je m'en voulus de ma naïveté : j'aurais dû me douter que, dans une telle foule, il y aurait plus d'une seule Katie.

— Bonjour, Carol, dit la mauvaise Katie, Elaine m'a dit que tu connaissais un de mes amis.

— Désolée, la Katie que je cherche a plus de deux fois ton âge.

La mauvaise Katie eut l'air déçue.

— Je pensais bien qu'il devait y avoir une erreur. Je n'avais aucun ami avant d'arriver ici !

Et tous rirent en protestant que, bien sûr que si, elle avait des tas d'amis, et Elaine la serra dans ses bras avec affection. L'ennui, c'est que la mauvaise Katie avait vraiment l'air d'avoir des problèmes relationnels. Je me demandai si toute cette joyeuse scène d'amitié n'était pas une comédie qui m'était destinée.

— Tu veux du thé ? demanda Elaine en m'en versant un grand mug. Et ça, c'est des scones aux nori et à l'avoine. On mange beaucoup d'algues ici. On finit par s'y habituer.

La mauvaise Katie prit un air de dégoût.

— Pas moi !

Elaine m'expliqua que le groupe avait pour ambition de manger autant de produits de la mer que possible « pour être adapté le moment venu ».

— La semaine dernière, ajouta-t-elle, ils ont encore essayé de faire du thé aux algues…, berk, c'était infect.

— Pas aussi mauvais que la première fois, commenta un garçon bronzé aux épaules carrées et au regard vague.

À mon grand soulagement, la boisson qu'on m'avait offerte avait un goût tout à fait normal.

— On n'a pas le droit de se servir de son téléphone portable, ici ? Le mien ne marche pas.

Ils se mirent à rire.

— C'est à cause de la falaise. Parfois, ça passe si on monte sur le chemin de la crête. Au nord, on capte mieux qu'au sud.

— Ça fait écran à la transmission, expliqua le garçon mal réveillé.

— Flûte, dis-je. J'avais promis d'appeler quelqu'un aujourd'hui.

— Ne t'en fais pas, intervint Elaine. Il y a une cabine téléphonique dans le hall. Il y a toujours une file d'attente d'un kilomètre mais je te ferai passer devant, les Guides ont le droit. En y allant tout de suite, tu auras le temps de passer ton coup de fil avant la Conférence préliminaire.

— La conférence ?

— Préliminaire. C'est la première activité de ton programme.

— Ah, oui, je me souviens.

Me sentant coupable, je tirai la feuille de ma poche. Je ne serais pas très convaincante dans mon rôle d'Aspirante niveau deux si je ne me donnais pas la peine de consulter l'emploi du temps. La liste que m'avait remise Elaine était longue comme le bras et rien, à part la « Conférence préliminaire » à cinq heures le vendredi, n'avait le moindre sens pour moi. Je m'obligeai à commenter d'un ton joyeux :

— Waouh ! super !

Il y eut un concert d'approbations.

— Cette conférence va changer ta vie, affirma la mauvaise Katie.

— Tu vas voir, ça va te plaire, renchérit le garçon.

— C'est vrai, s'enthousiasma Elaine en même temps. Je suis tellement contente pour toi !

Soudain, j'eus l'impression que leurs réactions étaient orchestrées pour me convaincre que j'étais dans un endroit extraordinaire. Tâchant de prendre une expression exaltée, je continuai le jeu.

— J'ai hâte de commencer !

— On ferait mieux d'y aller, alors, dit Elaine, surtout si tu veux passer ton coup de téléphone d'abord.

— Il n'y a pas urgence.

Je n'avais aucune envie de parler à Tim au milieu d'un hall bondé, Elaine écoutant à côté de moi, mais elle n'en démordit pas.

— Allez, viens, si tu as fini ton thé. On a juste le temps.

Une demi-douzaine de personnes attendaient devant l'unique téléphone du hall, mais Elaine devait mourir d'envie d'exercer son autorité toute neuve de Guide d'Aspirant.

— Coup de téléphone urgent pour Aspirant niveau deux ! clama-t-elle alors qu'ils me laissaient passer sans un murmure.

Je composai le numéro du portable de Tim.

— Carol ? L'espoir qui éclatait dans sa voix faisait peine à entendre.

— Allô, maman ? criai-je.

Je reçus un « Quoi ? » stupéfait en retour.

— Allô, maman, tu m'entends ? (Silence.) C'est Carol. Je suis bien arrivée. Ne t'inquiète pas pour moi. Je ne peux pas te parler longtemps maintenant parce qu'il y a d'autres gens qui attendent pour se servir du téléphone, mais je voulais juste te dire que les portables ne passent pas ici, maman.

— Quoi ! ?

— C'est parce que la falaise fait écran à la transmission, expliquai-je d'un ton enjoué, ça ne sert à rien de m'appeler sur mon portable. Je te rappellerai dès que possible.

— Quoi ? Attends, ne raccroche pas, Carol, écoute…

Je collai le combiné à mon oreille le plus fort possible, espérant qu'on n'entendait pas la voix masculine insistante de ma « mère ».

— Qu'est-ce qu'il y a, maman ? Je ne peux pas te parler longtemps.

— Rappelle-moi ce soir, insista Tim. Je penserai à quelque chose. Je mettrai un code au point.

Les gens commençaient à me regarder d'une façon bizarre.

— D'accord, dis-je, ne t'en fais pas. J'essaierai de te rappeler plus tard pour reprendre de tes nouvelles.

Je raccrochai fermement sans laisser à Tim le temps de répondre.

— Ma mère, expliquai-je au cercle de visages curieux. Elle est un peu sourde.

— Oh, la pauvre ! s'apitoya Elaine. Bon, viens, la Conférence préliminaire a lieu dans la salle de l'Horloge. Il ne faut pas qu'on se retrouve au fond.

— Ah, non, surtout pas ! répondis-je, très hypocrite.

Je suivis Elaine qui me fit sortir par une porte de service et traverser la vaste pelouse jusqu'à une sorte de grange rénovée à une centaine de mètres. Comme d'habitude, tous ceux que nous croisions avaient droit au même « salut » guilleret.

Au moment où nous passions les doubles portes qui ouvraient dans un des petits côtés, Elaine se tourna vers moi pour voir ma réaction. Elle fut enchantée par ma surprise.

— Génial, hein ? commenta-t-elle avec enthousiasme.

— C'est… incroyable.

Le mur qui nous faisait face était couvert par une immense fresque aux couleurs extraordinaires, d'une luminosité et d'une intensité de pierres précieuses : les plus purs des émeraudes, des turquoises, des écarlates et des roses, rehaussés d'or, l'or le plus brillant que j'aie jamais vu. Au début, je ne compris pas ce que cela représentait, l'ornementation et les détails en étant trop complexes. Puis je réalisai que j'avais devant moi deux énormes roues, celle de gauche beaucoup plus grande que celle de droite, chacune subdivisée en plusieurs parties. Les deux roues se touchaient juste, leurs rouages s'imbriquant comme les parties d'une énorme machine. Le moindre centimètre à l'intérieur et autour des roues était couvert d'une profusion de motifs : animaux et oiseaux, hommes étranges pourvus de coiffes en plumes, serpents énormes, poissons et pictogrammes étonnants qui auraient pu être des hiéroglyphes mais ne ressemblaient à rien d'identifiable. Et puis, à ma grande surprise, je me rendis compte qu'en fait il ne s'agissait pas d'une fresque, ou pas uniquement, mais plutôt d'une immense structure qui comportait une roue plus petite reliée aux deux plus grandes, et dont tous les éléments entraient en rotation les uns avec les autres.

— Mais qu'est-ce que c'est ? demandai-je.

— L'horloge akashique, m'apprit Elaine avec ravissement. Il y en a une dans tous nos centres. C'est Lowell qui les fabrique. Ce type est génial, et Alana dirige l'équipe de décoration.

— Ça sert à quoi ? demandai-je.

Elaine eut l'air si surprise que je me mis à paniquer. Au secours ! Est-ce que je m'étais déjà trahie ? Une vraie Aspirante aurait sûrement déjà dû savoir ça. Je m'empressai de rectifier le tir.

— Je veux dire, j'ai lu des choses sur l'horloge akashique, mais je n'en ai jamais vu de près. C'est beaucoup plus compliqué que je ne m'y attendais.

Cela sembla la satisfaire.

— Eh bien, comme tu le sais, expliqua-t-elle, elle est fondée sur les calendriers mayas, le long et le court. Mais Lowell a adapté leur système céleste à notre rythme occidental moderne, et il a conçu l'horloge de façon à ce que le tube en verre à droite se remplisse de sable, rien que de quelques grains tous les jours, comme un sablier pour la cuisson des œufs mais en beaucoup plus lent. À mesure que le tube se remplit, on voit combien de temps il nous reste. C'est une sorte de compte à rebours.

J'avais déjà entendu cela quelque part.

— Un compte à rebours ?

— Oui, tu sais bien, jusqu'à la fin du monde, précisa-t-elle avec indifférence

J'eus un frisson. Un moment, je m'étais laissé endormir, et je finissais par me dire que l'endroit ne différait pas beaucoup d'un hôtel ordinaire ; la façon tout à fait naturelle dont Elaine mentionnait la fin du monde me rappela la doctrine démente de la secte.

Le hall se remplissait, les auditeurs arrivant pour la plupart deux par deux comme nous, chaque Aspirant accompagné de son Guide. En prenant place vers l'avant de la salle à côté d'Elaine, je me demandai si sa fonction n'était pas, plutôt que de répondre à mes questions et de m'aider, celle, plus inquiétante, de m'espionner.

Tandis que nous attendions le début de la conférence, le contraste déroutant entre normalité et folie continua à se faire sentir : de dehors nous parvenaient les sons et les odeurs d'une fin d'après-midi d'été ordinaire au bord de la mer – le bruit des vagues au loin, les vacanciers s'interpellant dans le jardin, le cri des mouettes qui planaient dans le ciel – alors que nous étions assis en rangées solennelles, attendant un discours sur l'apocalypse.

— Est-ce que nous aurons le temps de faire des choses normales pendant le week-end, demandai-je, comme nager ou aller se promener ?

— Tu peux faire ce que tu veux, tu es libre, m'assura Elaine, mais d'un ton peu convaincu. Si on allait se balader après la conférence, tu pourrais essayer ton portable d'un peu plus haut. La plupart des opérateurs passent en haut de la falaise.

— Oui, c'est une idée. Mais tu n'as pas besoin de m'accompagner. Je ne veux pas te déranger.

— Pas de souci. Si je ne m'occupais pas de toi, je me retrouverais de corvée de cuisine.

Je fus très contrariée. J'allais avoir du mal à la semer. Et je n'avais pas du tout avancé dans mes recherches pour ce qui était de Katie et de Jenny.

— Et les autres centres ? demandai-je. Il y en a d'autres en Angleterre ?

— Non, on vient d'en ouvrir un au Mexique, mais le plus grand est en Espagne. C'est là que tout a commencé. L'histoire est très belle. Palu est venue d'Espagne et nous a fait une conférence sur le sujet cet été. J'aurais voulu que tu entendes ça, elle est géniale.

— Elle est encore là ?

— Je ne crois pas, répondit Elaine d'un air vague. Le Cercle interne bouge beaucoup. En fait, il y a une rumeur, mais je ne pensais pas t'en parler avant que ce soit sûr parce que je ne voudrais surtout pas te décevoir. Quelqu'un qui travaille à la Maison neuve a dit que Ra en personne était arrivé et qu'il mènerait peut-être un atelier d'AquaMed dimanche. (Dans son excitation, elle me serra le bras.) Tu te rends compte ? Avoir la chance de suivre un AquaMed avec Ra pendant ton premier week-end !

J'essayai de prendre l'air heureux qu'elle attendait de moi, et, au fond, j'étais vraiment contente de voir l'homme que Gus avait connu sous le nom de Raymond Tucker, tout en ne nourrissant guère d'espoirs de trouver l'occasion de lui poser des questions. Un homme considéré comme un demi-dieu par ses adeptes n'allait sûrement pas vouloir discuter de sa jeunesse dissolue à Grays Orchard.

— Tu ne sais pas comment je pourrais trouver quelqu'un que je cherche ? demandai-je.

— Ah, tu veux dire ton amie Katie ? Je pense que Bronwen doit avoir une liste quelque part. C'est la responsable des affectations et des transferts. Tu pourrais toujours lui demander.

— C'est facile de passer d'un centre à l'autre ?

— En théorie, oui, mais en pratique, ce n'est pas toujours aussi simple que ça. Ils doivent préserver un équilibre, alors bien sûr, une fois qu'on a prononcé le Serment de fidélité, on nous envoie là où nos qualifications sont le plus utiles. Il y a un système de points. J'espère d'ailleurs en récolter quelques-uns ce week-end en m'occupant de toi. Mon copain est affecté à l'équipe de construction en Espagne, et j'ai très envie de le rejoindre.

Serment de fidélité, points… Cela commençait à devenir atrocement compliqué.

— Et en admettant que je veuille aller en Espagne…

— Oh, pour toi, il n'y aurait aucun problème, tant que tu paies et que tu es encore Aspirante. Zut, c'est Amber qui fait la conférence.

Une toute petite dame aux cheveux blond-doré coiffés en macarons avança à l'avant de l'estrade, et la cinquantaine de personnes présentes fit le silence. Elle prit place derrière un pupitre en forme de dauphin sautant hors de l'eau.

— Bonsoir, Aspirants et Guides d'Aspirants. (Sa voix fluette et haut perchée tintinnabulait comme des clochettes au vent.) Bienvenue au Château de l'Atlantide. (Je crus avoir mal entendu mais elle sourit.) Oui, c'est bien cela. De l'Atlantide. Pour l'extérieur, nous disons « Atlantique », mais ici nous pouvons prononcer le vrai nom du centre. Les Héritiers d'Akasha sont aussi les Héritiers du royaume de l'Atlantide, et votre week-end ici vous donnera un bref aperçu de notre vie et de nos croyances. Et aussi – elle eut un sourire qui se voulait désarmant – cela nous donnera l'occasion de mieux vous connaître et de découvrir de quelle façon… et surtout si… vous pouvez nous apporter quelque chose. Il y a beaucoup d'appelés mais il y aura peu d'élus le jour venu. Nous devons tous accomplir notre tâche avec confiance. Même moi, je ne sais pas si je ferai partie de ceux qui survivront à la dernière heure. (Elle jeta un regard lourd de sens au tube de verre qui était, je le remarquai alors avec soulagement, seulement rempli de sable à dix pour cent.) Personne ne peut le savoir. Mais nous pouvons tous nous préparer de notre mieux, aux niveaux physique, social, intellectuel et spirituel. Ces quatre fils seront tissés dans la trame des activités que nous avons préparées pour vous ce week-end.

Elle leva l'emploi du temps en l'air.

— Vous remarquerez que toutes les activités sont marquées soit d'un P pour physique, d'un S pour social, d'un I pour intellectuel et de Sp pour spirituel. Nous vous recommandons de vous constituer un programme équilibré en choisissant au moins une activité par catégorie.

Ensuite, elle passa en revue la liste point par point. Elaine me donna un coup de coude qui me rappela de sortir mon papier comme une bonne élève, et je fis semblant d'étudier avec un intérêt profond les mérites comparés de la conférence intitulée « L'Atlantide : retour sur les preuves scientifiques », et d'une autre traitant des « Perceptions extrasensorielles dans l'interprétation du Livre akashique ». Elle nous mit en garde contre la volonté d'assimiler trop d'informations trop vite, ce qui, d'après moi, ne risquait guère de m'arriver. En fait, si je découvrais assez vite que ni Jenny ni Katie ne vivaient ici, je comptais même essayer de partir plus tôt que prévu. Car si la perspective de voir Ra, anciennement Raymond, m'intéressait beaucoup, celle de passer là le week-end entier ne m'enthousiasmait que très modérément, surtout avec Elaine et son indécrottable bonne humeur, pendue à mes basques comme un bébé singe.

Tandis qu'Amber continuait de commenter la liste des activités du week-end, mon attention s'égara. J'essayai de trouver une explication plausible à servir à Bronwen-la-responsable-des-affectations quand j'irais la trouver pour essayer de découvrir où étaient Katie et Jenny. Je me doutais que les membres plus haut placés du groupe se montreraient plus méfiants qu'Elaine.

La conférence se poursuivit. Au bout d'environ dix minutes, je me rendis compte que l'étrange sensation que j'avais éprouvée pendant la réunion d'Ealing me reprenait. Tout en sachant qu'il s'agissait d'une histoire de dingues, le discours d'Amber commençait à m'atteindre. Elle nous demandait de ne pas nous servir des serviettes de toilette de l'hôtel pour aller à la plage, et dans le même souffle nous disait que nos Guides spirituels pouvaient nous mener à un état de compréhension avancé permettant d'interpréter le « Langage sacré de toute éternité ». Je ne fus pas très surprise de lui entendre dire que Ra l'Acolyte était la seule personne qui parvenait à saisir totalement ce langage secret, ce qui rendait le groupe dépendant de lui pour savoir ce qui était écrit dans le Livre akashique.

Je ressentis soudain une intense nostalgie pour l'époque où je rapportais à Gus les derniers slogans de la chapelle Elim sur la route de Sturford : *Confiez vos problèmes à Jésus : il ne ferme pas l'œil de la nuit.* Si seulement nous nous étions entendus comme avant, je l'aurais fait mourir de rire en lui racontant mon week-end dans cet endroit loufoque hanté par des gens encore plus loufoques. Mais, bien sûr, si nous nous étions toujours aussi bien entendus, je n'aurais pas été là.

— Quoi que vous décidiez de faire ce week-end, poursuivit Amber, je recommande fortement à tous les Aspirants niveau deux de suivre l'Évaluation de compatibilité de demain après-midi. (Je jetai un coup d'œil docile à mon emploi du temps. Quatorze heures. Précédé d'un S qui voulait dire « social ».) Cette activité nous donnera l'occasion de vous observer et de déterminer vos qualités potentielles pour le travail d'équipe. Toute personne souhaitant passer à l'étape suivante devra avoir suivi au moins trois Évaluations de compatibilité, il est donc préférable de vous en débarrasser d'une tout de suite.

— Qu'est-ce que c'est ? murmurai-je à Elaine.

— C'est très marrant, répondit-elle à voix basse, ajoutant sans beaucoup m'éclairer : tu vas adorer.

— Et finalement, poursuivit Amber, nous voulons croire que tous les Aspirants qui se sont joints à nous aujourd'hui l'ont fait poussés par une réelle soif de connaissance. Naturellement, vous aurez des doutes et des questions, mais si l'un d'entre vous est venu ici ce week-end pour une mauvaise raison, nous lui conseillons fortement, pour son propre bien, de partir tout de suite.

Est-ce que je me faisais des idées, ou est-ce qu'elle me regardait en disant cela ?

— Pourquoi est-elle aussi suspicieuse ? demandai-je à Elaine.

— Il arrive que des journalistes essaient d'infiltrer nos centres. Et on a eu aussi des ennuis avec des « ligues antisectes ». On a eu deux agitateurs au printemps.

— Qu'est-ce qui s'est passé ?

— Le Cercle interne les a repérés. Ils démasquent toujours les faux aspirants. Je crois qu'ils sont mis au courant par le Livre akashique, un truc comme ça, ou alors c'est par les auras. Tant mieux, en tout cas.

Je portai la main à mon portable avec anxiété, puis me souvins qu'il ne me servait à rien.

— Et il leur est arrivé quoi ?

— Je ne sais pas au juste… Ce qu'il y a de sûr, c'est qu'ils ne sont pas près de revenir.

Amber concluait.

— Il fait un temps magnifique. Amusez-vous, profitez bien de la soirée avant le dîner. À la sortie, nous vous distribuerons un résumé des points que j'ai abordés. Votre Guide répondra à vos questions.

Il y eut des grincements de pieds de chaises, et tout le monde se leva pour se diriger vers la porte. Dehors, le soleil perçait de nouveau à travers les nuages, et dans l'air flottait une douce odeur marine.

— Allons faire un tour à la plage, proposai-je à Elaine.

— D'accord. N'oublie pas ta feuille.

Je tendis la main machinalement pour prendre le papier que me tendait une femme d'une cinquantaine d'années qui se tenait à la porte avec un sourire affable plaqué sur le visage.

— J'espère que la conférence vous a plu. Tenez, c'est pour vous, disait-elle avec une politesse artificielle très bon chic bon genre à tous ceux qui quittaient la grange.

— Merci, répondis-je.

Je m'arrêtai net. Mon regard plongeait dans des yeux d'un bleu intense d'une beauté extrême. J'eus un coup au cœur. La ressemblance avec Tim était frappante.

C'était la bonne Katie.

10

Cette nuit-là, alors que je souffrais d'une insomnie dans la chambre spartiate que je partageais avec Elaine (qui ronflait), le vent monta en puissance. La fenêtre tremblait, et à l'autre bout de la pelouse, derrière la haie, les vagues se jetaient contre les rochers.

Mon cerveau refusait le repos. Je pensais à Gus, seul à Grays – est-ce que je lui manquais, ou était-il content que je sois partie ? –, et à Tim, qui ne dormait sans doute pas non plus. Je l'imaginais attendant, se mourant d'angoisse dans le petit gîte où il était descendu à cinq kilomètres de là. Je l'avais de nouveau appelé après la conférence du soir de la cabine téléphonique du hall. Après que j'eus annoncé à ma « mère » que sa vieille amie était là mais que nous n'avions pas encore pu bavarder, il ne m'avait plus laissée en placer une. Il m'avait donné des instructions détaillées pour nos contacts futurs et dressé la liste des endroits où il pourrait se rendre sans être intercepté par les vigiles de la secte.

Je pensais aussi à Jenny. Je ne l'avais pas encore vue, mais pendant la conférence du soir, au cours de laquelle on nous avait présenté en image les centres au Mexique et en Espagne, j'avais vu une diapositive d'une fille posant au milieu d'un potager andalou qui aurait pu être elle. La qualité de la diapo, très floue, rendait toute identification formelle impossible.

Mais surtout, allongée yeux grands ouverts à écouter le vent et les vagues, je songeais à Katie.

Elle était encore belle, on ne pouvait pas le nier. Elle avait de ces visages finement ciselés qui se bonifient avec l'âge, les yeux d'un bleu limpide qu'elle avait légués à son fils, et une grâce indéfinissable. Peut-être son charme venait-il de la confiance absolue que confère la beauté, de la sérénité apportée par un pouvoir de séduction souverain.

Je sais ce que c'est que de plaire. J'ai souvent vu l'intérêt s'éveiller à mon entrée dans une pièce, mais, à côté de Katie, ce n'était rien.

L'ancienne image que je m'étais faite d'une petite vieille dame mal fagotée seule dans ce monde cruel n'aurait pas pu être plus fausse. Katie était aussi éloignée qu'on peut l'être de l'équivalent féminin de Lionel, le tailleur à la retraite. Elle n'avait strictement rien de commun non plus avec les drôles d'oiseaux et les laissés-pour-compte qui s'étaient réunis à Ealing. Que diable fabriquait-elle ici ?

Maintenant, j'étais vraiment curieuse de comprendre. Même sans penser à Tim et à sa volonté de récupérer son fils, j'avais envie de parler avec elle pour découvrir ce qui l'avait attirée dans la secte.

Le premier soir, l'occasion ne se présenta pas. Elle me tendit ma feuille, son regard serein rencontra le mien une seconde, puis elle se tourna vers la personne suivante.

— J'espère que la conférence vous a plu. Tenez, je vous en prie.

Je m'éloignai dans l'air du soir.

— Je crois que c'était elle, dis-je à Elaine. Katie, l'amie dont je te parlais.

— Vraiment ? s'exclama Elaine, impressionnée. Elle vit dans la Maison neuve avec le Cercle interne. Elle s'appelle Lumina maintenant. Nous avons une demi-heure avant le dîner. Alors, on va à la plage ?

Pendant le reste de la soirée, tout en essayant de jouer mon rôle d'Aspirante niveau deux, je guettai Katie, mais elle ne parut pas pour le dîner, ni pour le diaporama qui suivit. Elaine m'expliqua qu'elle passait le plus clair de son temps à la Maison neuve : l'hôtel accueillait les visiteurs comme moi, les Pèlerins et les Voyageurs niveau un.

Je me demandais comment faire pour la croiser de nouveau quand je m'endormis. Une pluie fine s'était mise à tomber.

Il pleuvait encore le lendemain matin, ce qui convenait assez bien à la première séance intitulée « Comment survivre au déluge » (P : physique) et concernait les expériences faites par la secte pour construire des structures permettant à de petits groupes de survivre de façon prolongée au fond de la mer.

— Noé a construit une arche, expliqua un chercheur barbu qu'on appelait le Dr Protus, mais un tel bâtiment à la surface de l'eau serait réduit en miettes par l'immense cataclysme que provoquera l'inversion des pôles magnétiques. Seul le fond de la mer constituera un refuge relativement calme, à l'abri des marées et des tempêtes de la Submersion de vérité. Ainsi donc, la seule possibilité de survie pour les messagers qui voudront porter la vie jusque dans la nouvelle ère sera sous l'eau.

Il nous montra des simulations informatiques de gens vivant dans ce qui ressemblait à d'énormes bulles sous-marines. Puis il se perdit dans des considérations techniques sur les ondes énergétiques et les leçons à tirer de la station spatiale Mir. Pendant ce temps, la pluie tombait sans relâche contre les vitres de la salle de conférence, et le sable coulait lentement dans le tube de verre de l'horloge akashique.

La pluie persista pendant la deuxième séance, une introduction à la méditation. Je ne m'en souviens que très confusément, car la conjugaison d'une nuit blanche, de la pluie martelant les carreaux et de la voix douce de notre guide de méditation eurent un effet très soporifique sur moi. Nous devions contracter et relâcher nos muscles les uns après les autres tandis que nous projetions nos souffles à travers un point situé entre nos sourcils, allongés en rang sur les tapis de sol de la salle de méditation. Je fus réveillée en sursaut par un petit ronflement qui s'échappait de ma gorge.

— Tu n'as pas de chance, commenta Elaine avec compassion pendant que nous déjeunions. On dirait qu'il va pleuvoir pendant ton Évaluation de compatibilité.

— Tu ne dois pas m'accompagner dans cette activité aussi ?

— Non, tu seras toute seule cet après-midi. C'est leur seule façon de juger comment tu te débrouilles en situation de stress ; les Guides fausseraient tout. Je te retrouverai pour le thé et tu me raconteras comment ça s'est passé.

— Je ne sais pas si je vais y aller, puisque ce n'est pas obligatoire.

Elaine eut l'air inquiète.

— Ce n'est pas complètement obligatoire, mais je dois t'encourager à y participer. Les possibilités de suivre une Évaluation de compatibilité ne se présentent pas souvent et ça serait bête que tu sois bloquée plus tard, non ?

J'allais répondre que j'étais prête à courir ce risque quand je vis une femme assise à la table voisine qui me dévisageait comme si elle me soupçonnait de quelque chose de louche. C'était la garde du corps qui avait éjecté Tim de la réunion publique. Elle portait toujours ses lourds bijoux en argent, et, cette fois, un haut noir collant à fermeture Éclair. Quand je rencontrai son regard, elle ne détourna pas les yeux tout de suite. Un petit sourire flotta sur ses lèvres, mais qui n'avait rien d'aimable. Très lentement, elle rassembla son couvert et porta son plateau à l'autre bout de la pièce pour l'empiler avec les autres. Elle voulait que je sache que j'étais surveillée.

— Qui est-ce ? demandai-je à Elaine.

— Karnak, l'adjointe à la sécurité.

Karnak avait-elle deviné que je n'étais pas une vraie Aspirante ? Je ne voyais pas comment je m'étais trahie, mais Elaine avait affirmé qu'ils arrivaient toujours à repérer les imposteurs. J'aurais été idiote d'attirer l'attention en refusant une activité aussi importante que l'Évaluation de compatibilité.

— Allez, je vais tenter le coup, concédai-je d'un ton nonchalant.

— Tant mieux ! s'exclama Elaine avec un grand sourire. Autrement, j'aurais eu des ennuis.

Notre emploi du temps indiquait que nous devions tous nous retrouver avant l'Évaluation de compatibilité dans la cour de service à l'arrière de l'hôtel. Là, on nous divisa en cinq groupes de huit, dirigés par des responsables d'équipe. La nôtre était une femme bâtie comme un petit tank, avec des cheveux en brosse teints au henné et l'air pas commode. Elle nous donna son nom, qui était imprononçable, et suggéra que nous l'appelions Bill. Elle était arrivée en poussant un fauteuil roulant dans lequel elle s'assit en expliquant que pendant l'exercice nous devions faire comme si elle était paralysée des jambes. Ensuite elle nous recompta et fit remarquer d'un ton pincé qu'il manquait une personne et que nous allions devoir attendre.

Il pleuvait toujours à torrents. Pour nous abriter, nous nous serrions sous un bûcher ouvert. Des cascades d'eau dégringolaient du toit, et même si nous étions protégés l'air était saturé d'humidité et la température était descendue très bas. À part Bill, qui était emmitouflée des pieds à la tête dans des vêtements imperméables, aucun d'entre nous n'était habillé pour la pluie. J'avais enfilé pratiquement tous les vêtements que j'avais emportés, et j'avais quand même froid.

Les autres groupes étaient déjà partis sous la pluie. Bill regarda sa montre.

— Encore cinq minutes, et puis tant pis, on y va.

Je tapai des pieds pour me réchauffer.

— Je croyais qu'il faisait toujours beau en Cornouailles, observai-je.

Bill me lança un sourire rapide.

— Je ne sais pas qui t'a dit ça, mais ce n'est pas vrai. Ah ! la voilà.

Une silhouette bien emmitouflée arrivait vers nous en évitant soigneusement les flaques.

— Navrée, les chéris, vraiment. Je suis en retard ?

Mon cœur bondit de joie. C'était Katie.

— Mais bon sang, Lumina, grommela Bill, tu ne pourrais pas t'arranger pour être à l'heure, de temps en temps ?

— Ce n'est pas ma faute, je t'assure..., commença Katie.

Mais Bill l'interrompit.

— Laisse tomber, pas la peine de t'expliquer, ça nous ferait perdre encore plus de temps. Bon, si deux des grands gaillards que je vois là voulaient bien me pousser, on pourrait enfin prendre le sentier.

Nous partîmes donc sous la pluie et descendîmes l'allée de la propriété qui s'écartait de la mer pour aller vers la route. Une fois que nous eûmes presque atteint le périmètre de la haie, nous déviâmes vers la droite et traversâmes un grand champ. J'aurais voulu marcher à côté de Katie, mais un grand échalas répondant au nom de Herman s'était pris d'amitié pour moi.

— C'est dingue, ça fait des années que la catastrophe est prévisible. Je ne comprends pas comment les gens peuvent continuer à faire comme si de rien n'était et refuser de voir ce qui est en train de se passer.

Katie avançait devant moi, bavardant avec Bill et se mettant dans les jambes des deux garçons qui manœuvraient le fauteuil à travers champs. Contrairement à nous, elle avait une tenue appropriée. Elle portait de belles chaussures de marche marron avec des chaussettes en laine mouchetée, un pantalon de velours en stretch et une jolie veste en tissu huilé. À son cou était noué un foulard de soie, et un bonnet en peau de mouton était descendu sur ses oreilles. Alors que les autres traînaient tristement la patte sous la pluie, elle marchait avec un entrain joyeux de femme qui prend plaisir à la promenade.

Au bout du champ, nous aboutîmes à un chemin de terre parallèle à la route, à environ un kilomètre de la mer. Quand le chemin se mit à monter en lacet dans la colline, un des pousseurs se tourna vers Herman pour lui indiquer que c'était à son tour de le relayer.

— Mais j'ai le dos fragile, protesta Herman.

— Désolé, dit le pousseur, qui s'appelait Ryan. Je n'y peux rien, les algues ont dû me déranger. Il faut que je trouve un buisson.

Herman céda de mauvaise grâce. Libérée de ses attentions, je pus m'approcher de Katie alors que nous passions la crête de la colline suivante.

— Salut, dis-je, supposant qu'Elaine utilisait la méthode de salutation canonique. Je m'appelle Carol.

— Bonjour, Carol, dit-elle avec un sourire accueillant qui me ravit. Je m'appelle Ka... (Elle se corrigea avec un froncement de sourcils.) Je m'appelle Lumina.

— Tu as déjà fait une Évaluation de compatibilité ?

— Oui, plusieurs, c'est passionnant.

— Comment ça se passe ?

— Ça dépend. On nous charge de fabriquer quelque chose ou de résoudre un problème en équipe. C'est épatant pour se forger le caractère.

Je lui jetai un coup d'œil intrigué pour voir si elle était ironique, mais elle avait l'air sincère.

— Tu as besoin de te forger le caractère ? m'enquis-je d'un ton léger.

— En tout cas, ça ne peut pas faire de mal.

— Vous avez fait quoi, la dernière fois ?

— On nous a donné comme défi de construire un bateau avec des bidons d'huile vides, expliqua-t-elle de sa voix flûtée de petite fille bien élevée. Enfin, disons plutôt un radeau. Mais les bidons n'arrêtaient pas de nous échapper et de partir en flottant sur l'eau, ensuite personne n'arrivait à le diriger et puis il a coulé. Nous avons fini complètement trempés. Deux des garçons en sont venus aux mains, et une des filles a failli se noyer. Notre responsable a dit qu'il n'avait jamais vu d'équipe aussi nulle que nous !

Elle rapporta ce jugement comme si l'exploit la flattait.

— Ça n'a pas l'air très amusant...

— Ah, fit-elle avec un sourire, la compatibilité, c'est spécial.

Je ne sus que répondre et embrayai donc sur un autre sujet.

— Lumina, c'est un nom original.

— Oui, n'est-ce pas ? Avant, je m'appelais Katie mais quand nous prononçons notre Serment de fidélité, Raymond – je veux dire Ra – nous donne notre nom akashique. En fait, tout est écrit dans le Livre depuis toujours, mais personne ne savait comment le lire avant Ra. Lumina veut dire lumière, paraît-il. En akashique.

— L'akashique, c'est une langue ?

— Oui, je crois bien, sinon comment Ra arriverait-il à le lire ? Mais je ne suis pas sûre qu'il le lise vraiment. Je crois qu'il en fait plutôt une sorte d'interprétation. Ra a toujours été follement intuitif.

Katie avait une façon intime de vous parler, comme en confidence, même à moi qu'elle venait tout juste de rencontrer. J'avais déjà oublié les raisons qui m'avaient poussée à l'aborder tant je me plaisais en sa compagnie. Elle était de ces personnes rares qui réchauffent tous ceux qu'elles approchent de leur bonheur tranquille.

— Je ne savais pas que l'akashique était une langue, dis-je. Je croyais que c'était une horloge.

— Euh, je crois que c'est un peu des deux. (Elle réfléchit une seconde.) Tiens, lança-t-elle, triomphante, ce serait comme parler anglais et se mettre aussi à l'heure d'été anglaise.

— Elle a l'air très compliquée, cette horloge. Je ne comprends pas vraiment comment elle fonctionne.

— En fait c'est très simple une fois qu'on se penche un peu dessus.

— Tu peux m'expliquer ?

— Bien sûr. Tu vois, il y a une grande horloge et une petite. (Elle fit une pause, ne sachant pas très bien comment continuer, puis reprit plus bas.) Quand on les regarde, on voit bien qu'elles sont toutes les deux rondes, mais ce n'est pas ça l'important. Chacune donne l'heure, mais de façon différente, et quand on additionne les deux on trouve la date de la fin du monde. Et puis il ne faut pas oublier d'ajouter par-ci par-là une année quelconque pour que ça s'équilibre. (Elle leva les mains d'un geste enchanté.) Moi, les années quelconques, ça me connaît ! J'en ai vécu tellement que je dois être parfaitement équilibrée à l'heure qu'il est !

J'éclatai de rire. Je voyais que Katie ne comprenait pas plus que moi les complexités de l'horloge akashique, mais son ignorance ne la perturbait pas plus que ça.

— C'est Ra qui a inventé l'horloge ?

— Non, non, c'est quelqu'un qui s'appelle Maya.

John, un Américain qui marchait devant nous, se tourna vers elle avec stupéfaction.

— Mais, Lumina, les Mayas étaient un ancien peuple d'Amérique du Sud. L'horloge akashique est fondée sur leur méthode de calcul des saisons.

— C'est bien ce que je disais.

— Mais pourtant...

— Évidemment, continua Katie, il est extrêmement important de savoir quand la fin du monde va arriver, mais cela mis à part, l'horloge akashique a certains inconvénients. D'abord, elle est énorme, ce qui n'est pas du tout pratique. Ces pauvres gens ont dû être très soulagés quand nous sommes arrivés et que nous leur avons apporté les horloges normales. Et les montres. C'est tellement mieux.

— Comment ? s'étonna John. Mais, Lumina, des civilisations entières ont été anéanties quand les Européens ont envahi l'Amérique du Sud ! La destruction des textes sacrés mayas constitue l'acte de vandalisme culturel le plus grave de tous les temps !

— Oh, oui, je suis tout à fait d'accord ! Je ne jette jamais aucun livre, d'ailleurs, ils sont bien trop précieux. Enfin, parfois, je donne de vieux Poche à des boutiques de charité. J'imagine bien que les Européens n'ont rien compris à tous ces gribouillis. Ça aurait sans doute beaucoup arrangé les choses s'ils avaient écrit comme nous. N'empêche, je ne sais pas ce qu'on ferait sans la salsa, ajouta-t-elle à la surprise générale.

Je souris, oubliant que j'avais froid, que j'étais trempée, et que la boue avait fichu mes chaussures en l'air. L'image que je m'étais formée de Katie m'avait hantée pendant des années ; je l'avais toujours auréolée de tragédie et de mystère. Katie avait été la magnifique muse de Gus, son grand amour, l'être adoré puis perdu. Maintenant, je pouvais réviser mes idées préconçues : je n'avais jamais rencontré une femme aussi peu conforme au rôle d'héroïne de tragédie. Mais je comprenais pourquoi Tim se sentait aussi protecteur à son égard ; je devenais comme lui au bout d'à peine cinq minutes en sa compagnie.

— Nous y sommes, annonça Bill. Ne me poussez plus, ou vous allez m'envoyer dans le ravin.

Nous étions arrivés à un promontoire couvert de bruyère et de buissons ras. Juste devant nous s'ouvrait une gorge au fond de laquelle coulait une rivière, qui chantait sur les pierres à une vingtaine de mètres en contrebas. On avait déjà apporté d'épaisses et longues perches de bois proprement empilées, un rouleau de corde et une demi-douzaine de poulies.

— Voilà, bande de veinards, dit Bill, vous avez pour tâche de me faire passer de l'autre côté, si possible encore entière. Si vous vous y prenez mal, je risque de me rompre le cou.

Il y eut un silence, puis Katie fit remarquer gaiement :

— Eh bien ! En voilà un exercice intéressant ! (Elle approcha du matériel et fit tourner la roue d'une des poulies.) Tous ces engins m'ont l'air en excellent état de marche !

Ryan fronça les sourcils.

— Je pense...

Nous nous tournâmes tous vers lui avec intérêt. Il secoua la tête.

— Excusez-moi. C'est encore ces saletés de nori.

Et il partit à la recherche d'un rocher derrière lequel s'accroupir.

Jim et Herman allèrent examiner les éléments dont nous disposions.

— Ça n'a pas l'air compliqué, jugea Herman. On n'a qu'à coucher les perches en travers du ravin, attacher le fauteuil roulant en dessous avec les cordes et les poulies, et hop, le tour sera joué ! On va te faire passer de l'autre côté en deux temps trois mouvements, Bill.

Bill eut un sourire de sphinx.

— Les perches sont trop courtes pour atteindre l'autre côté, intervins-je. Ça ne marchera pas si facilement.

— Mais bien sûr que si ! protesta Herman. Pourquoi nous donnerait-on des perches trop courtes ?

J'avais vu assez de poutres posées sur des toits en construction pour savoir juger des distances.

— Il leur manque environ deux mètres, précisai-je.

Il me lança un regard méprisant.

— Je vais en faire passer une, tu vas voir.

— Attention de ne pas la laisser tomber dans le ravin. Et pourquoi on n'essaierait pas plutôt une structure triangulaire ? Après tout, on nous en a donné plusieurs.

— C'est pour renforcer la structure. Tu vas voir, je vais te montrer.

Il se pencha pour soulever une des perches.

— Attends, je vais te donner un coup de main, proposa Katie.

— Pas la peine. (De toute évidence, Herman tenait à récolter la meilleure note en Évaluation de compatibilité.) J'y arriverai mieux tout seul. (Il saisit la perche, la soulevant avec difficulté par le milieu.) Il ne me reste plus qu'à la poser en travers du ravin à l'endroit le plus étroit...

Il hissa la perche sur son épaule. Katie, voulant toujours l'aider, se précipita pour prendre l'arrière, mais Herman se tourna vers moi, faisant virer le bout qui s'éloigna d'elle.

— Maintenant, il faut qu'on trouve l'endroit le plus étroit, dit-il, le souffle court, en se tournant dans l'autre sens.

— Attention ! m'écriai-je.

Mais c'était trop tard. L'arrière de la perche décrivit un arc de cercle et frappa Katie à la tête. Elle tomba assise dans la bruyère avec une petite exclamation de surprise.

Je courus à elle.

— Ça va ?

De sous le bord dégoulinant de son chapeau, ses yeux bleus se levèrent vers moi. Elle avait l'air sonnée.

— Je crois, dit-elle en me tendant la main.

Je l'attrapai et tirai pour l'aider à se relever.

— Excuse-moi, haleta Herman, titubant au bord du gouffre, la perche sur l'épaule, cherchant toujours la distance la plus courte.

Katie restait tout étourdie.

— Tu as pris un bon coup, fis-je remarquer. Tu commences déjà à avoir une bosse. Il faudrait te soigner. Je peux retourner à l'hôtel, si tu veux, et demander qu'on vienne te chercher en Land Rover.

— Non, non, je peux très bien marcher.

— Je t'accompagne, alors.

Impassible, Bill observait notre échange. Je me tournai vers les autres.

— Désolée de vous quitter au milieu de l'exercice, mais il faut faire soigner Katie.

— Ce n'est pas grave, répondit John, qui était allé aider Herman à manœuvrer la première perche. On se débrouillera très bien sans toi.

— Viens, Katie, dis-je en la prenant par le bras. (Elle me lança un sourire reconnaissant.) Je te ramène à l'hôtel.

Tandis que nous repartions sur le chemin, j'entendis un cri, un grand bruit et une volée de jurons. Je souris. Herman et John avaient fait tomber la première perche dans la gorge. Cette Évaluation de compatibilité m'apportait plus de satisfactions que prévu, à plus d'un titre.

Pendant les premiers six cents mètres, nous marchâmes bras dessus, bras dessous sans beaucoup parler. Elle n'avait pas encore repris tous ses esprits. La pluie se calmait, et il ne tombait plus qu'un fin crachin, mais j'étais déjà trempée comme une soupe, et cela ne faisait plus guère de différence. Quand nous fûmes hors de vue du groupe, je m'arrêtai en haut d'une côte.

— Les nori commencent à me déranger aussi. Ça t'ennuierait de m'attendre une minute pendant que je vais derrière un buisson ?

— Prends ton temps. J'ai besoin de souffler un peu

Elle s'assit sur un rocher pendant que je m'éloignais. Je me baissai derrière un buisson et sortit mon téléphone portable. Le signal passait.

— Tim ?

— Oui ?

Il avait perçu mon émotion. Mon cœur battait à toute vitesse.

— Je suis avec Katie et nous rentrons vers l'hôtel du côté sud. Nous sommes sur le chemin juste à la limite de la propriété. Je vais essayer de la faire marcher sur la route, mais sinon tu devrais arriver à passer le mur pour nous rejoindre sans te faire voir. Tu peux être là dans dix minutes ?

— Donne-m'en quinze. Je suis en train de courir à ma voiture.

Quand je retrouvai Katie, elle était encore assise sur son rocher. Elle leva la tête vers moi et me sourit.

— Ma pauvre… Et tout ça à cause des nori… Tu te sens mieux, maintenant ?

— Oui, merci. On peut encore rester se reposer un moment, si tu veux.

— Tu es adorable, mais tu es trempée jusqu'aux os, et je parie que tu ne rêves que de te retrouver au sec. Je n'ai plus mal du tout, tu sais. Tu as eu une excellente idée. C'est beaucoup plus agréable que de regarder tous ces grands dadais se démener en jouant les Tarzan. On a eu droit au même spectacle pour le radeau. Les hommes adorent faire les importants en donnant des ordres à tout le monde, tu ne trouves pas ? Et en plus, tu leur avais bien dit que c'était trop court. Bravo !

Nous marchions sur le sentier, juste à l'intérieur du muret qui entourait la propriété. De l'autre côté, il y avait la petite route, déserte.

— C'est mon premier week-end d'initiation, confiai-je. Je ne savais pas du tout comment ça se passerait.

— J'espère que tu te plais, ici.

On aurait cru entendre une maîtresse de maison parlant à son invitée. Ou alors une gentille épouse de directeur de pensionnat accueillant une nouvelle élève timide.

— Je me serais volontiers passée des pieds trempés, répondis-je, mais tout le monde est très gentil.

— Oui, très ! J'ai pensé la même chose en arrivant ! Je n'en revenais pas.

— Tu as rejoint le groupe depuis longtemps ?

Elle eut l'air d'avoir du mal à se souvenir et porta la main à son front.

— Environ six mois, je crois. On perd la notion du temps.

— Et pourquoi es-tu venue ?

— Oh, pour pas mal de raisons. (Elle fronça les sourcils.) Et puis Ra est un vieil ami.

— Ah bon ? N'est-ce pas lui qui a servi de modèle à Gus Ridley pour un portrait ?

— Mais si ! s'exclama-t-elle en se tournant vers moi avec ravissement. Tu connais ? *Destination Atlantide* – quelle intuition il avait, ce Gus ! On aurait dit qu'il avait deviné que Raymond avait des pouvoirs spéciaux, ajouta-t-elle avec un rire.

— Alors tu dois être la Katie de *La Vie selon Katie*.

— Tout à fait. C'est fou ce que tu connais bien le travail de Gus ! Ce tableau m'a causé des ennuis sans fin. Inutile de dire que mon pauvre mari l'avait en horreur, mais moi je le trouvais mignon, au fond.

Le sentier de terre s'était transformé en bourbier. Je plongeai le pied dans la gadoue et en tirai ma pauvre chaussure en m'exclamant :

— Flûte ! Regarde-moi ça. Tu veux bien qu'on passe de l'autre côté du mur pour marcher un peu sur la route ?

Elle fronça les sourcils.

— Tu sais, je ne crois pas que ce soit une très bonne idée.

— Pourquoi ?

— C'est une route publique, et nous n'avons pas le droit de quitter la propriété. (Elle avait l'air vraiment inquiète.) Ils sont très insistants pour ce genre de détails. Il y a beaucoup moins de risques si on reste ici.

Je crus qu'elle parlait de la circulation.

— Il n'y a presque pas de voitures. Je n'ai vu qu'un tracteur de tout l'après-midi.

— N'empêche. Je préfère rester ici. J'ai promis de ne pas quitter la propriété toute seule.

— Mais tu es avec moi.

— Je sais, mais les règles sont très strictes. Il faut que je sois accompagnée par deux gardes du corps de confiance dès que je sors.

— Allez, personne n'en saura rien et mes chaussures sont pratiquement réduites en bouillie.

— C'est vrai, tu es bonne à tordre, et tu as tout à fait raison, personne ne le saura.

Soudain, son visage s'illumina à la perspective de notre petite escapade.

Nous trouvâmes un endroit dans la haie (qui, comme l'avait expliqué le chauffeur de taxi, était en fait un muret couvert de plantes), où quelques pierres en saillie nous offrirent des prises pour grimper de l'autre côté. Nous gloussions comme des gamines en sautant sur la route. Elle était étroite, laissant tout juste la place à deux voitures de se croiser, mais il n'y avait aucun véhicule en vue, et on n'entendait que le clapotement régulier de la pluie et le mugissement de la mer au loin.

— Ah, ça va mieux, dis-je en examinant mes malheureuses chaussures.

Elle s'accrocha à ma main, lançant des regards inquiets autour d'elle.

— Il faudra qu'on repère un autre passage dans la haie avant d'arriver en vue de la maison. Ils seraient vraiment très fâchés s'ils nous voyaient.

— On trouvera bien.

Je commençais à avoir froid. La pluie avait traversé tous mes vêtements, et j'avais le dos trempé et glacé. Enfin, au loin, j'entendis le bourdonnement d'un moteur de voiture.

Katie ouvrit de grands yeux terrorisés.

— Tu n'entends pas quelque chose ? Viens, on repasse de l'autre côté tout de suite.

— Mais c'est beaucoup plus facile de marcher ici. J'ai une idée, on n'a qu'à chanter pour se donner du courage.

J'entonnai aussitôt à tue-tête « It's a Long Way to Tipperary ». Katie hésita, puis se calma et joignit sa voix haute et claire à la mienne.

Tout à coup, elle s'immobilisa. Une petite voiture blanche arrivait à toute allure dans le tournant. Tim était au volant.

— Oh, mon Dieu ! souffla Katie, pétrifiée.

La voiture pila à quelques mètres devant nous et Tim sauta sur la route.

— Maman ! hurla-t-il. Oh ! maman ! Tu es saine et sauve, grâce à Dieu ! Il faut que je te parle !

— Tim ! s'exclama-t-elle en reculant, les yeux exorbités.

— Oh ! maman..., répéta-t-il, cette fois d'un ton plus calme.

Il hésita, puis avança de quelques pas vers elle. Il lui tendit les mains, mais elle m'attrapa le bras et recula.

— Maman, gémit-il d'une voix qui se brisa dans un sanglot. Qu'est-ce qu'ils t'ont fait ?

Elle me lâcha et avança vers lui d'un pas hésitant. Il la prit dans ses bras. Par-dessus l'épaule de sa mère, son regard bleu rencontra le mien avec un sourire. Il l'écarta doucement de lui pour la dévisager.

— Tu m'as tellement manqué, tu n'as pas idée.

— Moi aussi, tu m'as manqué, mais...

— Comment va Davy ?

— Très bien. Il a attrapé un rhume la semaine dernière, mais c'est fini maintenant. Il a perdu une dent.

— Il demande où je suis ?

— Un peu, sûrement. Oui, de temps en temps.

— J'ai essayé de te contacter, mais ils ne me laissent pas approcher. Ils ont retourné toutes mes lettres. Tu ne les as pas reçues ?

— Non, si, enfin ils ont dit que c'était préférable de te les renvoyer. (Elle avait l'air tellement perdue que j'en eus le cœur brisé.) Ça me rendait trop malheureuse de les lire.

— Bon, pour une fois, on a de la chance. Profitons-en. Allons faire un tour en voiture, allons quelque part pour discuter.

Elle recula, sourcils froncés.

— Ah non, ce n'est pas possible. Je n'ai pas le droit.

— Rien qu'un petit tour, quel mal y a-t-il ? Personne ne l'apprendra. Je suis sûr que ton amie ne dira rien.

— Mais je leur ai promis…

— Cinq minutes. Je ne te demande que cinq minutes.

Il posa la main sur la taille de sa mère et commença à l'emmener vers la voiture. Elle essayait de résister.

— Je ne sais pas…

Elle se tourna vers moi, comme si je pouvais l'aider à prendre sa décision.

— C'est ton fils ? demandai-je. Il n'y a pas de mal à discuter, si ? Je n'en parlerai à personne, je te le promets.

— Mais ils le sauront. J'en suis sûre.

— Maman, je t'en prie. Je te ramènerai tout de suite après.

Il la guida doucement vers le côté passager, un bras passé sur ses épaules, et ouvrit la portière de l'autre main.

Katie avait les yeux dilatés de peur.

— Mais…

J'étais tellement hypnotisée par le drame qui se jouait entre la mère et le fils que je n'entendis la seconde voiture que lorsqu'elle arriva à côté de moi. Le pare-chocs étincelant du véhicule s'arrêta à peine à quelques centimètres de mes jambes, et je sautai dans le bas-côté, m'écartant des deux hommes qui en bondissaient. Ils coururent à la voiture de Tim sur l'asphalte mouillé ; l'un d'eux attrapa Katie par les épaules alors que le second se jetait sur Tim, remontant violemment ses bras derrière son dos et le plaquant sur le capot, visage collé à la carrosserie. Leur professionnalisme impitoyable ne laissa ni à Tim ni à Katie la moindre possibilité de se défendre.

— Lumina, ne dis rien, ordonna la voix d'un homme qui était resté dans la seconde voiture. Monte tout de suite.

— Mais…

Katie tourna sur elle-même, en pleine panique, horrifiée de voir son fils se débattre en vain contre la brute qui lui écrasait la figure contre la voiture.

— Reste là ! cria Tim. Maman, ne les écoute pas. Ne me quitte pas. Où est Davy ? Où est mon fils ? Laissez-les partir !

— Toi, tais-toi !

Tim poussa un hurlement de douleur tandis que son agresseur lui remontait le bras entre les omoplates.

— Ne lui faites pas de mal, supplia Katie, ruisselante de larmes, alors qu'on l'emmenait vers la voiture. Je vous en prie, ne lui faites pas de mal.

— Allez, dépêche-toi, Lumina, dit la voix. On s'en va.

Katie eut le temps de lancer un dernier regard effaré à son fils avant qu'on ne la fasse entrer dans la voiture qui l'attendait, puis la portière claqua sur elle.

Tim se débattait toujours.

— Espèce de salauds ! hurla-t-il. Lâchez-moi, je veux lui parler !

Mais il était trop tard. La voiture sombre aux vitres teintées repartait vers l'hôtel dans un vrombissement de moteur.

Un silence étrange se fit. Je regardai le garde du corps. Il avait le crâne rasé et l'air d'un lutteur. Juste à temps, je me souvins que j'étais censée être une observatrice impartiale.

— Lâchez cet homme tout de suite, ordonnai-je avec froideur.

Il se redressa avec un rire, repoussant Tim brutalement.

— Avec plaisir, ma p'tite dame, je ne demande pas mieux. Allez, casse-toi, toi, et surtout ne reviens pas. On pensait que tu avais fini par comprendre.

Je sentis monter une vague d'angoisse. Comment était-il possible qu'on puisse vous enlever sur la voie publique en plein après-midi sous les yeux de vos proches, sans que personne puisse rien faire ?

Le garde du corps s'approcha de moi. J'eus soudain vraiment peur pour ma sécurité.

— Allez, je vous raccompagne à l'hôtel, ma p'tite dame. Ça va ? Pas de chance que vous ayez été mêlée à cette scène, c'est pas un spectacle pour une Aspirante.

Tim avait posé les coudes sur le toit de la voiture et se tenait la tête à deux mains, ayant l'air de beaucoup souffrir. J'aurais voulu pouvoir m'occuper de lui, mais la mascarade devait continuer encore un peu.

— Merci, ça va, dis-je.

L'homme m'emboîta le pas, et nous prîmes le chemin du retour par la route, laissant Tim seul sur la chaussée vide.

— Mais pourquoi l'avez-vous traité de cette façon ?

— Ne vous inquiétez pas pour lui.

Je savais que je n'aurais rien dû dire, mais je ne pus me retenir.

— Vous avez quand même été un peu violent.

Il se mit à rire.

— Ça ? Mais c'était rien du tout. De toute façon, moi, je ne décide rien, j'obéis aux ordres.

— Et Lumina ? Que va-t-il lui arriver ?

— On va s'occuper d'elle, comme d'habitude. Je vais vous donner un conseil : ne posez pas trop de questions, ici, ou vous le regretterez.

Comme je n'avais que des questions, nous finîmes le reste du trajet en silence. En arrivant à l'hôtel, j'hésitai. Et si un membre de la secte avait deviné que je connaissais Tim ? Est-ce que cela signifierait qu'on allait s'occuper de moi aussi ?

— Alors, vous venez, ma p'tite dame ? Pourquoi vous vous arrêtez ?

Après avoir jeté un dernier coup d'œil derrière moi à la route qui menait vers la liberté, je le suivis et rentrai dans la propriété.

11

Une fois changée, je descendis à la salle à manger, mais n'y trouvai ni Katie ni Elaine. Je ne m'étais pas attendue à voir Katie, mais l'absence d'Elaine m'inquiéta. Avait-elle eu des ennuis à cause de moi ?

Vers cinq heures moins dix, mon équipe d'Évaluation de compatibilité revint. Ils étaient frigorifiés, trempés et de mauvaise humeur ; leurs réponses monosyllabiques à mes questions confirmèrent que leurs efforts pour faire traverser le ravin à Bill s'étaient soldés par un échec.

Sans Elaine derrière moi pour me pousser à l'assiduité, je décidai de sécher la première séance de fin d'après-midi, une conférence intitulée « Bien aborder l'ère du Verseau : transcendance de l'âme et perceptions extrasensorielles ». Je préférai prendre un bain chaud à la place. J'étais dégoûtée par les événements de l'après-midi et j'avais besoin de me retrouver un peu avant de reprendre mon rôle de gentille Aspirante.

En paix dans mon bain chaud, je réévaluai la situation. Jusqu'à présent, j'avais pensé que les rapports dénonçant les lavages de cerveaux et les adhésions sous la contrainte étaient exagérés. Mais aujourd'hui j'avais vu de mes propres yeux comment fonctionnait la secte. Tim m'avait dit que sa mère était très influençable : comment aurait-elle pu résister à ce mélange de force brutale et de manipulation ? Tim allait bien devoir se résoudre à s'en remettre à la justice pour récupérer son fils.

Mais Jenny, dans tout cela ? Les Héritiers d'Akasha avaient-ils su exploiter sa révolte et son désarroi pour l'endoctriner ?

Je finis par retrouver Elaine au dîner. Elle était très silencieuse et éluda mes questions quand je lui demandai où elle était passée. Malgré l'enthousiasme qu'elle avait montré en me parlant de l'Évaluation de compatibilité, elle ne sembla pas du tout curieuse que je lui raconte le désastre.

— Tu ne veux pas savoir ce qui s'est passé ?

— Tu es partie dès le début, répondit-elle d'une voix boudeuse, alors il ne s'est rien passé du tout.

— Comment le sais-tu ? (Pas de réponse.) Ils t'ont dit aussi ce qui est arrivé après ?

Elaine garda les yeux baissés sur son assiette sans répondre. Je lui servis une version édulcorée de notre rencontre avec « un homme qui disait être le fils de Lumina », mais elle m'écoutait à peine.

— Est-ce que tu sais pourquoi ils ont été aussi violents ? Ce type disait qu'il était son fils et il demandait seulement à lui parler, mais ils l'en ont empêché. On aurait presque cru qu'ils cherchaient une excuse pour le brutaliser.

— Je ne sais pas. C'était peut-être mieux ainsi, répondit-elle avec une morne indifférence.

— Pourquoi ? Qu'y a-t-il de mal à vouloir parler ?

— Le Cercle interne agit pour notre bien, récita-t-elle comme on répète un mantra.

J'allais protester, trouvant la formule ridicule, quand je vis une grosse larme perler sous sa paupière et glisser le long de sa joue.

— Elaine, que se passe-t-il ?

— Tout va bien, je t'assure. Allons à la séance du soir. Ça devrait être amusant.

Mon premier réflexe aurait été de la convaincre de m'accompagner dans notre chambre pour qu'elle m'avoue ce qui n'allait pas. J'en avais plus qu'assez de mon rôle d'observatrice et de ne m'autoriser aucune réaction alors que les adeptes étaient réduits à l'état de larves terrorisées, mais si je dévoilais mes batteries trop tôt, je n'aurais plus jamais l'occasion de parler à Katie et à Jenny. Je consultai donc mon emploi du temps pour voir le sujet de la séance du soir : « Le Livre akashique, odyssée musicale ». Je n'avais pas le choix ; je devais jouer le jeu comme une bonne petite.

L'odyssée musicale m'évoqua un spectacle de fin d'année, mais plutôt bien mené, avec beaucoup de chant et de danse, des tableaux vivants et du mime, tournant en grande partie autour du thème de la vie sous-marine. Si la soirée avait eu lieu la veille, je l'aurais probablement appréciée, car certains des adeptes avaient un vrai talent artistique, et le spectacle était de qualité très professionnelle, mais après ce que j'avais vu dans l'après-midi, et avec une Elaine à la mine de chien battu, muette à côté de moi, j'eus l'impression qu'il ne s'agissait que d'une tactique destinée à masquer la vérité.

Plus tard, alors que l'assistance sortait lentement de la salle de conférence, Elaine fut appelée à l'autre bout de la pièce par un responsable. Je n'entendis pas ce qui se disait, mais elle eut l'air de plus en plus abattue ; puis elle suivit le responsable et sortit par une porte de côté sans même me jeter un regard, et sans un mot d'explication.

Deux membres de l'équipe d'Évaluation de compatibilité me proposèrent d'aller boire un verre au bar avec eux, mais j'en avais assez de jouer la comédie, et décidai de retourner dans ma chambre dans l'aile Nirvana pour attendre Elaine.

Elle ne vint pas me rejoindre.

Il commençait à faire sombre. La pluie avait cessé, mais d'énormes nuages masquaient le soleil, rendant le crépuscule froid et inquiétant. J'avais envie d'entendre la voix de Tim et envisageai de monter sur la falaise pour lui téléphoner, mais cela n'aurait servi qu'à éveiller les soupçons du service de sécurité.

L'absence prolongée d'Elaine commençait à m'inquiéter. Je m'assis à la fenêtre pour regarder la mer, qui vira au violet foncé puis au noir, et je restai à mon poste d'observation jusqu'à ce que toutes les couleurs aient disparu du ciel. Enfin, juste au moment où je m'apprêtais à allumer, la porte de la chambre s'ouvrit.

— Elaine, où étais-tu passée ? Je me faisais du…

Je m'interrompis. Ce n'était pas Elaine qui entrait, portant une trousse de toilette, une serviette sur le bras, mais la femme aux cheveux grisonnants qui m'avait observée dans la salle à manger le matin. Karnak, l'adjointe à la sécurité.

— Où est Elaine ? demandai-je

— Elle a été transférée.

— Pourquoi ?

— Pour des raisons qui ne te concernent pas. Je serai ton Guide personnel pour le reste de ton séjour.

Sa voix était dure et peu sympathique, et elle m'observait avec sévérité.

— Elaine a des ennuis ?

— Qu'est-ce qui te fait penser ça ?

Je ravalai ma colère de mon mieux.

— Elaine m'avait dit qu'elle serait mon Guide pour tout le week-end, et tu m'apprends qu'elle a été transférée. Et puis elle avait l'air préoccupée au dîner. Elle va bien, j'espère ?

— On s'occupe d'elle.

L'expression me glaça.

— C'est à cause de ce qui est arrivé aujourd'hui ? (Karnak ne répondit pas, se contentant de me regarder fixement.) Elle a des ennuis à cause de moi ?

— Drôle de question, Carol. Est-ce que tu as fait quelque chose qui pourrait lui attirer des ennuis ?

— Mais non, enfin ! Je veux juste savoir pourquoi elle est partie.

— On dirait plutôt, fit-elle remarquer lentement, que tu as mauvaise conscience.

Voilà donc pourquoi on m'avait envoyé Karnak : le Cercle interne voulait me faire observer, comme Elaine me l'avait expliqué. Mon cœur battait à tout rompre.

Karnak s'assit sur le lit. Elle fit passer deux lourds colliers d'argent par-dessus sa tête et les posa sur le petit meuble qui servait de table de nuit.

— Alors ? reprit-elle. Tu as quelque chose à m'avouer ?

— Bien sûr que non, rétorquai-je avec colère. J'ai quitté l'Évaluation de compatibilité parce que Lumina avait reçu un coup sur la tête et que j'ai pensé qu'elle avait besoin de se faire soigner.

— Quelle aubaine pour toi !

— Je ne vois pas ce que tu veux dire. (Elle ne répondit pas, se contentant de me regarder fixement.) Je me réjouissais de faire l'Évaluation de compatibilité. Ce n'est quand même pas ma faute si cet abruti a tourné avec la perche sur l'épaule et a failli l'assommer ! Elle n'était pas en état de rentrer seule. Comment va-t-elle ? Elle a vu un médecin ?

Karnak retirait ses bagues, lourdes comme des anneaux de coup-de-poing américain.

— Lumina va très bien, annonça-t-elle de sa voix grave. On s'occupe d'elle.

Toujours la même formulation. J'eus un frisson. Que voulait-elle dire par là ?

— Je pourrai la voir demain pour m'assurer qu'elle va bien ?

— Pourquoi n'irait-elle pas bien ?

— Elle semblait bouleversée. L'homme qui disait être son fils voulait lui parler. Et puis on l'a arrachée à lui de force et on l'a obligée à monter dans la voiture.

— Il ne faut pas exagérer..., répondit Karnak posément. La décision a été prise de la protéger.

— La protéger ? (Je m'étranglais presque de rage.) La protéger de son propre fils ?

— Maintenant, c'est nous sa famille. Cet homme ne fait plus partie de sa vie, essaie de ne plus penser à lui.

— C'est ce que vous demandez à Lumina de faire ?

— Lumina a prononcé son Serment de fidélité. Elle connaît le règlement.

Elle venait d'ôter son dernier bijou, un large bracelet d'argent en forme de serpent enroulé. Elle descendit la fermeture de son haut en coton noir côtelé, et l'enleva avec précaution. En dessous, elle ne portait qu'un fin maillot de corps noir. Elle avait beau certainement approcher de la soixantaine, elle avait les bras musclés que donne un entraînement quotidien, sans un gramme de graisse superflue.

Se tournant vers moi, elle me regarda droit dans les yeux. Elle dégageait une rudesse, une masculinité qui me rendaient la perspective de passer la nuit dans la même chambre qu'elle très gênante.

— Tu connais Tim Fairchild ? demanda-t-elle.

— Bien sûr que non.

— Alors comment se fait-il que tu connaisses son nom ?

— Il était à la réunion où je suis allée à Ealing. Quand vous l'avez jeté dehors, tu te souviens ?

— Il s'est présenté sous une fausse identité. (Elle s'interrompit, puis reprit en appuyant bien sur les mots.) Les Héritiers d'Akasha ne tolèrent pas les imposteurs.

— C'est ce que j'ai vu.

— Je répète, continua-t-elle en me regardant sans ciller, nous ne tolérons pas les imposteurs.

— Et alors ? C'est une accusation ?

— Pas encore. Mais nous avons des doutes sur toi depuis le début, Carol. Je t'avertis, à moins que tu ne sois vraiment de bonne foi, tu ferais mieux de partir.

— On dirait une menace.

— Mettons… un avertissement.

Je me détournai pendant qu'elle enlevait son maillot de corps et son pantalon. Elle enfila un grand T-shirt noir flottant et se coucha.

— Dors bien, Carol Brewster, me dit-elle.

Mais je dormis très mal, au contraire. En plus du reste, les gentils ronflements d'Elaine me manquaient.

Le lendemain matin, Karnak se mit en quatre pour être aimable avec moi. Soit elle avait décidé que je n'étais pas dangereuse, soit elle reprenait à son compte la stratégie du bon et du méchant flic. Quoi qu'il en soit, ses efforts de gentillesse me firent plus froid dans le dos que sa brusquerie.

— J'ai vu que tu avais commandé un taxi pour le train de treize heures, me fit-elle remarquer.

Nous étions assises avec les autres à la table du réfectoire et buvions notre verre d'eau, seul petit déjeuner autorisé le dimanche. Si j'avais su que leur système prévoyait de nous affamer, j'aurais mis des fruits dans ma valise.

— Donc, continua-t-elle, tu as largement le temps. La séance du matin va être exceptionnelle.

Je vérifiai mon emploi du temps : AquaMed de neuf heures à onze heures. Je me souvins de ce qu'Elaine m'avait confié, et demandai :

— Pourquoi ? Parce que Ra va y participer ?

Sa déception que je le sache déjà me ravit.

— Possible. Mais ses apparitions ne sont jamais connues à l'avance.

— C'était lui dans la voiture, hier après-midi, quand Lumina a été emmenée ?

Elle posa sur moi un regard perçant.

— Nous ne parlons jamais des déplacements des membres du Cercle interne.

— Pourquoi ? Qu'ont-ils de si particulier ?

— Tu poses bien des questions.

— Ce n'est pas normal pour un Aspirant ? Il faut que je comprenne comment fonctionne le groupe pour décider si je veux continuer.

Elle réfléchit, puis reprit d'une voix doucereuse :

— Tu fais trop fonctionner ton intelligence, Carol. C'est la plus grande tare de notre civilisation occidentale. L'homme moderne se prosterne devant le raisonnement alors que, par manque d'exercice, nos autres facultés s'étiolent. Si tu désires sincèrement suivre la voie d'Akasha, cesse de faire appel à ton esprit rationnel et écoute ton cœur et ton instinct. Et, par-dessus tout, développe ta spiritualité.

Plusieurs arguments jaillirent dans mon esprit occidental surdéveloppé, mais j'eus le bon sens de ne pas les exprimer. Même si cela arrangeait Karnak de jouer les gentilles pour l'instant, elle pouvait à tout moment redevenir la brutale adjointe à la sécurité que j'avais vue à l'œuvre.

— Je crois que j'ai encore beaucoup à apprendre, admis-je donc sagement.

— Pas plus que n'importe quel autre Aspirant, répondit-elle avec un sourire. Tu seras plus en phase avec l'esprit akashique après l'AquaMed.

Et bizarrement, malgré mon hostilité aux idées du groupe, Karnak n'était pas loin d'avoir raison. Sans tout le fatras qui entourait l'AquaMed, et si la séance avait fait partie, par exemple, d'un week-end de remise en forme de thalassothérapie, l'expérience aurait été l'une des plus voluptueuses de ma vie.

Vers huit heures et demie, Karnak et moi, ainsi que tous les autres Aspirants et leurs Guides, descendîmes dans le sous-sol de l'hôtel. Il y régnait une forte odeur de chlore et de désinfectant, et une douce musique New Age sortait des haut-parleurs.

— Je ne savais pas qu'il y avait une piscine couverte, dis-je à Karnak.

Elle eut un sourire entendu.

— Attends, tu n'as rien vu.

Dans le vestiaire, nous pliâmes nos vêtements et enfilâmes des maillots de bain. Il y avait des maillots jetables en papier pour ceux d'entre nous qui n'en avaient pas apporté. Heureusement, j'avais le mien. Karnak et les autres Guides entrèrent nus dans les douches. Comme presque tous les Aspirants, j'y allai en maillot.

Karnak ne me quitta pas des yeux pendant que je prenais ma douche. Une fois de plus, son regard me mit mal à l'aise, non parce qu'elle me suspectait, mais parce qu'elle appréciait le spectacle de mon corps presque nu. Toutes sortes de dangers me guettaient chez les Héritiers d'Akasha, auxquels la vie à Sturford ne m'avait pas préparée.

Quand je sortis de la douche commune, elle me tendit ce que je crus être un grand drap de bain marron, mais il s'agissait en fait d'une bure à capuche ample et à poches profondes qui arrivait aux pieds.

— J'ai l'impression d'être un moine à l'heure du bain, fit remarquer une de mes co-Aspirantes quand on lui donna la sienne – ce qui nous fit rire toutes les deux.

Nos Guides, qui portaient des robes semblables mais d'une couleur aigue-marine clair, n'apprécièrent pas.

— Suivez-moi, commanda Karnak.

À ma grande déception, elle nous conduisit non pas à une piscine, mais dans une grande pièce vide, fermée à un bout sur toute sa largeur par un rideau bleu, et avec de petits tabourets posés en cercle au milieu. Les Aspirants furent invités à les utiliser s'ils trouvaient cela plus confortable, ou à prendre place par terre comme les Guides, soit en position du lotus, soit en tailleur. Au centre du cercle était posée une coupe en verre peu profonde, remplie d'eau.

Quand nous eûmes tous pris place, un homme vêtu d'une robe safran baissa les stores, masquant les fenêtres. Un moment, nous nous retrouvâmes dans le noir. Puis on entendit le craquement d'une allumette, et Karnak se pencha pour allumer la bougie qui flottait dans la coupe en verre.

— Respirez à fond, dit une voix de basse qui venait de derrière moi. Vos yeux se posent sur la flamme de la bougie. Chassez toute pensée de votre esprit. Trouvez la paix intérieure.

Loin de trouver la paix, j'étais fort consciente de la présence de Karnak à mon côté. Son corps bien entraîné était parfaitement immobile dans sa bure. Toute son attention se concentrait sur la flamme. Malgré cela, elle restait attentive à mes gestes, je le sentais. Un bref instant, j'eus l'impression démente que, lisant dans mes pensées, elle savait que je ne croyais pas à leurs inepties et que je n'avais aucune intention de me vider la tête, même si j'étais à la merci d'une bande de fous brutaux. Était-ce ainsi qu'ils avaient piégé Katie, en lui faisant si peur qu'elle n'osait même plus parler à son fils ? Était-ce ainsi qu'on avait transformé la pauvre et gentille Elaine en docile pleurnicheuse ? Et Jenny ? La dernière fois que je l'avais vue, elle était éperdue de douleur, de rage. Je n'avais jamais connu personne qui avait plus besoin de trouver la paix intérieure qu'elle.

Avait-elle renoncé à la liberté pour le bien-être illusoire procuré par de la musique douce et la flamme d'une bougie au milieu d'un bol d'eau ?

Pendant que ces pensées me brûlaient l'esprit, je restais sagement immobile, respirant profondément quand on me le demandait, gardant les yeux rivés sur la bougie.

Au bout d'un moment, je pris conscience de mouvements dans la pièce. De l'autre côté du cercle, Aspirants et Guides se levaient et sortaient lentement les uns derrière les autres. J'eus un frisson d'angoisse. Où allaient-ils ?

— Ne vous laissez pas distraire, reprit la voix. Il n'y a que la flamme. Renoncez à vos pensées et abandonnez-vous à la flamme. Vos soucis s'envolent. Respirez... plus profondément... soufflez... doucement... recommencez.

J'en arrivais à perdre la notion du temps. Parallèlement, j'avais du mal à rester en colère. La musique et le doux bruit des vagues provenant de l'extérieur avaient un effet très calmant. Ou peut-être le bruit des vagues était-il intégré à la bande-son, mêlé à la musique. Ou alors la musique venait de l'extérieur, comme la mer. Je ne savais plus trop.

La flamme de la bougie, que je regardais toujours, se sépara en deux, puis en trois, puis se refondit en une seule.

Au bout d'un moment – je ne saurais dire combien de temps s'était écoulé – il y eut un bruissement, et les places vides de l'autre côté du cercle se remplirent de nouveau. Une vague odeur de sel et de chlore me parvint.

Karnak se leva. Elle se baissa pour me toucher l'épaule, me faisant signe de la suivre. Je me dressai sur mes pieds et eus un étourdissement ; sans doute à cause des exercices respiratoires. Karnak eut un sourire et tendit le bras pour me retenir, mais je la repoussai.

Nous rejoignîmes la procession, robes bleues et marron avançant par paires comme les animaux de l'arche de Noé et sortant de la pièce par une double porte cintrée que je n'avais pas remarquée à notre entrée. Nous longeâmes un petit couloir mal éclairé, puis passâmes une deuxième double porte qui ouvrait sur la piscine la plus belle que j'aie jamais vue.

Elle était circulaire, couverte d'un dôme bleu en verre, couleur d'un ciel d'été sans nuage. Les murs étaient composés d'une matière translucide qui prenait les teintes chaudes d'un feu de bois, abricot et or. Sous mes pieds nus, le sol avait la fraîcheur du marbre, et le bassin était aussi en marbre. Je notai par déformation professionnelle que la décoration, jusqu'au dernier détail, avait été exécutée par les meilleurs artisans, sans restriction d'argent.

Lorsque nous nous fûmes déployés en cercle autour de la piscine, les Guides laissèrent tomber leurs robes de moine et nous commandèrent de les imiter. Puis nous descendîmes quelques marches basses pour entrer dans l'eau. Elle était salée et avait la température d'un bain chaud.

Nous nous arrêtâmes, de l'eau presque jusque sous les bras. La voix désincarnée qui avait guidé nos exercices respiratoires dans l'autre pièce nous demanda de fermer les yeux. Une fois de plus, il fallut respirer lentement et profondément. En plus de la musique douce qui passait toujours par les haut-parleurs, il y eut un doux gargouillement, tandis que de petits jets d'eau se déclenchaient pour nous masser le corps.

— Étendez-vous en arrière, dit la voix, étendez les bras. Laissez-vous porter par l'eau.

J'obéis. L'air chaud était merveilleux, enivrant. Puis j'eus un sursaut et rouvris les yeux. Karnak avait posé la main sur mon épaule. Elle sourit, me faisant signe de me détendre. Elle plaça un flotteur en fer à cheval sous ma nuque. Puis elle en mit un autre à ma taille, et un troisième à mes chevilles. Je n'avais pas envie qu'elle me touche, mais, tout en la regardant prendre des flotteurs pour son usage personnel sur le bord de la piscine, je compris que rien n'était laissé au hasard. Soutenue par les bouées – tout le corps sauf le visage et les orteils sous la surface de l'eau –, j'avais l'impression d'être en apesanteur, protégée, en symbiose avec l'eau. Je n'éprouvai même aucune gêne quand Karnak me prit la main gauche, et le Guide de l'autre côté la main droite. Le geste me sembla tout naturel et agréable.

Une petite voix me soufflait de prendre garde : « C'est comme ça qu'on se fait prendre. Regarde Katie, regarde Elaine. » Mais je repoussai mes inquiétudes. D'ici à trois heures, je serais dans le train du retour qui me remporterait vers le monde réel ; en attendant, je goûtais à une expérience qui avait peut-être séduit des gens plus fragiles que moi, mais sans plus. Et puis c'était la première fois depuis des mois qu'on me faisait du bien. Où était le danger ?

La voix conduisait des exercices respiratoires compliqués. À certains moments, nous devions prendre de grandes inspirations, à d'autres haleter rapidement. L'espace d'un instant, alors que j'avais le regard perdu dans l'azur au-dessus de moi, j'eus l'impression que le dôme se mettait à tourner. Il devait s'agir d'une illusion d'optique, mais je trouvai plus amusant de me laisser tromper par le vertige de ce ciel en rotation.

Je fus déçue quand il s'immobilisa. Et encore plus désolée quand Karnak m'enleva doucement les trois flotteurs et me fit signe de sortir de la piscine avec elle. Je fus prise d'une fureur tout enfantine de me voir privée d'un plaisir aussi fondamental.

De mauvaise grâce, je m'enveloppai dans ma robe brune et retournai pieds nus avec les autres dans la première salle où la bougie scintillait toujours dans la pénombre.

Les tabourets avaient été déplacés pendant notre absence. Le demi-cercle de ceux qui nous avaient précédés dans le bassin demeurait dans la même position, mais l'autre demi-cercle avait été disposé en deux rangs semi-circulaires derrière eux, de sorte que nous faisions tous face au mur de rideaux bleus. Comment ne pas se laisser impressionner par l'organisation de cette séance ? Chaque étape s'enchaînait avec fluidité, comme les rouages d'une machine bien huilée. La mise en scène me perturba beaucoup. Tout semblait calculé pour nous subjuguer et nous mettre sous la dépendance des Héritiers d'Akasha. Je me pinçai sous ma bure et m'obligeai à penser à

Katie, à Tim et à Elaine. Il n'était pas question que je me laisse abuser par les tours de music-hall de cette bande de dingues. Parfait : ma colère revenait.

La musique s'amplifia, couvrant la voix qui nous avait guidés dans notre méditation. J'entendis le chant d'un chœur, mais sans pouvoir déterminer s'il s'agissait d'un enregistrement ou si les chanteurs se trouvaient quelque part à l'extérieur de la salle. Karnak se pencha pour souffler la bougie, nous plongeant dans l'obscurité. Seule l'image de la flamme continua à former une tache lumineuse sur ma rétine.

Soudain, une cacophonie éclata : des voix, des percussions et les sons profonds d'étranges instruments à vent. Le bas de ma robe se souleva, flottant sous une brise fraîche. Puis les rideaux s'ouvrirent devant nous ; ils glissèrent avec un bruissement, révélant un mur de lumière aveuglante.

À mesure que mes yeux s'adaptaient à la clarté, je réalisai que nous faisions face à une scène. En toile de fond s'étendait la fresque la plus extraordinaire que j'aie jamais vue : elle était composée d'un cercle de lunes et de paysages étranges, reliés entre eux par des motifs complexes ressemblant à des hiéroglyphes, qui à leur tour s'entrelaçaient avec des silhouettes humaines dansantes. Quatre musiciens avaient pris place sur l'estrade : deux tenaient des tambourins, le troisième jouait d'un instrument étonnant, sorte d'énorme violon ne comportant que deux cordes, et le dernier soufflait dans un bambou gigantesque dont émergeait un tube qui émettait un son continu. Le centre de la scène était occupé par un trône vide en forme de coquille Saint-Jacques. Les chants montèrent en puissance : les choristes devaient être dans les coulisses.

L'atmosphère était devenue électrique. Autour de moi, étourdis par la faim, les exercices respiratoires, et par l'extraordinaire séance de relaxation dans le bassin, les Aspirants et les Guides regardaient la scène comme des enfants qui attendent le père Noël. La musique, de plus en plus forte, devint si assourdissante que je me sentis happer par l'hystérie collective ; je ne parvins à résister qu'en me pinçant les bras jusqu'aux larmes.

Six femmes, vêtues de longues robes de moine jaune pâle et émettant d'étranges harmonies, entrèrent lentement en scène, suivies par six hommes. Ils se regroupèrent autour du trône vide, gardant les yeux fixés sur un point situé au-dessus de nos têtes, derrière nous. Ils chantaient, chantaient sans s'arrêter, et la musique, répétitive, avait un effet hypnotique. Malgré ma volonté de rester détachée, mon cœur battait à tout rompre et j'avais la bouche sèche. Les Guides et les Aspirants qui m'entouraient s'étaient joints aux chants et se balançaient en rythme, comme s'ils étaient entrés en transe.

Au moment où je sentis que ma tête allait exploser, ne résistant plus à la clameur et à l'effort de me protéger de cette démence, un personnage en longue robe blanche surgit à droite de la scène. Il tenait une sorte de baguette. Derrière lui arriva un deuxième homme, ressemblant, avec sa longue barbe, à un prophète de l'Ancien Testament, puis vint un enfant, également vêtu d'une robe blanche. Je regardai mieux. L'enfant avait les cheveux blonds et un visage d'ange qui aurait pu être celui d'une fille ou d'un garçon, mais je le reconnus sans hésitation : c'était Davy. Le fils de Tim. Il tenait dans les mains un objet qui semblait être une boule de cristal, qu'il portait avec une attention extrême. Nul doute qu'il avait besoin de toute sa concentration pour avancer sans la faire tomber ni se prendre les pieds dans sa robe. Fière et heureuse dans sa robe blanche, Katie le suivait.

Autour de moi, il y eut un souffle d'émotion, puis retentit le mot « Ra ! ».

Il était vêtu d'une robe d'or, toute brillante sous les feux des projecteurs. Il marcha à pas comptés jusqu'au centre de la scène, se tourna pour nous faire face, puis s'assit sur le trône en forme de coquillage.

Une femme éclata en sanglots derrière moi.

Un silence profond se fit. Ra tendit les mains vers nous et nous sourit comme un père bienveillant. Le barbu prit la parole, mais ses mots, incompréhensibles, s'apparentaient moins à une langue étrangère qu'à un infâme charabia.

Ra fit alors un signe et son porte-parole déclara :

— Trouvez la paix. Venez recevoir la bénédiction de Ra.

Ce qui suivit me fit penser à une parodie de communion. Deux prêtres en robe safran firent avancer les trois premiers Aspirants qui gravirent les quelques marches menant à la scène les uns derrière les autres, chacun devant aller s'agenouiller à tour de rôle devant le trône sur un repose-pied matelassé. L'homme qui se tenait derrière Ra murmura quelques mots, sur quoi Ra hocha la tête et posa une main légère sur la tête du premier. L'Aspirant se releva, l'air hébété, puis fut reconduit à sa place. La deuxième personne à passer – je reconnus Grisel, la sorcière réincarnée – fondit en larmes dès qu'elle s'agenouilla devant Ra. Ryan, le garçon qui ne supportait pas les algues, de toute évidence très mal à l'aise, avança ensuite. Mais quand il repartit, il était transfiguré, illuminé par la béatitude qui se lisait sur le visage de tous les Héritiers rassemblés autour du trône de Ra.

Je ne le ferai pas, décidai-je. Personne ne peut m'obliger à me prêter à cette bouffonnerie. Je vais refuser.

Plusieurs Aspirants, en larmes, se faisaient réconforter par leur Guide.

Je sentis une légère pression sur mon épaule et me levai automatiquement. J'avais des fourmis dans le pied droit et le mollet. Karnak me conduisit jusqu'aux marches sur le côté de la scène et j'attendis derrière Herman. Mon ventre se tordit d'appréhension tandis que Herman montait à pas lents et traversait l'estrade pour s'agenouiller devant Ra. Maintenant, il n'y avait plus rien entre moi et leur folie.

Mon tour arriva donc. Le prêtre me toucha doucement le bras, me poussant en avant. J'eus l'impression que mes jambes m'appartenaient à peine tandis que je gravissais les marches les jambes tremblantes. Arrivée en haut, je me pris le pied dans le bas de ma robe et trébuchai. Quelqu'un se précipita pour me rattraper. C'était Elaine : visage radieux, air niais et vide. J'eus un mouvement de recul.

L'instant suivant, je prenais place sur l'agenouilloir devant Ra. De près, on voyait que sa robe était tissée d'un fil d'or scintillant et iridescent comme l'aile d'une libellule. Il tendit le bras et plaça la main au-dessus de ma tête. Il ne me touchait pas, mais je sentis une secousse électrique me traverser ; mes cheveux se hérissèrent et un picotement parcourut mes épaules. Saisie, je relevai la tête.

Il sourit, plongeant les yeux droit dans les miens. Je n'avais jamais vu de regard pareil, un regard si profond et si sombre que je craignis d'être engloutie dans cet abîme ténébreux sans jamais pouvoir revenir. C'était un regard dangereux, hypnotique, infiniment séducteur.

J'étais morte de peur. J'avais devant moi l'homme qui, d'après bien des gens, avait assassiné Andrew Forester ; l'homme qui était parti vivre en Espagne pour échapper aux poursuites, celui qui avait trompé des vieilles dames pour leur soutirer de l'argent, et dont la secte déchirait les familles. Captivée par ce regard extraordinaire, impénétrable, ce puits sans fond, il ne m'était que trop facile de croire aux rumeurs terribles que j'avais entendues sur Raymond Tucker, mieux connu sous le nom de Ra par ses adeptes.

Mais, une fraction de seconde – et je jure que cela ne dura pas davantage –, j'aurais tout aussi bien pu croire qu'il était en contact avec des mondes mystérieux. Voilà ce qui me terrorisa le plus.

12

Le voyage de retour jusqu'à Londres fut des plus étranges. Les Héritiers d'Akasha ne m'avaient inspiré que de la répulsion, mais je ne ressortais pas indemne de cette immersion de deux jours dans leur monde chimérique.

Pendant plusieurs heures après la séance d'AquaMed, je me sentis flotter, comme si je marchais sur un coussin d'air à quelques centimètres au-dessus du sol. Je percevais les choses avec une acuité toute neuve, avec l'impression que mes yeux, mon nez et mes oreilles s'étaient dégagés pour la toute première fois d'un voile qui les obstruait, comme lorsqu'on sort du brouillard. Alors que le train longeait la côte, un rayon de soleil perça la nappe de nuages et darda un faisceau de lumière sur la mer ; ce spectacle me procura une émotion si intense que les larmes me montèrent aux yeux. Bouleversée, je regardai autour de moi, sans comprendre l'impassibilité de mes compagnons de voyage, trop abrutis par leurs magazines et l'ennui pour remarquer les merveilles de ce monde.

Ra, Ra, Ra : le bruit du train se confondit avec le souvenir de la mélopée des adeptes, me berçant si bien que je sombrai dans un sommeil étrange – hanté par des lumières dansantes et la peur de ne pas retrouver des objets égarés – dont je ne me réveillai qu'à notre arrivée à Paddington.

L'euphorie se dissipait. Quand je descendis du train, hébétée, j'avais mal à la tête et un mauvais goût dans la bouche, comme si j'avais la gueule de bois. Mon portable sonna au moment où mes pieds touchaient le quai.

— Carol, il faut qu'on se parle.

— Tim ? Je viens d'arriver à Paddington.

— Je sais. Je te vois.

Je jetai un regard machinal autour de moi pour le chercher, mais il m'arrêta aussitôt.

— Pas ici ! Tu pourrais être surveillée par un membre de la secte.

Soudain, je me sentis parfaitement réveillée. Dissimulé quelque part, Tim observait le moindre de mes faits et gestes sans que je puisse le voir, et il n'était sans doute pas le seul. J'eus la désagréable impression d'être une cible dans la ligne de mire d'un tireur d'élite.

— Prends un taxi, ordonna-t-il, et retrouve-moi au café qui est en face de la station de métro de Green Park dans une demi-heure. J'arriverai avant toi pour m'assurer que personne ne te suit.

— D'accord, à tout à l'heure.

Je décidai de traverser Hyde Park à pied, espérant que le grand air et la marche me remettraient les idées en place. Maintenant que mon euphorie était retombée, je n'éprouvais plus que de la honte ; comme si j'avais dit et fait des choses si dégradantes durant les dernières quarante-huit heures que je préférais éviter d'y penser. Même si c'était la volonté d'apporter mon aide à d'autres qui m'avait poussée à aller à ce week-end, cela ne justifiait rien. Quelles qu'aient été mes raisons, j'avais tout de même participé. Cela m'avait touchée, m'avait changée.

Je traversai le parc sans me presser, m'arrêtant de temps à autre pour m'asseoir dans l'herbe ou sur un banc quand mon sac devenait trop lourd. Il n'avait pas plu à Londres depuis des semaines, et le lieu était rempli de promeneurs qui profitaient de cette belle soirée du dimanche. Les enfants prenaient d'assaut les marchands de glaces ; les gens couraient, faisaient de la planche à roulettes, jouaient au foot, lançaient des bâtons à leurs chiens. Au début, je me retournais tous les deux pas pour vérifier qu'on ne me suivait pas, mais quand j'arrivai à Piccadilly, où les peintres du dimanche décrochaient leurs toiles des grilles, ma paranoïa s'était dissipée. La scène était trop normale pour que je puisse continuer à m'inquiéter : personne n'avait l'air d'avoir entendu parler des Héritiers d'Akasha ni du Langage sacré de toute éternité. Les promeneurs semblaient avoir bien trop les pieds sur terre pour perdre ne fût-ce qu'une seconde à se demander à quelle date les pôles magnétiques allaient s'inverser et quand la Submersion de vérité engloutirait la civilisation. Déjà ces deux jours commençaient à ressembler à un mauvais film, et j'avais cette impression qu'on a en sortant du cinéma quand on se rend compte qu'il fait encore jour dehors.

Tim avait choisi sa place avec soin. Il y avait deux tables entre lui et la vitre, ce qui le rendait invisible de la rue tout en lui permettant de voir toute personne entrant dans le café ou le quittant.

— Qu'est-ce que tu prends ? demanda-t-il.

Je le suivis des yeux alors qu'il allait au bar pour me commander une eau minérale. En le voyant, les deux barmaids passèrent du mode service poli aux grands sourires séducteurs, ce qui n'avait rien d'étonnant. Avec son léger hâle et son air sérieux, Tim était le genre de beau gosse qui met du piment dans une soirée. Pendant qu'il attendait, il se tourna pour jeter un coup d'œil à l'entrée, puis son regard passa sur moi. Il me sourit quand nos yeux se croisèrent, et, cette fois, je ressentis une nette attirance. Je me détendis. J'avais beaucoup redouté ce debriefing : Tim devait être dans tous ses états après sa rencontre avortée avec Katie, qui était loin d'avoir amélioré ses chances de récupérer son fils. Mais, à ma grande surprise, je le trouvai d'assez bonne humeur. Soit il était excellent comédien, soit il avait une idée derrière la tête.

Il revint à la table avec nos consommations et nous prîmes la parole en même temps.

— Je suis désolée que ça n'ait pas marché…

— Je tiens à te remercier…

Nous éclatâmes de rire.

— Non, j'insiste. Laisse-moi commencer, dit Tim, parce que tu n'as aucune raison de te faire des reproches. Je n'en revenais pas quand tu m'as appelé pour me dire que tu t'étais débrouillée pour éloigner Katie de ces fous furieux. Et puis je vous ai vues marcher sur la route toutes les deux, le plus naturellement du monde… J'ai trouvé ça incroyable. Comment t'y es-tu prise ?

— Comme souvent : j'ai bassement profité d'un coup de chance.

Je satisfis sa curiosité en lui racontant l'Évaluation de compatibilité ratée au cours de laquelle sa mère avait reçu un coup sur la tête.

— Ça n'était pas bien grave, heureusement, mais nous avons toutes les deux sauté sur l'occasion pour nous soustraire à la fin de l'exercice. Pour des raisons très différentes l'une et l'autre. Tout aurait très bien marché si la voiture n'était pas arrivée au mauvais moment. Je n'aurais jamais cru qu'ils nous rattraperaient si vite.

Il s'assombrit.

— Ne sous-estime pas leur service d'ordre. On vous a probablement suivies dès l'instant où vous avez quitté le groupe.

L'idée me glaça, parce que si c'était le cas ils devaient aussi savoir que j'avais passé un coup de téléphone en secret à Tim. Était-ce pour cette raison que Karnak avait pris la place d'Elaine ? Je jetai un coup d'œil aux visages anonymes des autres consommateurs. Étions-nous encore surveillés ? Cet homme qui se cachait derrière son journal du dimanche en le tenant tout près de ses yeux n'était-il pas en train d'espionner notre conversation ?

Tim suivit mon regard, vit l'homme, et secoua la tête.

— Il était déjà là à notre arrivée. C'est un habitué. Ne t'inquiète pas, je suis très vigilant. Je suis venu en repérage la semaine dernière.

— Ouf ! Je n'arrive plus à distinguer le vrai de l'imaginaire.

— Tu as perdu tes repères parce que tu as été exposée à leur monde de déjantés. C'est leur méthode : ils entament peu à peu les certitudes et les remplacent par leur délire. Si tu te sens aussi décalée après un simple week-end, imagine dans quel état tu serais après six semaines, sans parler de six mois, et tu te feras une idée de la puissance de nos adversaires. Comment as-tu trouvé ma mère ?

— Je l'adore.

Il me suffit de penser à Katie pour avoir un sourire d'affection, et Tim s'attendrit quand il vit à quel point j'étais tombée sous le charme.

— Je n'ai pas passé beaucoup de temps avec elle, mais cela m'a suffi pour la trouver extraordinaire. J'ai l'impression de la connaître depuis très longtemps. Elle m'a tout de suite traitée comme une vieille amie.

— Elle est comme ça avec tout le monde, commenta Tim avec un sourire. Mais je suis sûr qu'elle t'a trouvée très sympathique – difficile de faire autrement...

Le compliment contenait juste ce qu'il fallait d'hésitation pour le rendre encore plus séduisant. Manifestement, Tim Fairchild avait hérité d'une dose massive du charme de sa mère.

— La chaleur humaine de ma mère la rend adorable, mais ce n'est pas toujours un avantage. Elle est si gentille et si généreuse qu'elle n'imagine pas à quel point les autres peuvent manquer de scrupules. Elle est beaucoup trop confiante, presque comme un enfant. Nous avons toujours dû la protéger pour empêcher les gens de profiter d'elle : si on l'avait laissée faire, la moitié des parents n'auraient pas payé les frais de scolarité. Mais je n'avais pas mesuré à quel point mon père avait dû faire écran avant que toute cette affaire n'éclate.

— Je n'ai pas eu l'impression qu'elle était malheureuse, indiquai-je, pensant que cela le soulagerait peut-être. Sauf quand elle t'a vu. C'était comme si elle s'interdisait de penser à son ancienne vie.

— Ou ce sont eux qui le lui interdisent, coupa-t-il en pressant le bout de ses doigts entre ses sourcils. Pauvre maman, elle ne faisait pas le poids. (Il se tut un moment avant de continuer pensivement.) Mais même si elle était malheureuse, tu ne t'en serais pas aperçue. Elle a toujours su cacher ses émotions. Ce n'est pas drôle d'être la femme d'un directeur de pensionnat : on est très isolée, sans avoir la satisfaction d'exercer un métier intéressant. Elle a appris à faire bonne figure en toutes circonstances.

L'idée que Katie avait dû tant se dominer me désola.

— Je l'ai revue ce matin et elle avait l'air d'aller bien, mais peut-être jouait-elle encore la comédie. Elle participait à une cérémonie akashique assez bizarre.

— Ah ? Quel genre ?

Je lui livrai une brève description de l'AquaMed et de l'apparition de Ra sur scène, mais je sautai les éléments les plus marquants, en partie pour épargner Tim – cela aurait été trop terrible pour lui d'imaginer sa mère au milieu d'un groupe d'exaltés qui psalmodiaient « Ra, Ra ! » en sanglotant –, mais aussi pour me protéger personnellement. J'étais encore pétrie de honte au souvenir de ma participation active.

— Et, ajoutai-je pour finir, je suis à peu près sûre que ton fils était là aussi.

— Davy ? Tu as vu Davy ?

— Un enfant qui lui ressemblait beaucoup en tout cas.

Tim tira la photo fatiguée de sa poche de veston et me la fourra sous le nez.

— Oui, c'est ça, c'est bien lui. Il était sur scène avec Katie. (Son expression me fit tant de peine que je voulus vite le rassurer.) Il avait l'air de bien s'amuser. Tu sais que les petits adorent se déguiser et faire les importants. Je ne pense pas du tout qu'il se rendait compte de ce qui se passait.

— Quelle horreur, tomber si bas ! Pauvre Davy, pauvre innocent.

— Il pensait très certainement que c'était un jeu, comme le fait de participer à une pièce à l'école. Une fois qu'il te retrouvera, il oubliera tout ça.

— Seulement si nous arrivons à le récupérer très vite. Tu sais ce qu'a dit Ignace de Loyola ? Qu'on me donne un enfant de moins de sept ans, et il sera mien pour toujours. C'est du bourrage de crâne, Carol. Ils influencent mon fils, et plus il restera avec eux, plus il sera difficile de lui extirper ce poison de l'âme. Je ne peux pas laisser ces maniaques s'emparer de son esprit ! C'est impossible !

— Les enfants sont très flexibles, et il n'a que six ans.

— Que six ans ! s'exclama Tim avec indignation. Cet âge est le plus important de la vie. Il signifie l'entrée dans une période qui vous marque pour toujours.

Je procédai à un rapide calcul.

— Pourquoi six ans, particulièrement ?

Il contempla ses mains, fronça les sourcils et répondit :

— Six ans, c'est un âge crucial. On est assez âgé pour se rendre compte de ce qui se passe, tout en étant encore malléable. Après, on ne peut plus revenir en arrière.

J'intervins d'une voix douce.

— Tu devais avoir environ six ans quand ta mère a vécu à Grays Orchard. Tu t'en souviens bien ?

— Je me souviens qu'elle me manquait. (Il croisa les bras et me regarda droit dans les yeux.) Je me demandais pourquoi elle nous avait quittés et quand elle rentrerait. Je ne savais même pas si elle allait revenir un jour !

— Te souviens-tu d'un petit garçon qui s'appelait Brian ? Il devait avoir à peu près ton âge.

Il sourit.

— Tu as l'air d'oublier que je vivais dans un pensionnat. Il a dû y avoir une demi-douzaine de Brian au cours de ma scolarité.

— Non, ce Brian-là venait te voir à Grays. Il paraît que vous jouiez ensemble.

— Qu'est-ce que tu me racontes ? Je n'ai jamais mis les pieds à Grays. Quand Katie nous a abandonnés, mes grands-parents se sont installés à la maison pour aider mon père à s'occuper de moi. Il n'aurait jamais laissé un enfant dont il avait la charge entrer en contact avec cette bande de drogués dégénérés, et encore moins son fils unique.

— Mais je connais une dame à Sturford qui se rappelle t'avoir gardé de temps à autre.

— Elle a dû me confondre avec un autre enfant, affirma Tim – mais il me sembla plus probable qu'il avait enfoui ce souvenir trop douloureux. Je n'aurais jamais oublié avoir vu ma propre mère, insista-t-il. Je me souviens très bien du jour où elle est rentrée à la maison. Elle avait dû rester absente plus d'un an, et j'avais peur de ne pas la reconnaître. Un beau jour, elle est revenue. J'étais descendu tout doucement pour écouter à la porte du bureau de mon père pendant qu'ils discutaient. Mon père s'est montré d'une tolérance incroyable. Il l'a reprise sans un mot de reproche et ils n'en ont plus jamais reparlé. Personne n'avait le droit de mentionner cette période. Il fallait faire comme si ma mère n'était jamais partie. C'était un homme bien, mon père. Parfois je me dis qu'elle a emmené Davy pour essayer, inconsciemment, de rattraper les années qu'elle a perdues avec moi.

— Mais c'est épouvantable. Tu te retrouves perdant sur tous les fronts.

— Pas pour longtemps. N'oublie pas que je vais les récupérer.

— Car maintenant, tu as un plan d'action ? Tu vas intenter un procès ? La police t'aidera certainement à reprendre Davy.

— Non, pas tout de suite, rétorqua-il en se carrant sur sa chaise. La justice est un instrument un peu brutal, et on finit par faire du mal à tout le monde. Les Héritiers ont des centres à l'étranger. S'ils arrivent à faire sortir Davy et ma mère du pays pour les envoyer au Mexique ou en Espagne, cela prendra des années. Quand je le récupérerai, il m'aura oublié et ils lui auront appris à me détester. Parfois, j'ai peur qu'il ne soit déjà trop tard.

— Mais non, il est encore tellement jeune. Et je ne peux pas croire que Katie essaierait de monter Davy contre son propre père.

— Tu n'arrives toujours pas à comprendre de quoi une secte comme celle-ci est capable, hein ? Et puis, même si j'arrivais à reprendre Davy par décision de justice, qu'arriverait-il à ma mère ? Je veux absolument la sauver aussi. Elle et Davy sont tellement proches ; ce serait trop cruel de les séparer après toutes les épreuves qu'ils ont traversées ensemble. Je ne peux pas l'abandonner là-bas, ne serait-ce que par respect pour le souvenir de mon père. Par bien des côtés, elle est aussi enfant que Davy – tu l'as vu. Je ne pourrais plus me regarder en face si je l'abandonnais à ces déments.

— Ça ne te laisse pas beaucoup de marge. Tu sais ce que tu vas faire ?

— Non, répondit-il simplement en posant les deux mains sur la table devant lui. Mais je ne m'avoue pas vaincu. (Il contempla ses doigts et sourit, ou tout du moins essaya de sourire, et cette tentative courageuse me toucha au plus haut point.) Ne t'en fais pas, Carol. Je trouverai bien un moyen. Il le faut.

Instinctivement, je tendis le bras pour poser ma main sur la sienne.

— J'aurais voulu pouvoir t'être d'un plus grand secours.

— Tu as été merveilleuse, déclara-t-il avec générosité.

Nos yeux se rencontrèrent, il tourna la main et ses doigts se refermèrent sur les miens. Un agréable frisson me parcourut le bras. Je ne m'étais pas sentie aussi proche de quelqu'un depuis des mois, et le choc qui me traversa fut une révélation. Et tout cela pour un simple contact.

— Nous pouvons peut-être continuer à nous entraider si tu veux, dit doucement Tim. Après tout, tu dois encore retrouver la nièce de ton mari.

Mon mari. À la mention de Gus, je retirai ma main de la sienne et le regrettai aussitôt. Ce geste de simple amitié se teintait ainsi d'une signification beaucoup plus complexe. Tim le remarqua comme moi et son visage se colora légèrement.

Il était temps que je parte.

— Gardons le contact, dis-je en me levant. Je serai contente de savoir où tu en es.

— Je te tiendrai au courant. La prochaine fois que nous nous verrons, ce sera peut-être avec ma mère et Davy !

Cette tentative d'optimisme était absolument héroïque vu la force de l'ennemi.

Je croyais en avoir fini avec toute cette histoire. Mon week-end en Cornouailles avait été instructif, mais les résultats n'étaient guère concluants. Je n'avais aucune intention de remettre les pieds au Château de l'Atlantique, et il était temps que je reprenne une vie normale.

Je passai la nuit du dimanche chez une amie à Londres et me rendis directement à mon travail depuis la gare le lundi matin, ce qui fit que je ne rentrai pas chez moi avant le soir. Gus m'accueillit avec réserve. Il m'avait préparé sa recette new-yorkaise que je préférais : aubergines au parmesan accompagnées d'une salade César, le tout arrosé d'une bouteille d'excellent vin. Pendant le dîner, nous évitâmes avec soin tout sujet dangereux.

Pendant mon absence, Gus était revenu dans notre lit. Je ne risquai aucun commentaire quand je le vis déjà couché en sortant de la salle de bains. Dès que j'éteignis la lumière, il me prit dans ses bras dans un froissement de drap et se mit à m'embrasser doucement.

Je ne savais plus que penser. Comment osait-il vouloir faire l'amour sans un mot d'explication ou d'excuse après tout le chagrin qu'il m'avait causé pendant l'été ? Mais j'étais toute prête à le pardonner. Je répondis à ses caresses et ma colère s'évanouit. J'éprouvai un tendre soulagement, puis du plaisir, le plaisir intense qu'il savait donner comme personne. Gus avait toujours préféré résoudre nos différends ainsi, par les gestes, la sensualité. « Les paroles peuvent mentir, avait-il dit un jour. Le corps est plus honnête. »

À l'époque, je l'avais cru ; en général, je croyais ce qu'il me disait, parce qu'il était mon aîné, était plus expérimenté et avait beaucoup voyagé, alors que moi, je n'avais jamais quitté Sturford et ne savais que construire des maisons. Mais plus tard, je me demandai s'il avait vraiment raison. Notre étreinte avait fait tomber les barrières, et j'avais envie de lui raconter mon week-end en Cornouailles. En ne lui disant rien, j'aurais eu l'impression de lui faire des cachotteries, comme si c'était moi à présent qui le tenais à distance. Et surtout, j'aurais voulu qu'il sache que j'avais rencontré Katie ; peut-être qu'enfin nous trouverions ainsi le moyen de parler du passé.

— Gus ?

— Mmm ?

J'hésitai. Il repoussa une mèche sur mon front du bout du pouce, puis posa un baiser léger sur mon épaule nue. Ne fais pas l'idiote, me dis-je. Pourquoi risquer de gâcher le premier moment heureux que nous vivons depuis des mois ?

— Je suis contente d'être rentrée, dis-je.

— Mm...

C'était un soupir heureux.

Je me félicitai de ne pas avoir parlé de Katie.

Le lendemain matin, quand j'allai prendre le courrier, une enveloppe épaisse d'un gris-vert pastel s'échappa de la pile et tomba sur le paillasson. Je la ramassai. Ce serait mentir que de dire que je reconnus l'écriture, puisque je ne l'avais jamais vue, mais je devinai aussitôt, même avant de remarquer le timbre australien, qu'elle avait été envoyée par Harriet.

Le nom et l'adresse de Gus étaient tracés d'une écriture ronde et vigoureuse. Je posai le courrier à sa place habituelle sur la table de l'entrée, l'enveloppe de Harriet sur le dessus. Je restai là à la fixer. J'avais pitié de cette femme, mais, malgré tout, je mourais d'envie de faire disparaître sa lettre. Nos ennuis avaient débuté avec l'arrivée de Jenny, et il fallait que nous recevions cela juste au moment où nous commencions à nous retrouver. Cette lettre allait-elle tout gâcher ?

Je la pris prudemment, la tenant entre deux doigts comme avec des pincettes. Peut-être les lettre piégées donnent-elles ce même picotement sur la peau. J'hésitai puis la reposai sur la pile, éloignant de moi la tentation.

Gus descendait l'escalier, la main glissant sur la rampe incurvée.

— Il y a une lettre pour toi, annonçai-je.

Il croisa mon regard et sourit. C'était un de ses vieux sourires, de ceux qui me faisaient vibrer de bonheur.

— Madame Ridley, vous ai-je dit à quel point vous étiez ravissante, ce matin ?

Il avança pour m'embrasser, mais il jeta un coup d'œil à l'enveloppe grise et le sourire se figea sur ses lèvres. Il la prit et partit à grands pas dans le couloir de la cuisine.

Je triai le reste du courrier, laissai s'écouler un laps de temps raisonnable, puis je le rejoignis. Il se tenait près de la fenêtre de la cuisine face à l'atelier, le regard perdu dans le lointain, l'enveloppe toujours cachetée à la main. Au bruit de mes pas, il eut un sursaut, sortant brusquement de sa rêverie, et laissa tomber la lettre, encore fermée, dans la poubelle.

— C'est Harriet ? demandai-je.

Il ne répondit rien, et ne me regarda même pas.

— A-t-elle eu des nouvelles de Jenny ?

— De qui ?

Il semblait vraiment ne pas avoir entendu ma question. Son visage était impénétrable.

— De Jenny, répétai-je.

Lentement, il tourna le visage vers moi, mais mit une seconde à me voir. Il eut un léger froncement de sourcils, comme s'il était surpris.

— Jenny ? Ah oui ! elle. Je ne sais pas. Aucune importance.

Il avait du mal à reprendre pied dans le présent.

— Ne pensons plus à ces gens. Ça n'a rien à voir avec nous. (Il eut un sourire forcé.) Tu as le temps ? Tu dois courir travailler tout de suite ou je peux te préparer un petit déjeuner d'abord ? Œufs brouillés ? Pancakes ? Pain perdu ? Polenta ?

— Rien, merci.

— Que vous donnait-on le matin, dans ton hôtel en Cornouailles ?

— Du pain aux algues, dis-je sans réfléchir.

— Tiens ? Je croyais que c'était gallois.

— L'hôtel était tenu par des excentriques.

— Ça m'en a tout l'air.

Il se détourna, se désintéressant de la question.

— Tu me raconteras ça plus tard. Bon, passons au petit déjeuner.

— Désolée, je n'ai pas le temps.

— Ah ! Quel dommage.

Mais je vis bien qu'il était soulagé.

Dans ma voiture, en m'éloignant de Grays, je méditai sur les changements intervenus dans notre couple. Gus avait établi de nouvelles règles : nous devions être amoureux, mais sans dépasser les limites qu'il posait. Il préférait ne pas savoir où j'avais passé le week-end, parce que cela m'ôtait le droit de le questionner sur les secrets qu'il voulait garder. Plus nous serions indépendants, mieux son système fonctionnerait.

Je m'étais attendue à tout autre chose du mariage. J'avais espéré une relation de partage, sans doute par naïveté, et la méthode de Gus était peut-être mieux adaptée à la pratique.

Le réalisme condamnait-il au compromis ?

13

Les jours suivants, j'eus la plus grande difficulté à cesser de penser à mon week-end. Le chantier de Shorters Barn était presque terminé et il ne restait plus que les peintures et le ménage à faire. On avait réglé l'essentiel des problèmes. Tout en posant les pavés dehors ou en mélangeant de la chaux, je revenais sans cesse par la pensée aux Héritiers d'Akasha. Je me demandais quel avait été le contenu des séances que j'avais manquées. Qu'appelaient-ils au juste perceptions extrasensorielles, et comment l'horloge akashique fonctionnait-elle ? Quelles étaient les preuves dont ils disposaient pour établir leur lien avec la civilisation de l'Atlantide ? Et comment Raymond et Pauline, deux personnes ordinaires ayant vécu un temps dans une espèce de communauté, étaient-ils devenus les gourous d'une secte disposant de centres en Espagne, au Mexique et en Cornouailles ? Croyaient-ils vraiment à ce qu'ils racontaient, ou avaient-ils monté cette histoire de toute pièce à seule fin d'extorquer de l'argent à des gens crédules et faibles ? Étaient-ils fous ou escrocs, ou un peu les deux à la fois ?

J'avais cru que j'arriverais vite à les chasser de ma tête, mais il n'en fut rien. Je ne pouvais pas m'empêcher d'avoir envie de me replonger rien qu'une petite demi-heure dans le bassin d'AquaMed. Je me délectais du souvenir de l'eau tiède bouillonnant autour de mon corps, de la miraculeuse sensation d'apesanteur que j'avais éprouvée, soutenue par mes flotteurs. Cette combinaison particulière de plaisir sensuel et de recherche spirituelle ne pouvait pas laisser indifférent. Je me demandais si toute cette mise en scène n'avait pas été conçue pour déclencher des souvenirs de vie intra-utérine – en tout état de cause, j'aurais donné cher pour retrouver une telle félicité. Par moments, je me disais même que je serais prête à supporter toutes leurs imbécillités pour le seul bonheur de retrouver l'acuité de perception qui m'était restée pendant les heures suivantes. La moindre feuille, le moindre nuage, le moindre scintillement m'avaient paru si intenses que j'en avais eu le souffle coupé d'émerveillement. À présent, en regardant tomber la pluie de septembre par la fenêtre, j'avais l'impression qu'on m'avait collé sur le nez une paire de lunettes sales mal adaptées à ma vue : tout me paraissait trouble, terne, et je rêvais de redonner des couleurs à ma vie.

J'essayais de me répéter que je m'étais laissé prendre par un bon concept de marketing : j'oublierais tout cela très vite.

Puis, alors que j'étais rentrée depuis moins d'une semaine, deux coups de téléphone bouleversèrent de nouveau ma vie.

Le premier nous dérangea le dimanche matin, vers neuf heures et demie. Gus et moi étions en train de finir notre petit déjeuner. Depuis mon retour, nous parvenions assez bien à jouer les couples heureux, tant que je ne dépassais pas les limites prescrites. Il avait fait du pain perdu, pressé du jus d'orange et rempli une grande cafetière. Plus tard dans la journée, la troupe de scouts locale devait venir ramasser les premières pommes pour les vendre en faveur d'associations caritatives. Grays Orchard ne commercialisait plus ses produits depuis longtemps, mais au cours des six années que j'y avais passées, j'avais essayé de faire en sorte qu'au moins les pommes ne soient pas perdues. C'était le deuxième automne où nous faisions appel aux scouts de Sturford, et je ne voulais pas renouveler les erreurs de l'année précédente. Nous discutions de cela avec Gus quand le téléphone sonna.

Gus sourit.

— Ah ! Ça doit être Loup Gris ou Berger Allemand Solitaire, je ne sais pas comment s'appellent les chefs scouts de nos jours.

Il inclina sa chaise en arrière pour décrocher.

— Oui ?

Il me lança un sourire, mais dès qu'il entendit la voix à l'autre bout du fil, son visage s'assombrit. Il redressa sa chaise et fronça les sourcils, fixant son assiette vide sans la voir.

Je perçus une voix de femme, chaude et ferme. Elle parlait vite. Je crus entendre « Jenny » mais sans certitude. Quand elle se tut, le visage de Gus était terrible à voir.

— Alors ? (Elle haussa le ton, se mettant à parler d'une voix plus vibrante qui me devint audible.) Mais quoi, Gus ? Est-ce que c'est trop demander, tout de même ?

Il serrait le combiné dans sa main, comme une arme.

— Arrête ! jeta-t-il. Trouve-toi quelqu'un d'autre pour faire le sale boulot à ta place. Je ne marche pas !

Avant qu'il ne lui raccroche au nez brutalement, j'entendis comme un hurlement de rage ou de désespoir. Puis ce fut le silence.

J'étais écœurée. Harriet était en train de mourir. Sa fille l'avait abandonnée et elle faisait appel au seul membre de sa famille qui lui restait pour l'aider, et lui, il raccrochait sans même avoir la courtoisie de lui dire un mot gentil. Que lui arrivait-il ? Pouvait-on avoir le cœur aussi dur ?

Je me levai et me mis à débarrasser la table du petit déjeuner. La cruauté de Gus envers sa sœur ne me regardait pas, mais n'empêche, j'étais tellement en colère que j'en avais les mains qui tremblaient.

Au bout d'un moment, Gus vint se placer derrière moi ; il m'entoura la taille et posa la joue sur mes cheveux.

Je me crispai.

— C'était Harriet, hein ?

Il soupira, mais sans commenter.

— Pourquoi refuses-tu de lui parler ? Enfin, Gus, c'est ta sœur, et elle est très malade. Ça ne peut quand même pas te tuer de lui dire un mot !

Ses mains se resserrèrent sur ma taille.

— Tu n'es pas heureuse avec moi, Carol ?

— Si, mais je ne vois pas…
— Alors ne me parle plus de Harriet. Tu vas tout gâcher.
— Mais…
— Attention, Carol. Fais-moi confiance, je t'en prie.

Le deuxième appel eut lieu dans l'après-midi, peu après le départ des scouts, un peu pâlichons après leur orgie de pommes vertes. Cette fois je répondis, car Gus était retourné travailler à une de ses peintures en spirale.

Je décrochai.

— Allô ?

— Carol ? C'est Tim.

Je fus surprise de ressentir un réel plaisir en entendant sa voix. Je le revis très clairement tel que je l'avais vu dans le café près de Green Park : chemise ouverte au col, visage hâlé.

— Tim, comment ça va ?

— Beaucoup mieux. La situation s'arrange nettement.

Je ne l'avais jamais entendu si plein d'énergie.

— Tu as vu Katie ?

— Pas encore, mais ça ne saurait tarder. J'ai de bonnes nouvelles. J'ai établi un contact avec un agent double dans la secte.

— Bravo ! Qui est-ce ?

— Évidemment, je ne peux pas te le dire. Mais il s'agit d'une personne très bien placée qui veut à tout prix me donner les informations dont j'ai besoin pour leur reprendre maman et Davy.

— Pourquoi ?

— Peu importe. Sans doute des magouilles internes. D'ailleurs je ne crois pas que tout le monde là-bas soit très d'accord pour qu'on enlève des enfants à leur père. C'est trop compliqué à t'expliquer, et de toute façon, moins tu en sauras, mieux ça vaudra.

— Je ne vois pas ce que ça change, intervins-je naïvement. Je n'ai aucune intention de les revoir.

Il y eut un silence à l'autre bout du fil. J'eus comme un soupçon.

— Tim, j'espère que tu n'imagines pas que…

— L'important, c'est que mon informateur est fiable à cent pour cent.

— Tim ! Je suis très contente pour toi, vraiment, mais il n'est pas question que je retourne en Cornouailles.

— Bien sûr, bien sûr. D'ailleurs Katie n'est plus là-bas, ça ne servirait à rien. Elle a été envoyée en Espagne.

— Oh, flûte ! Mon pauvre. C'était ce que tu redoutais, non ?

— Oui, mais parce que je n'avais pas compris que ce transfert pourrait me servir. En fait, il va beaucoup me simplifier la tâche. Pour commencer, la sécurité dans leur centre espagnol est beaucoup moins stricte, donc, même avec le risque de problèmes juridiques, ça devrait être beaucoup plus facile d'écarter Katie du groupe pour lui parler. Une fois que j'aurai rétabli le contact, je suis persuadé que j'arriverai à la faire revenir à la raison.

— Tim, c'est formidable ! Quand pars-tu ?

— Dès que je serai arrivé à convaincre quelqu'un de m'accompagner pour m'aider de l'intérieur.

— Je croyais que tu avais un agent double sur place.

— Il y a des limites à ce que les membres de la secte peuvent faire sans éveiller les soupçons du service de sécurité. La personne avec laquelle je suis en contact ne veut pas quitter la secte ; elle doit donc faire très attention à ne pas être démasquée. J'ai besoin de quelqu'un d'extérieur au groupe, une Aspirante, par exemple.

— Du moment que ce n'est pas moi..

— Attends de connaître mon plan.

— Je ne veux pas. Désolée, Tim, mais il n'est pas question que je m'expose de nouveau à toutes leurs loufoqueries.

Il garda le silence un instant, puis répondit poliment.

— Mais bien sûr. Je ne songerais pas à te demander de faire quoi que ce soit qui te déplairait.

— Très heureuse de te l'entendre dire.

Une nouvelle pause. Cette fois, je sentis nettement que son silence était tactique.

— Tu sais, reprit-il, elle est là-bas, elle aussi.

— Qui ça ?

— Cette fille que tu voulais retrouver : Jenny Sayer. Tu ne m'as pas dit que c'était la nièce de Gus ?

— Jenny est en Espagne ?

— Oui, depuis deux mois, d'après ce que m'a dit mon informateur. Elle doit prononcer son Serment de fidélité fin octobre. À ce moment elle devra faire officiellement don de tous ses biens à la secte. Il paraît que c'est une riche héritière. Tu savais cela ? Après le serment, il devient beaucoup plus difficile de quitter le groupe.

— Mais c'est horrible. Sa mère est en train de mourir et elle veut à tout prix entrer en contact avec Jenny.

— Eh bien elle pourra dire adieu à sa fille une fois qu'elle sera devenue Pèlerin. Il n'y aura plus aucune chance de la libérer après ça.

Un instant, je fus presque tentée d'accepter, mais je me ressaisis.

— C'est ridicule. Tu ne voudrais quand même pas que j'aille en Espagne !

— Et pourquoi pas. Il paraît que c'est une très bonne saison pour l'Andalousie : ciel bleu, soleil... Justement, il y a une retraite Aspirant de quinze jours qui commence dans deux semaines. D'après mon informateur, il y a eu une annulation, et on peut te garder la place. Ton expérience dans le bâtiment les intéresse beaucoup, semble-t-il.

— Eh bien, je suis désolée de les décevoir, mais ils vont devoir se débrouiller sans moi. Je ne peux pas partir comme ça.

Il y eut un silence incrédule.

— J'ai ma vie, tu sais, Tim. J'ai un travail, un mari.

Le silence s'épaissit.

— Je t'assure, j'aimerais beaucoup t'aider, crois-moi, mais ce n'est pas possible.

Le silence s'acheva sur un soupir.

— Bon, ça ne coûte rien d'essayer. Tu sais comme c'est important pour moi. Quand comptes-tu repasser par Londres ?

Nous pourrions déjeuner ensemble et rediscuter un peu de tout ça. Tu verras que je sais me montrer très persuasif.

— Je suis au courant…

Mais le germe de l'idée était planté dans ma tête. Je pensais qu'elle mourrait d'elle-même, mais, au contraire, elle se développa. Je ne tenais plus en place. Toute ma vie j'avais essayé de faire le bonheur de mes proches, et là je ne voyais que du malheur autour de moi ; il n'y avait pas que Tim et Harriet, mais aussi Jenny, Katie, et Gus. Il me semblait que j'étais la seule personne capable de soulager toute cette douleur.

Je me répétais qu'il était hors de question que je retourne chez les Héritiers d'Akasha, mais au fond l'idée ne me rebutait pas. Le voyage en Cornouailles avait été le premier de ma vie que j'avais effectué seule. Enfant, j'avais été accompagnée par mes parents, puis j'étais partie avec des amis, et plus récemment avec Gus. Les Héritiers d'Akasha avaient beau être d'inquiétants personnages, ce week-end avait été si différent de tout ce que j'avais connu jusqu'alors que j'avais compris à quel point je me sentais contrainte dans ma vie. J'avais épousé Gus en espérant qu'il me ferait voyager et qu'avec lui ce serait l'aventure, et pourtant j'étais encore là, à Sturford, toujours avec le même travail. J'avais envie de continuer mes expériences. Même le danger faisait partie de l'attrait, comme pour le parachutisme ou l'alpinisme.

Tim me rappela. Comme la fois précédente, il avait mis au point un plan d'action détaillé. Il partirait en avion avant moi et me retrouverait à l'aéroport. Ainsi je donnerais l'impression de voyager seule, mais en réalité il me suivrait comme une ombre. Je ne risquerais rien du tout, affirmait-il.

Ses arguments ne me convainquirent pas. Les solutions qu'il proposait ne tenaient pas compte de ma peur de retourner dans la secte. J'avais vu la violence dont ils étaient capables. Je n'avais guère envie de me retrouver dans un pays étranger, à des centaines de kilomètres de chez moi, le jour où Karnak m'accuserait d'imposture et lâcherait ses hommes de main pour « s'occuper de moi ».

Mais ma plus grande peur, celle que j'osais à peine m'avouer, était plus subtile. Je craignais de tomber en leur pouvoir. Après tout, quand j'étais allée au Château de l'Atlantique, j'avais pensé pouvoir jouer les cyniques jusqu'au bout, et il n'avait pas manqué d'incidents pour renforcer mon scepticisme : j'avais vu Katie se faire quasiment kidnapper sur une voie publique, et Elaine, défaite et honteuse, reparaître béate le lendemain matin. Quand je m'étais trouvée face à Raymond Tucker, je l'avais vu sous son véritable jour : c'était un homme dangereux.

Et pourtant, malgré tout cela, le charme maléfique de cet endroit m'avait contaminée. Je n'avais pas été convertie, loin de là, mais j'avais senti avec quelle facilité j'aurais pu l'être si j'avais été plus faible ou moins bien informée. Si deux jours chez eux avaient pu avoir un tel effet sur moi, qu'adviendrait-il en deux semaines ?

Tim ne comprendrait jamais cela. Ces gens avaient détruit sa famille ; il n'avait jamais entendu le chant des sirènes. Il s'ingénia donc à me rassurer, mais sans connaître la vraie nature de mes peurs.

— Je serai près de toi pendant tout le séjour, m'affirma-t-il. Il n'y a pas de falaises pour bloquer la transmission. Tu n'auras rien à craindre, je te le promets.

— Effectivement… pour la bonne raison que je n'irai pas.

Et pourtant, je ne fermais jamais complètement la porte parce que j'appréciais nos échanges téléphoniques. Tim était charmant et ses efforts de persuasion me donnaient un peu l'impression qu'il me faisait la cour comme dans l'ancien temps. Il affaiblissait peu à peu mes défenses – ou du moins c'était ce qu'il tentait de faire.

— Ton passeport est encore valable ? demanda-t-il un matin, alors que je venais juste d'arriver au travail. Il ne reste plus qu'une semaine avant le départ.

— Tim, tu sais bien que je ne vais pas y aller.

— Nous verrons. Il y a un vol qui part de Gatwick en début d'après-midi et il reste encore quelques places. À propos, il fait vingt-deux degrés à Málaga aujourd'hui, un temps idéal. L'Espagne va beaucoup te plaire.

— Tim, c'est un peu brutal, comme méthode !

J'avais dit cela sans penser à mal, mais il y eut un silence pénible. Au bout d'un instant, il protesta d'une voix sourde.

— Tu prends ça trop à la légère, Carol. Mon petit garçon est retenu en otage et il faut absolument que je le récupère avant qu'on ne lui pervertisse le cerveau. Si tu refuses de m'aider, je ne sais pas ce que je vais devenir.

— Bon, je vais réfléchir. Je te donnerai ma réponse définitive demain.

Cette nuit-là, et ce n'était pas la première fois, je rêvai de déluge et d'horloges géantes et d'un enfant qui se noyait dans une mer démontée pendant que, sur la grève, de l'eau jusqu'aux chevilles, je le regardais sans rien faire. Je me réveillai persuadée que ma lâcheté contribuait à faire le malheur d'un enfant innocent. Je descendis et restai devant le téléphone plusieurs minutes, résistant à mon envie de l'appeler pour lui dire que j'acceptais d'aller en Espagne.

Finalement, je partis au travail. En passant au bureau, je vis que Brian était déjà arrivé. J'avais besoin de lui parler : si quelqu'un pouvait me persuader de ne pas retourner courir de risques chez les Héritiers d'Akasha, c'était bien lui.

— On a le temps de faire un petit tour d'horizon ? hasardai-je.

Un grand sourire éclaira son visage constellé de taches de rousseur.

— Je me demandais quand tu me le demanderais. Tu te traînes depuis des jours comme si tu portais le poids du monde sur tes épaules.

— Et si c'était vrai ? Que dirais-tu si je t'apprenais que la fin du monde est prévue pour décembre 2012 ?

Il me regarda fixement.

— Je dirais que tu travailles trop et que tu devrais prendre des vacances.

— Oui, mais voilà, c'est bien ça le problème. Tout dépend du genre de vacances que je dois choisir.

Nous prîmes la camionnette pour aller à Gander Hill, où Samantha Piper avait emménagé et où la deuxième maison était presque prête pour le grand nettoyage. Nous choisîmes la troisième maison, dont seul le gros œuvre était terminé. Brian étant retenu par une question d'emplacement de prises de courant, je le précédai dans la chambre à coucher dont la fenêtre donnait sur un paysage de fin d'été : champs moissonnés et vergers de Grays Orchard. En partie cachée parmi les arbres, la maison avait un air placide et secret ; j'avais d'ailleurs toujours du mal à considérer cet endroit comme étant vraiment chez moi.

Le pas de Brian résonna dans l'escalier.

— Pardon de t'avoir fait attendre, dit-il. Alors, que se passe-t-il ?

— Tu te souviens de la secte qu'a fondée Raymond Tucker ? Les Héritiers d'Akasha... (Il hocha la tête.) Quelqu'un essaie de me persuader de passer une quinzaine de jours dans leur centre espagnol.

Les sourcils roux de Brian se dressèrent d'indignation.

— J'espère que tu as dit à cet imbécile d'aller se faire pendre !

— Pas exactement. En fait, j'ai déjà passé un week-end dans leur centre de Cornouailles. Les quarante-huit heures les plus bizarres que j'aie jamais vécues.

Il en faut beaucoup pour étonner Brian, mais la possibilité que je puisse devenir une adepte de Ra l'Acolyte le sidéra.

— Mais qu'est-ce que c'est que cette histoire, Carol ?

— C'est un peu compliqué.

— Tu m'étonnes !

Je lui racontai presque tout, laissant de côté les récentes tentatives de Harriet pour entrer en contact avec Gus, surtout parce que je n'avais pas envie que Brian sache de quelle façon il traitait sa pauvre sœur. Mais je lui parlai de Tim et de Katie, de Karnak et des Aspirants. Il m'écoutait avec une surprise croissante.

— Quelle bande de cinglés ! jugea-t-il pour finir. Pas étonnant que ton ami Tim soit dans un sale état.

— Il se sent beaucoup mieux maintenant qu'il a trouvé un membre de la secte qui lui fournit des informations de l'intérieur. Il pense que ça va lui faciliter la tâche pour entrer en contact avec sa mère et son fils. Il y a une place libre dans un stage de deux semaines qui commence vendredi prochain.

— Quel infâme culot ! s'emporta Brian. Comment ose-t-il te demander de courir des risques pour lui ?

— Il m'a promis que ce ne serait pas dangereux. Il prendra une chambre pas loin et nous serons en contact téléphonique tous les jours.

— Alors là, évidemment, c'est le top ! Et tu peux me dire ce qu'il compte faire si ça tourne au vinaigre ?

— Ça n'arrivera pas.

— Qui te le garantit ? Tu m'as raconté les violences dont tu avais été témoin, et ce n'est probablement que la partie visible de l'iceberg. Imaginons qu'ils se mettent en tête que c'est de toi qu'il faut « s'occuper », comme ils disent de façon si pittoresque. Qu'est-ce que Tim va pouvoir faire ? Il va arriver au galop sur son cheval blanc pour te sauver tout seul ? Redescends sur terre, Carol. Comment pourra-t-il t'aider contre une centaine de dingues qui croient que la fin du monde est pour dans dix ans ? Pour lui, pas de problème ! Il ne risquera rien puisqu'il sera dehors. C'est toi qui vas t'exposer.

— Il irait bien lui-même, mais c'est impossible. Ils le connaissent.

— Ça ne regarde que lui, tu n'as rien à voir là-dedans.

— Harriet aussi est concernée. Tu savais que Jenny était dans leur centre espagnol ?

— Pourquoi veux-tu que je sache ce que fiche Jenny ?

— Vous avez passé un peu de temps ensemble au printemps. Je me disais…

Il secoua la tête.

— Carol, ça fait cinq mois. Il n'y a aucune raison pour qu'elle me dise ce qu'elle fait maintenant. Mais je ne pense pas que tu aies besoin de t'inquiéter pour elle. Elle est curieuse, mais elle n'est pas idiote. Il ne lui faudra pas longtemps pour revenir de toutes ces inepties.

— Il ne faudrait pas qu'elle tarde trop. Sa mère est en train de mourir et Tim dit que Jenny doit prononcer son Serment de fidélité en octobre. Il paraît que pendant la cérémonie, on transfère tous ses biens à la secte et qu'on promet totale obéissance.

Brian haussa les épaules.

— Ça n'a pas l'air très marrant mais si tel est son désir, ça la regarde. De toute façon, j'ai eu l'impression qu'elle mourait d'envie de se débarrasser de son statut d'héritière ; elle disait qu'il lui pesait. Finalement, ajouta-il avec un sourire espiègle, je retire ce que j'ai dit, elle est quand même un peu idiote.

Mais je n'étais pas d'humeur à plaisanter.

— Je me fiche qu'elle soit idiote ou pas, ce qui m'inquiète, c'est qu'elle n'est pas bien dans sa tête. Après tout... (Je m'interrompis, me souvenant que le saccage des tableaux devait rester secret, même de Brian.) Cette pauvre fille est exactement le type de paumées qu'ils harponnent. Tu imagines la douleur de Jenny si sa mère mourait avant qu'elles se soient réconciliées ?

Brian eut l'air songeur. Je m'en voulus de mon manque de tact : quand son père avait disparu, emporté par l'alcoolisme, Brian et lui ne s'adressaient pratiquement plus la parole. Je m'apprêtais à lui demander pardon quand il reprit la parole posément.

— Tu sais, tu ne peux pas résoudre les problèmes du monde entier.

— Mais ça ne veut pas dire que je ne peux pas essayer d'aider quelqu'un de temps en temps, si ?

Trop tard, je réalisai que ma conversation avec Brian avait eu l'effet inverse de celui que j'avais escompté. Quand je discutais avec Tim, j'énumérais les raisons qui m'empêchaient d'aller en Espagne. Mais maintenant, face aux objections de Brian, je venais de passer dix minutes à me convaincre que, finalement, il fallait aider Tim.

— Je n'y peux rien, Brian, dis-je. Je ne peux pas rester les bras croisés à ne rien faire.

— Et pourquoi pas, bon sang ? Parfois, il vaut mieux rester en dehors des problèmes des autres. D'ailleurs, tu as déjà fait ce que tu pouvais. Quelle que soit la douleur de ton ami Tim, il n'a pas le droit de t'en demander plus. Promets-moi que tu ne vas pas aller en Espagne. C'est trop dangereux.

— Tu as raison.

Brian sourit, sans se rendre compte que je n'avais rien promis du tout.

14

Je suis folle, pensai-je quand mon avion décolla de Gatwick. Folle à lier, me répétai-je alors que nous montions à travers les nuages. On devrait m'enfermer. Mais malgré tout, cela me faisait du bien de passer à l'action. Quoi qu'il arrive, au moins je ne pourrais pas me reprocher de n'avoir pas fait tout mon possible.

Mon téléphone portable sonna quelques minutes à peine après l'atterrissage à Málaga. C'était Tim, à qui je trouvai une voix tendue.

— Carol, ta voiture de location t'attend près de l'arrêt de bus dehors. Sors par la porte principale et tourne à droite. Je te surveille, mais ne cherche pas à me repérer. Je te suivrai dans une voiture blanche, et je te donnerai des instructions sur la route. Tu ne seras pas seule une minute, je te le promets.

— Merci.

— Bonne chance.

Dès l'instant où je fus assise dans la voiture et où j'eus mis le moteur en marche, toute mon angoisse disparut, tant j'étais heureuse de vivre une aventure. J'avais la ferme intention d'oublier Gus, Grays Orchard et ma vie en Angleterre un moment ; de toute façon, cela me faisait trop mal d'y songer. J'avais dit à Gus que j'allais passer des vacances chez des amis dans le Sud de la France. J'avais presque espéré qu'il me demanderait des explications tant le mensonge était grossier, mais bien entendu il n'en fit rien. C'était ainsi qu'il envisageait nos relations à présent : polies et courtoises, sans ingérence dans les affaires de l'autre. J'avais deux semaines pour glaner des renseignements qui m'aideraient à retrouver notre intimité perdue ; après tout, pourquoi ne pas être optimiste ?

Au-dessus de ma tête, le ciel andalou était d'un bleu intense et il régnait une agréable chaleur d'après-midi d'été. Tout ce qui m'avait effrayée quand j'étais à Sturford, comme voyager seule, conduire à droite, m'habituer à la route dans un pays étranger, me sembla très simple maintenant que j'étais sur place.

Mais il y avait tricherie, puisque je n'étais pas vraiment seule : Tim me suivait dans une Fiat identique à la mienne et prenait contact à intervalles réguliers. Au bout d'un moment, je commençai à regretter que nous n'ayons pas opté pour le silence radio. Même si j'avais une mission à remplir, cela ne voulait pas dire que je ne devais pas profiter de mes vacances. L'insistance de Tim me rappelait de façon fort désagréable qu'il y avait beaucoup plus en jeu pour lui dans ces quinze jours que pour moi.

Biiip. La voix sérieuse de Tim dans l'écouteur :

— Attention, ne va pas trop vite à partir de maintenant, Carol. Nous allons rejoindre l'autoroute dans quelques kilomètres. Guette les panneaux.

— D'accord. C'est fou, tu as vu tous ces immeubles ? Tu te rends compte du paradis pour les entrepreneurs, cette côte ? Brian et moi, on ferait un malheur.

— Ne te déconcentre pas. L'embranchement arrive. Il faut absolument qu'on soit à Tarifa avant la nuit.

— Ne t'inquiète pas, je fais attention.

Je lui pardonnais son attitude parce qu'il avait beaucoup plus gros à perdre que moi.

Nous avions prévu de passer la nuit à Tarifa, tout en bas de l'Espagne, côté sud-ouest, juste après Gibraltar. C'était là que Tim devait rester en planque pendant que je rejoignais la secte dont le centre se trouvait un peu au nord à l'intérieur des terres, à environ huit kilomètres de la Costa de la Luz. Les Héritiers d'Akasha m'avaient proposé de m'envoyer une voiture à l'aéroport pour me chercher, et Tim m'avait conseillé d'accepter pour ne pas éveiller leurs soupçons, mais je leur avais dit que je préférais venir par mes propres moyens. Ils avaient manifestement trouvé cela curieux, mais je n'avais aucune intention de me retrouver coincée dans leur quartier général sans moyen de fuite. Je nourrissais d'ailleurs le secret espoir de faire évader Jenny, Katie et Davy à la faveur de la nuit dans ma voiture.

Une fois que j'eus convaincu Tim que j'avais vraiment besoin d'un moyen de locomotion, nous décidâmes que le mieux serait de téléphoner à la secte le soir venu pour annoncer que j'avais pris du retard et que j'avais décidé de faire une étape à Tarifa. De cette façon, Tim et moi aurions le temps de reconnaître un ou deux points de rencontre discrets. Nous trouverions peut-être même un endroit propice où attirer Katie pour qu'elle et Tim puissent enfin se parler.

Avec tout cela, je me sentais plus optimiste que je ne l'avais été depuis des semaines. Mais de toute évidence, ma joyeuse humeur irritait Tim. Sans doute mon insouciance l'inquiétait-elle, et je fis donc de mon mieux pour m'adresser à lui d'une voix mesurée.

Après avoir longé une côte qui ressemblait à un immense chantier de construction, nous laissâmes Gibraltar sur notre gauche. C'était un énorme complexe industriel avec des docks gigantesques et pas le moindre singe en vue. De l'autre côté du détroit, on distinguait la ligne d'horizon violette de l'Afrique du Nord.

— Regarde au moins ça ! m'exclamai-je dès que Tim me rappela. Je ne me rendais pas compte que le Maroc était aussi proche ! Et tu as vu comme c'est montagneux ?

— Évidemment, c'est la chaîne du Rif !

— Comme c'est beau ! Je ne m'attendais pas à ça !

— Nous devrions arriver à Tarifa d'ici une vingtaine de minutes, se contenta-t-il de répondre.

Mon émerveillement allait croissant. Les montagnes du Maroc se coloraient d'une mystérieuse ombre violette dans la lumière du soir. La route se mit à monter ; soudain surgirent sur toutes les pentes de grosses éoliennes, une armée entière montant la garde sur les versants arides, jusqu'à la mer.

À Tarifa, Tim nous avait réservé des chambres dans des hôtels différents.

— Tourne à gauche ici. (Il continuait à me donner des instructions par portable interposé.) Le tien est en haut de la côte, sur la gauche. Il y a des places de stationnement juste devant.

Alors que je me garais le long du trottoir, Tim me dépassa lentement, sans un regard. Il avait l'air exténué, comme s'il avait très peu dormi depuis son arrivée.

Je signai le registre et le réceptionniste me montra ma chambre. Elle était peinte dans des tons criards, et il y avait aux murs de mauvais tableaux de femmes en robe de flamenco. J'ouvris les rideaux. Dehors il y avait un château, teinté de bronze par les ultimes rayons du soleil, un port, et, au-delà de la mer, la ligne couleur de mûre des montagnes marocaines.

Je regrettai que nous n'ayons pas prévu de passer deux nuits à Tarifa. Je pêchai le numéro des Héritiers d'Akasha dans mon sac et appelai leur centre.

Une voix féminine répondit.

— Allô ? El Cortijo Tartessus.

— Bonjour, Carol Brewster à l'appareil. Je devais arriver aujourd'hui, mais le trajet de l'aéroport m'a pris beaucoup plus de temps que prévu. Je vais passer la nuit à l'hôtel.

— Quel dommage. Où es-tu ?

— Dans une ville qui s'appelle Tarifa.

— C'est à moins de quarante minutes. Tu es sûre que tu ne préfères pas venir directement ? Cela aurait été bien plus simple si tu avais profité de la voiture que nous avons envoyée à l'aéroport pour prendre les autres.

— Oui, mais c'est trop tard, maintenant. De toute façon, la ville a l'air intéressante. J'ai envie d'y faire un petit tour demain matin, mais j'arriverai pour midi.

— Cela te fera manquer la conférence du matin... Enfin, tu fais comme tu préfères.

Sa voix était nettement plus sèche à la fin de la communication. Ces pauvres Héritiers d'Akasha ne voyaient pas l'intérêt de faire du tourisme alors qu'il fallait se préparer à la fin du monde.

Je me penchai à la fenêtre, me délectant du riche concert de bruits qui montait de la rue, fascinée par la vue des dômes, des cheminées et des palmiers, ainsi que par la magie des violets et des ors du soleil couchant. La veille, l'artificielle bonne humeur de ma dernière soirée avec Gus m'avait mise au supplice ; le lendemain, j'allais devoir me mettre dans la peau d'une Aspirante convaincue ; alors, en cet instant, j'avais l'impression de vivre mes dernières heures de liberté, le seul moment de vraies vacances des deux semaines à venir. J'avais bien l'intention d'en profiter.

Tim avait mis à profit les deux jours qu'il venait de passer à Tarifa pour repérer un restaurant où nous pourrions dîner discrètement : il se trouvait au bout d'une ruelle étroite, un peu à l'écart du centre-ville. En arrivant, je découvris avec joie qu'une dizaine de tables étaient sorties en terrasse, où quelques clients dînaient déjà. J'aurais trouvé tellement extraordinaire de m'asseoir dehors, avec seulement une veste légère sur le dos en plein mois d'octobre, que je n'aurais pas hésité à y prendre place si Tim n'avait voulu à tout prix que nous allions à l'intérieur.

— C'est trop risqué de se mettre dehors, expliqua-t-il alors que nous prenions place à une table à l'arrière du restaurant, près de la porte de la cuisine. Quelqu'un du centre pourrait nous voir. Inutile de t'exposer au moindre danger.

Je jetai un coup d'œil autour de moi, puis, bien décidée à profiter de mon unique soirée de liberté, je ne m'intéressai plus qu'au menu. Tim avait commandé une bouteille de rouge. Le vin était rond et généreux, et une fois que j'en eus bu deux verres, ce qui ne me prit pas longtemps, je me sentis beaucoup mieux. Tim avait à peine touché au sien. Il portait une chemise blanche fraîchement repassée ainsi qu'une veste en toile, ses cheveux étaient rigoureusement peignés, mais il avait les yeux cernés et je regrettai de ne pas mieux savoir comment l'aider à se détendre.

— Doucement, Carol, intervint-il en observant mon visage très certainement haut en couleur. Il faut que tu gardes les idées claires.

— Oui, mais pas avant demain. Ce soir tu n'as qu'à avoir les idées claires pour deux. (Je me versai encore un verre.) Commandons une deuxième bouteille.

Il s'appuya à son dossier et me considéra pensivement. Une veine battait juste sous son œil gauche.

— Ne les sous-estime pas, Carol.

— Qui ?

— Eux. Les Héritiers d'Akasha. La secte – il fit une pause puis ajouta : Nos ennemis.

— Oh, ne t'en fais pas pour ça. Je les connais.

— En es-tu bien sûre ? Ce qui est arrivé en Cornouailles, c'était de la rigolade. Nous ne savons ni toi ni moi ce dont ils sont réellement capables.

Je bus une nouvelle lampée de vin et jetai un regard appuyé à la bouteille vide.

— Eh bien, je verrai ça très bientôt. Je n'ai pas l'intention de m'inquiéter ce soir.

Il se pencha soudain vers moi et couvrit ma main avec la sienne, la serrant fort. Ses yeux bleus ne quittaient pas mon visage.

— Carol, ça ne me plaît pas. Je ne peux pas te laisser y aller.

Je le dévisageai avec ahurissement.

— C'est trop bête ! Tu viens de passer un mois à me forcer la main, tu ne vas pas faire machine arrière maintenant.

Il ne m'avait toujours pas lâchée. Cela ne me gênait pas : il avait la main agréable, chaude et sèche, et il me touchait juste comme il fallait. Il s'était si bien pomponné pour la soirée que je devais me retenir de lui passer la main dans les cheveux pour le décoiffer un peu.

— Je parle sérieusement, insista-t-il d'une voix sourde. S'il t'arrivait quelque chose, je ne me le pardonnerais jamais.

— Ce n'est pas grave, parce qu'il ne m'arrivera rien. Ces dingues vont me prendre pour une Aspirante ordinaire. Et si les choses tournent mal, j'ai mon portable et ma voiture. Ne t'en fais pas, nous avons tout prévu.

— Je l'espère !

À mon grand regret, il me lâcha la main quand le serveur arriva. Il apportait une assiette de tapas et prit notre commande. Comme je ne me décidais pas entre le poulpe et les aubergines, je finis par demander un peu de chaque plat ; Tim, quant à lui, reposa le menu en soupirant et déclara qu'il prendrait une omelette. Le serveur disparut dans la cuisine.

— Ne t'en fais pas pour moi, Tim. Tu ne sais pas à quel point je suis têtue, et je peux t'assurer que je ne suis pas venue pour me dégonfler au dernier moment.

Il ne se laissa pas rassurer si facilement.

— Bon, mais si tu veux changer d'avis…

— J'y vais quoi qu'il arrive.

— D'accord, mais tu dois me promettre que tu partiras à la moindre alerte.

— Mais bien sûr, je ne suis pas suicidaire.

Je me servis de tapas, réalisant soudain qu'il s'était écoulé un bon laps de temps depuis ma dînette de poupée dans l'avion. Tim m'observait, toujours sombre. Finalement, son angoisse devait être communicative, car je relançai la conversation sur le même sujet.

— Qu'est-ce qui te préoccupe comme ça ? C'est ton agent double ?

— Non, au contraire, mon contact a réussi à regarder ton dossier. La sécurité avait mis un point d'interrogation devant ton nom pendant que tu étais en Cornouailles, mais il a été effacé, ce qui doit vouloir dire qu'ils ont décidé de te faire confiance.

— Parfait. Je pourrais peut-être savoir qui est ton espion, au cas où.

— Ça ne sert à rien. La personne à été retransférée en Cornouailles il y a quelques jours.

— Oh ! Non ! Alors je vais être toute seule... (Je fouillai son regard.) Quand as-tu appris son départ ?

— Hier. Je sais, j'aurais dû t'avertir...

— Oui, répondis-je froidement. Il fallait me le dire.

— Tu peux encore renoncer, si tu préfères. C'est si risqué... Tu les as vus à l'œuvre deux fois, donc tu sais qu'ils ne reculent devant rien.

— Tu es bien sûr qu'il n'y a rien d'autre ?

— J'ai comme un pressentiment. Peut-être que c'est le pays. Je ne me plais pas ici. En Angleterre, je sais comment le système fonctionne. Ici, c'est différent. J'ai découvert ce matin qu'il y a au moins trois sortes de police différentes. Comment savoir à qui faire appel en cas de besoin ?

— Il n'y a plus qu'à s'arranger pour que mon séjour se passe bien, alors !

— Ah ! Si seulement je savais l'espagnol ! Je pensais qu'ils auraient tous appris l'anglais, depuis le temps, mais il n'en est rien.

— Et c'est tout ? demandai-je avec un sourire.

Il me fusilla du regard.

— Oui, bon sang ! C'est tout ! Je tiens à toi, Carol !

— Ah...

Je cherchai une réponse légère, même ironique, mais les mots s'étranglèrent dans ma gorge. Sa sincérité ne faisait aucun doute.

— Mais non, commençai-je sans conviction, il ne faut pas...

Il m'interrompit.

— Je sais que je t'ai forcé la main pour te faire venir, mais je le regrette. Quand j'étais en Angleterre, j'étais tellement à bout de ressource que j'aurais sacrifié n'importe qui. Maintenant que tu es là, je me rends compte que je n'avais pas le droit de t'entraîner dans cette histoire. Ce n'est pas bien de te demander de courir des risques pour moi. Il va falloir que je trouve un autre moyen.

— Arrête de te torturer. Personne ne m'a forcée à venir, et je n'ai aucune intention de repartir maintenant. Souviens-toi qu'il n'y a pas que Davy. J'avais aussi mes raisons personnelles.

— Oui, mais…

— Écoute, même si ta mère arrivait maintenant dans ce restaurant avec Davy et disait qu'ils ont quitté la secte pour de bon, j'irais quand même.

— À cause de la nièce de ton mari ? Tu te mettrais en danger pour elle ?

— C'est un peu plus égoïste de ma part. Je ne peux pas t'expliquer, parce que je ne comprends pas bien moi-même, mais Jenny a déclenché une crise quand elle est arrivée chez nous au printemps. Depuis, rien ne va plus entre moi et Gus. Je crois qu'il le regrette, moi, ça me désole, mais nous n'arrivons plus à nous comprendre.

— Et alors ? Quel rapport avec la secte ?

— Peut-être aucun. Mais je pense qu'il y a un lien. Cela remonte au temps où ils vivaient tous à Grays.

— Ton mari en dit quoi ?

— Il refuse d'en parler. Peut-être que quelqu'un d'autre pourra m'éclairer. Trois membres du groupe qu'ils formaient à l'époque vivent ici, dans ce centre. J'espère que l'un d'entre eux m'apprendra quelque chose. Je ne suis pas prête à me dire que tout est fini entre Gus et moi.

— Fini ? C'est vraiment si grave ?

La gorge nouée, je hochai la tête.

— Ça ne pourrait pas être pire, lâchai-je d'une voix étouffée.

— Désolé.

— Merci, répondis-je en haussant les épaules.

— Tu veux me raconter ce qui s'est passé ?

Sa question était si formelle, ressemblait tellement à l'intervention d'un psychothérapeute zélé, que, sans le vouloir, j'éclatai de rire. Tim devint tout rouge et, comprenant que je l'avais vexé, je m'empressai d'essayer de me rattraper.

— C'est très gentil, Tim, merci, mais je n'ai aucune envie de parler de mon mari pour l'instant.

Dès que j'eus terminé ma phrase, voyant sa réaction surprise, je me rendis compte qu'une fois encore il y avait place pour le malentendu. J'ajoutai donc très vite :

— J'ai plutôt envie de me détendre un peu. Après tout, ces quelques heures sont les seules vraies vacances que je vais avoir. Demain, je redeviens Aspirante, et je devrai être sur mes gardes en permanence. Ce soir, j'ai envie de ne plus penser à tout ça.

— Je comprends, dit-il avec un sourire. Ce n'est pas le moment de faire ma poule mouillée, alors.

— Surtout avec un beau temps sec comme ce soir.

— Tu as raison. C'est trop bête. Profitons-en. Garçon, une autre bouteille de vin !

Le reste de la soirée se déroula sans accroc. Tim avait de la conversation et m'amusa. Il mentionna à peine Davy et sa mère, ce qui, quand on songeait qu'il n'avait pensé à rien d'autre depuis des semaines, dut lui demander un effort considérable. Il me parla de son travail dans une compagnie financière et de sa vraie passion, qui était la marche à pied. En l'entendant parler de ses randonnées, je compris qu'il s'agissait d'une activité qui s'apparentait plus à la haute montagne qu'à la simple promenade. Il me posa aussi des questions. Je me laissai aller aux confidences, lui parlant de ma mère, du rôle que j'avais dû jouer auprès de mon père quand elle était partie, et de mes projets de carrière abandonnés pour rester auprès de lui.

Tim m'observait pensivement.

— Gus Ridley doit être pas mal plus âgé que toi, observa-t-il.

— Il a quinze ans de plus. Et je devine ce que tu es en train de penser. Oui, mon père est mort l'année d'avant ma rencontre avec Gus, et j'ai sans doute été attirée par une certaine image paternelle… du moins, c'est ce que tout le monde pense. Qui sait ? Les gens ont peut-être raison. Ce n'est pas un si mauvais motif de mariage.

Tim fronça les sourcils.

— Je ne faisais pas allusion à ça. Je me demandais si en l'épousant tu n'avais pas cherché à changer de vie, à t'échapper de ton milieu.

Je ne répondis pas tout de suite. Il avait raison, bien sûr, même si au fil des ans je m'étais arrangée pour oublier certains détails. Grays Orchard était encore à vendre quand Gus m'avait demandée en mariage. Nous avions prévu de passer du temps à New York ou à Rome, ou ailleurs, selon nos envies, et d'attendre un peu avant de décider où nous installer. Et puis, juste avant la cérémonie, Gus m'avait demandé si cela m'ennuierait beaucoup de rester à Grays encore quelque temps. L'influence bénéfique de la maison se faisait de nouveau sentir sur sa peinture, et il n'avait pas produit d'aussi bon travail depuis des années. Bien entendu, j'avais accepté. Six ans s'étaient écoulés depuis.

Ce soir-là, au restaurant avec Tim, regonflée par la perspective de ces deux semaines d'imprévu, je me demandai si ce n'était pas tout bêtement une forte soif de changement qui m'avait décidée à aller en Espagne.

À la fin du dîner, quand il fut temps de rentrer à nos hôtels respectifs, je regrettai à moitié que nous soyons obligés de quitter le restaurant séparément, et de partir dans des directions opposées. C'était une conclusion un peu frustrante à une soirée presque parfaite.

15

Quand j'arrivai à El Cortijo Tartessus vers midi le lendemain, ma gueule de bois s'était presque dissipée. Je n'eus aucun mal à trouver le centre car il n'y avait pas d'autres propriétés à des kilomètres à la ronde. Un haut portail en fer forgé marquait l'entrée. Chacun des deux piliers était surmonté d'une statue de pierre représentant un personnage à l'allure belliqueuse, vêtu d'une peau de lion et portant une massue. J'avais suffisamment assimilé le folklore de la secte pour me douter qu'il s'agissait d'Hercule, par référence au nom antique du rocher de Gibraltar qui était « les Colonnes d'Hercule », au-delà desquelles s'était étendue la légendaire civilisation de l'Atlantide. Sans doute était-ce là une façon d'indiquer qu'on entrait en territoire sacré. Plus moderne était la caméra de surveillance fixée sous le pied de l'Hercule de gauche.

En descendant de voiture pour appuyer sur la sonnette, je remarquai que le portail était décoré d'un motif complexe d'oiseaux et de poissons, qui rappelait l'horloge akashique que j'avais vue en Cornouailles. Une voix me demanda mon nom, puis les grilles s'ouvrirent en pivotant devant moi, et j'entrai avec la voiture dans le domaine. De chaque côté du portail s'étendait une haute clôture qui suivait les ondulations de terrain à perte de vue. Tim avait dit que la sécurité était moins stricte ici qu'en Cornouailles, mais cette clôture était digne d'un camp de prisonniers. À quoi servait-elle ? À empêcher les indésirables d'entrer ? Ou à obliger les Aspirants et les Pèlerins récalcitrants à rester à l'intérieur ?

Je roulai sur une voie étroite pendant environ huit cents mètres avant d'apercevoir les premiers bâtiments. La nature était sèche et brune après le long été andalou ; au loin, entre deux collines râpées, apparaissait une petite bande de mer iridescente et, dans le bleu pur du ciel, presque au-dessus de moi, trois ou quatre oiseaux énormes décrivaient des cercles lents. Leurs grandes ailes déployées me firent penser à des aigles.

Si la maison que je voyais était le bâtiment principal, elle était plus petite que ce à quoi je m'étais attendue, plutôt de la taille d'une pension de famille que d'un hôtel. Puis je remarquai plusieurs bâtiments plus petits disséminés sur un versant de la colline parmi les arbres, desservis par un sentier tortueux. Mis à part un vieil âne qui somnolait à l'ombre d'un prunier, il n'y avait aucun signe de vie.

Je me garai et entrai. Le hall d'accueil, frais et spacieux, était carrelé de tomettes rouges et son large escalier menait à une galerie au premier, sur laquelle s'ouvrait une série de portes. Cela me rappela soudain Grays Orchard et l'épisode de la rampe le jour de ma rencontre avec Gus. Me ressaisissant, j'approchai du comptoir de la réception, derrière lequel une jeune femme étudiait un écran d'ordinateur.

Elle releva la tête.

— Carol Brewster ? Nous t'attendions.

Âgée d'une vingtaine d'années, elle était grande et massive, avec les cheveux tirés en arrière et un visage impassible. Elle me dévisageait d'un œil réprobateur.

— Tu as manqué la Conférence préliminaire de ton groupe. Il ne reste plus que dix minutes avant la fin. Il faudra que tu demandes aux autres de te mettre au courant. C'est vraiment dommage que tu ne te sois pas arrangée pour prendre avec les autres la voiture que nous avions envoyée à l'aéroport.

— Je n'étais pas sur le même vol. Je peux laisser ma voiture devant ?

— Pourquoi pas, répondit-elle lentement. Nous pouvons la rendre à l'agence de location pour toi, si tu veux. Tu n'auras pas le temps de t'en servir et ça te fera des économies.

— Non, merci. J'aurai peut-être envie d'aller visiter un peu la région.

Le regard qu'elle me jeta me donna l'impression d'avoir suggéré une activité obscène. Elle secoua la tête.

— Tu vas voir, les journées sont très pleines.

— Tant mieux. (Il était temps de me couler dans mon rôle de gentille fille.) J'ai hâte de commencer !

Elle soupira.

— Bien, je vais te montrer ta villa. Je m'appelle Intara, à propos. Tu loges dans Hespérides deux. Le déjeuner sera servi sur la terrasse à treize heures trente.

Elle jeta un coup d'œil au petit écran de contrôle fixé sur le mur au-dessus d'elle, qui montrait une image neigeuse du portail d'entrée, puis, avec un nouveau soupir, elle sortit de derrière le comptoir. Sans proposer de m'aider à porter mes bagages, elle me précéda dehors, puis me fit suivre un long sentier qui faisait le tour du bâtiment. Nous passâmes devant les cuisines, et des bruits de casseroles et de rires, ainsi qu'une délicieuse odeur d'herbes aromatiques en train de cuire, flottèrent jusqu'à moi dans l'air chaud. Un peu plus loin, sur une terrasse ombragée par une tonnelle de vigne grimpante, deux jeunes gens portant des caleçons de bain informes mettaient le couvert sur de longues tables à tréteaux.

Je m'essayai à l'enthousiasme.

— Déjeuner dehors en plein mois d'octobre, quel plaisir !

— Il fait trop chaud en été, rétorqua-t-elle.

Nous continuâmes en silence, puis elle me lança un regard timide.

— Si ça t'intéresse, regarde ton emploi du temps quand tu l'auras, c'est moi qui fais la conférence de jeudi soir.

— Ah, oui ?

J'eus du mal à me concentrer sur ce qu'elle disait car je venais d'apercevoir une équipe en plein travail dans un grand potager à notre droite. L'une des jardinières, même à cette distance, ressemblait énormément à Jenny Sayer.

— De quoi vas-tu parler ? m'enquis-je poliment.

— Du *Livre de Thot.*

Je lui jetai un rapide coup d'œil pour voir si elle ne se fichait pas de moi, mais elle était tout ce qu'il y a de plus sérieuse.

— Je n'en ai jamais entendu parler, avouai-je.

— Ça ne m'étonne pas, soupira-t-elle, comme si mon ignorance était symptomatique de tous les maux de la société moderne. Les gens ne comprennent pas la portée de cet ouvrage.

— Je peux le lire ?

— Non, il a disparu depuis plus de mille cinq cents ans. Mais énormément de textes anciens y font référence. Je viens de passer six ans à retrouver des indices de son existence et à reconstituer les parties manquantes en me connectant à la sphère astrale. Je crois que j'ai à peu près tout maintenant. Mon travail constitue la preuve la plus éclatante que nous ayons de l'existence de l'Atlantide.

— Génial ! m'exclamai-je, ne l'écoutant presque plus.

Le comportement de la fille que j'avais remarquée me rappelait Jenny de façon frappante : elle se disputait comme une chiffonnière avec une femme d'un certain âge qui portait une salopette de coton blanc et un immense chapeau de paille.

— Ce ne serait pas Jenny Sayer, par hasard ?

Intara suivit mon regard, puis prit un air pincé.

— Oui, tu la connais ? Elle croit qu'on va lui laisser prononcer le Serment de fidélité à la fin du mois, mais, très franchement, elle est loin d'être prête.

Comme pour lui donner raison, Jenny jeta sa fourche par terre et partit du potager d'un pas furieux, disparaissant derrière un muret de pierre.

— Que se passera-t-il si elle n'est pas prête ? La cérémonie sera repoussée ?

— Ce n'est pas moi qui décide. Nous y voilà. Nous sommes aux Hespérides.

Nous étions arrivées devant un groupe de trois bungalows de pierre, chacun comprenant une véranda ombragée et une terrasse ouverte au soleil. Nous eûmes juste le temps de voir Jenny, en short sale et en T-shirt, grimper les marches et entrer dans l'un des deux autres pavillons.

Voyant là une occasion d'entrer en contact avec Jenny à l'abri des regards indiscrets de la sécurité, je fis tout pour semer mon guide. Je lui promis de ne pas manquer sa conférence sur le *Livre de Thot*, puis je fis semblant de souffrir du syndrome du pain aux algues. En l'occurrence, j'accusai le plateau-repas de l'avion. Intara poussa un nouveau soupir excédé, comme si l'incident avait été prévisible, et retourna de son pas lourd au bâtiment principal.

— Jenny ? Tu es seule ?

— Merde ! Qu'est-ce que tu fiches ici ?

— Comme toi, sans doute.

Elle était assise au bord d'un des six lits de sa chambre. En entrant après avoir frappé à la porte ouverte, j'avais surpris une expression totalement dégoûtée sur son visage. Mon arrivée n'eut pas l'air de lui remonter le moral ; au contraire, elle sembla encore plus contrariée.

— Tu es arrivée avec la nouvelle fournée d'Aspirants ?

— Je suis ici pour la retraite de deux semaines. Je devrais être là depuis hier, mais j'ai mis un temps fou à venir de l'aéroport, alors j'ai passé la nuit à Tarifa.

— Ah bon. (Elle se laissa tomber en arrière sur son lit, croisant les bras derrière sa tête. Elle était bronzée et semblait en grande forme physique, mais elle avait les yeux très cernés et n'avait pas l'air plus heureuse qu'au printemps.) Alors ? demanda-t-elle. Qu'est-ce que tu en penses ?

— Je ne peux pas encore me prononcer, je viens juste d'arriver.

Elle fronça les sourcils.

— Je n'aurais jamais cru que c'était ton genre de truc.

— Je voulais me rendre compte par moi-même. C'est comment ?

— Putain, quelle question ! jeta-t-elle en détournant la tête. Tu verras bien.

— Et toi ? Tu as trouvé ce que tu cherchais ?

Elle tourna de nouveau les yeux vers moi, me fusillant du regard.

— Qu'est-ce qui te fait croire que je cherchais quelque chose ?

— Ce n'est pas pour ça qu'on vient ici ?

Elle ne répondit pas. Je me dis qu'elle craignait que je ne fasse allusion à la destruction des peintures de Gus.

— Écoute, Jenny, je ne suis pas venue pour parler de ce qui s'est passé à Grays.

— Comme tu voudras. (Elle me contempla quelques secondes, puis continua d'une voix rauque.) C'est quelqu'un qui t'envoie ?

— Que veux-tu dire ?

— C'est ma mère qui t'a demandé de venir ?

— Je n'ai jamais parlé à ta mère de ma vie.

— Ou Gus, alors ?

— Il ne sait même pas que je suis ici.

Elle sourit pour la première fois, mais d'un sourire plein d'aigreur.

— Alors vous vous êtes séparés ? Tu l'as quitté ?

— Pas du tout. J'avais juste envie de partir un peu toute seule, pour voir comment c'était ici.

— Je te souhaite bien de la chance.

— Qu'est-ce que tu veux dire ?

Son visage reprit son pli boudeur.

— Tu as tout le temps de te rendre compte.

— D'accord. (J'hésitai, puis me lançai.) Je voulais juste te dire que pendant que nous sommes ici, nous avons toutes les deux le droit d'oublier notre passé. Je me suis inscrite sous mon nom de jeune fille : Brewster. Personne ne sait que je suis la femme de Gus Ridley et je ne veux pas que ça se sache. Après tout, lui et Ra étaient amis dans le temps, et je ne voudrais pas qu'on croie que je m'attends à un traitement de faveur.

— Ne t'en fais pas. Je ne dirai rien.

— Merci. Je ferais mieux d'aller défaire mes valises.

— D'accord.

Je retournai à la porte, mais juste au moment où j'allais sortir, elle me demanda :

— Gus peint beaucoup, en ce moment ?

Je stoppai net puis lui fis lentement face. S'agissait-il d'une provocation ? Furieuse, je répondis froidement :

— Il n'a plus peint pendant un certain temps, mais il s'y est remis !

Elle soutint mon regard sans flancher.

— Tu es sûre que ce n'est pas Gus qui t'envoie ?

— Tout à fait certaine. Il ne m'aurait jamais laissée venir.

— C'est ce que tu dis, grommela-t-elle, puis elle roula sur elle-même, se tournant vers le mur.

Je ne la revis pas avant le soir ; entre-temps on m'avait fait visiter le domaine – du moins en partie, car il était si immense qu'on devait se servir de voiturettes de golf pour se rendre dans ses parties les plus reculées. J'avais aussi fait la connaissance de mes compagnons de retraite qui étaient, comme je m'y étais attendue, un drôle de mélange. J'avais déjà rencontré un ou deux d'entre eux au cours de mon week-end en Cornouailles, et nous nous retrouvâmes avec le plaisir de vieux amis. Le taux de paumés était plus bas que la dernière fois, et j'eus une pensée émue pour les pauvres malheureux qui avaient déjà été rejetés. Cela n'empêchait pas la présence dans notre groupe de quelques individus qui, en temps normal, auraient activé mon radar à misère humaine si le mécanisme n'avait pas été faussé par la bonne humeur de rigueur. Et puis les Aspirants niveau trois – mon échelon à présent – espéraient de grandes choses de la quinzaine à venir.

Bien que ne figurant pas à l'emploi du temps, l'exploration sexuelle semblait aussi essentielle aux réjouissances que l'évolution spirituelle. Déjà, une sorte d'avorton grisonnant à queue-de-cheval en ficelle avait jeté son dévolu sur une quadragénaire rondelette répondant au nom de Marcia, et les deux responsables de stage avaient mis sans vergogne le grappin sur les deux jeunes femmes célibataires. Quant à Herman, le garçon qui m'avait collé aux basques pendant l'Évaluation de compatibilité, et qui semblait croire que nous étions pratiquement mariés, il fut dragué pendant notre premier déjeuner sous la tonnelle par une femme qui s'appelait Pam. Elle l'inspecta des pieds à la tête d'un œil approbateur et lui demanda s'il voulait bien l'aider à réparer les volets de la maison longue des femmes Pèlerins. Il accepta avec joie et la suivit à travers les arbres, ne reparaissant que pour le repas du soir, l'air détendu et extrêmement satisfait.

En typique commère de Sturford, ma première réaction fut la désapprobation. Tous les clichés que j'avais entendus sur les sectes et l'exploitation sexuelle des femmes faisaient plus que se confirmer, mais à cela se mêlait un autre sentiment, un peu trop proche de l'envie pour me plaire. D'abord, ils étaient tous très à l'aise et ne songeaient pas à se cacher. Comment faire autrement, d'ailleurs, puisque tout le monde, mis à part le Cercle interne, vivait soit dans des maisons longues, soit dans les dortoirs des villas, et qu'il n'y avait pas de chambres privées où s'isoler. Les adeptes faisaient donc l'amour où et quand l'occasion se présentait. Ce premier après-midi, au cours de la visite du domaine, je fus très surprise, en passant près du Potager lunaire où Jenny avait travaillé le matin, d'entendre des grognements et des halètements de l'autre côté d'une haute haie de conifères ; je fus encore plus étonnée que mon guide se contente de sourire en remarquant gaiement :

— Nous ferions mieux de revenir voir la terrasse de Solon un peu plus tard.

Au cours de la visite, je me rendis compte qu'on ne me montrait qu'une petite partie des installations, exactement comme en Cornouailles, où je n'avais vu ni la Maison neuve ni la ferme. Cette fois, je n'eus droit qu'au bâtiment administratif où se trouvait la réception, nommé Lyonesse, et aux quelques villas, maisons longues et ateliers à proximité. Il y avait un autre groupe de maisons à environ huit cents mètres, qui, me dit-on, était un périmètre protégé et interdit aux Aspirants. Et quand je demandai ce qu'il y avait derrière les énormes portes de hangar d'aviation qui semblaient mener à l'intérieur de la colline, mon guide m'indiqua d'un ton sans réplique qu'il s'agissait d'installations top secrètes et que seules quelques rares personnes triées sur le volet avaient le droit d'y pénétrer.

— C'est notre département des Sciences et des Techniques, expliqua-t-il. Il n'y a que le Cercle interne et les Prêtres de la science qui peuvent y aller.

— Les Prêtres de la science ?

— C'est ça, confirma-t-il d'un ton pénétré. (C'était un Scandinave très doux, avec d'énormes biceps et des lunettes à monture fine.) Tu vois, la culture occidentale classique, dans le monde corrompu du dehors, a fait l'erreur de vouloir séparer la science du divin. Nous croyons que la science n'est qu'une manifestation de l'ordre divin, et donc qu'il est essentiel que les scientifiques soient également des personnes ayant atteint un haut degré spirituel. En plus de l'expérimentation pratique, ces gens-là doivent avoir des perceptions extrasensorielles hyperdéveloppées pour se mettre en phase avec les harmonies de l'univers. C'est la seule façon de progresser. (Il me lança un sourire enthousiaste.) On fait vraiment de grandes percées scientifiques, derrière ces portes, tu peux me croire.

Je fus surprise de constater avec quelle facilité je replongeais dans les mêmes conversations, les mêmes préoccupations qui avaient dominé mon week-end d'initiation en Cornouailles. Ici, je retrouvais les mêmes discours interminables sur le Livre akashique, les perceptions extrasensorielles, et l'aveuglement terrible de la race humaine qui courait tête baissée vers l'apocalypse de la Submersion de vérité. Après un petit temps d'adaptation, tout cela ne m'étonna même plus. Je me souvins de ma traversée de Hyde Park et des gens ordinaires que j'y avais vus, pratiquant des activités normales de dimanche soir, faisant du roller ou mangeant des glaces. Vus à travers les verres déformants de Tartessus, ils me semblaient très lointains, très naïfs.

Après le dîner, alors que je me rendais à une conférence intitulée *Comment canaliser son ange personnel*, qui semblait un sujet tout indiqué pour un Aspirant niveau trois, une voix familière retentit derrière moi.

— Carol ! Tu ne fais rien ?

C'était Jenny. Elle avait troqué son vieux short et son T-shirt contre une robe en coton à fleurs, et elle s'était brossé les cheveux. Encore plus étonnant, son habituel air revêche avait laissé place à un sourire amical.

— J'allais à la conférence sur la canalisation, expliquai-je.

— Ah… Si ça te dit, vas-y… Mais ma copine propose de te lire les runes. Tu as envie d'essayer ?

Je n'avais aucune idée de ce qu'étaient les runes, mais je m'empressai d'accepter.

— Oui, d'accord, cela me paraît intéressant.

Ravie, Jenny m'attrapa le bras.

— C'est Elaine. Je suis sûre que tu te souviens d'elle, tu l'as rencontrée au Château de l'Atlantique. On est dans la même chambre, à Hespé un. On devrait être tranquilles pendant au moins une heure. Je me suis dit que ça pourrait te plaire d'essayer.

La température avait radicalement chuté dès que le soleil avait disparu dans la mer, au loin, et, malgré mon pull, le froid me transperça sur le chemin qui ramenait aux Hespérides. À l'intérieur, il ne faisait pas beaucoup plus chaud. Là, nous trouvâmes Elaine assise en tailleur sur un des lits. Son visage rond s'illumina quand j'entrai dans la pièce.

— Carol ! Salut !

Je souris. Comment aurais-je pu m'attendre à un autre accueil ? Je lui rendis la politesse.

— Elaine ! Salut ! Je suis bien contente de te revoir. Tu as enfin réussi à venir retrouver ton copain ?

Elle fit la grimace.

— Oui, sauf qu'on n'est plus ensemble, le salaud m'a trompée. Enfin, c'est pas grave, on a pu discuter. Il paraît que je l'ai fait cocu dans une vie antérieure, alors maintenant on est quittes. Mais je suis hypercontente, parce que je prononce mon Serment de fidélité à la fin du mois.

Je jetai un coup d'œil prudent à Jenny.

— Et à quoi t'engage exactement ce Serment de fidélité ?

— On ne va pas discuter de ça maintenant, s'impatienta Jenny. On a juste le temps d'interroger l'oracle avant que les autres reviennent de Lyonesse si on commence tout de suite. Tu es prête, Elaine ?

— Oui. J'ai les runes.

— Je dois faire quoi ? demandai-je.

— Rien, répondit Elaine. Installe-toi bien en face de moi. Tu peux te mettre en position du lotus si tu veux, mais en tailleur ça suffit. Bon, prends le sac de runes dans tes mains et colle-le contre ta poitrine. Ferme les yeux. Respire à fond. Essaie de te vider l'esprit... Parfait !

Quand je rouvris les yeux, Jenny avait éteint la lumière et allumé une bougie qu'elle avait placée sur le rebord de la fenêtre, si bien que sa flamme délicate se reflétait dans la vitre. À part cette lueur, la pièce était plongée dans l'obscurité. Jenny s'installa en position du lotus sur le lit d'à côté et nous observa avec un petit sourire satisfait.

Un frisson dans le dos m'avertit qu'elles me menaient en bateau.

Elaine me reprit le sac de runes avec un respect exagéré et en desserra le cordon. Elle jeta son contenu sur la couverture blanche entre nous. Je n'avais jamais vu de runes : c'était une sorte de croisement entre des petits galets et des dés, sauf que chaque pierre portait des signes cabalistiques. Elaine ramena une mèche de cheveux raides derrière ses oreilles et observa les runes pensivement.

— C'est affreux, souffla-t-elle. Je suis désolée, Carol, ça n'est pas bon du tout.

— Qu'est-ce qu'il y a ? s'exclama Jenny. Qu'est-ce qu'elles disent ?

Mon regard passa de l'une à l'autre, et mes soupçons furent confirmés.

— Je ne vais pas rencontrer un bel homme brun ? m'enquis-je. Ou alors gagner à la loterie ?

— Non, non..., protesta Elaine, plissant le front d'un air très soucieux. Je vois une grave dispute. Il y a quelqu'un qui ne t'aime vraiment pas, Carol. On va te faire de gros ennuis. On dirait qu'il va y avoir de la violence. Et puis je vois un long voyage. Il fait très sombre.

— C'est ça, le soleil s'est couché, rétorquai-je d'un ton léger. Et je vais rentrer en Angleterre à la fin de la semaine prochaine.

— Il n'y a rien de drôle, continua Elaine d'une voix préoccupée. Cette configuration est vraiment bizarre. Je n'ai jamais vu ça. Je n'aime pas donner de conseils, mais si j'étais toi...

— Tu crois que je devrais partir ? Quelle surprise ! Ou disons plutôt que tu voudrais bien que je m'en aille et tu n'as rien trouvé de mieux pour me le faire comprendre.

— Non, c'est très sérieux, Carol, je t'assure.

À cet instant, la porte s'ouvrit brutalement et une femme se rua dans la pièce comme une tornade. Je l'avais déjà remarquée dans la salle à manger pendant le dîner. Elle était d'une maigreur effrayante, avait des cheveux aile de corbeau et des traits fortement marqués. Pour l'heure, elle avait l'air prête à nous trucider.

— Sale petite garce ! Qu'est-ce que tu fabriques avec mes runes ?

Elaine la fixait avec horreur, bouche ouverte. Elle était trop stupéfaite pour bouger, si bien que Jenny dut descendre du lit voisin pour récupérer les runes et les remettre dans le sac.

— On te les a juste empruntées, Anya. Ce n'est pas si grave.

Elle lui tendit le sac qui lui fut arraché par une main aux doigts osseux.

— Espèce d'idiote ! (Elle en postillonnait de fureur.) Pauvre petite crétine ! Tu te rends compte avec quoi tu joues ? Tu les as pollués avec ton énergie de merde. Ça va me prendre des semaines avant de reconstituer leur pouvoir.

— N'en fais pas toute une histoire, lança Jenny avec mépris. On les a juste pris pour rire.

Je crus bien qu'Anya allait exploser de rage. Elle serra le sac de runes dans son poing comme si elle était prête à les écraser sur le crâne de Jenny.

— Petite imbécile ! Je ne sais pas ce qui me retient de...

Elaine sortit de sa transe.

— Oh ! Anya ! Je suis vraiment désolée. Je n'ai pas réfléchi. Je... (Elle déplia les jambes et se leva en hâte du lit.) Il vaut mieux que je m'en aille. Je devais aider à faire la vaisselle. Je te demande pardon, Anya. Je ne pensais pas que...

Continuant à balbutier des excuses, elle fila.

Jenny redressa la tête d'un air de défi ; jamais elle n'accepterait de se laisser impressionner comme Elaine.

— N'en fais pas tout un fromage, Anya. De toute façon, tu inventes toutes tes prophéties. Je t'ai souvent regardée. C'est bidon.

Anya se figea. Le sang se retira de son visage.

— Ah ! C'est ça que tu penses ? s'indigna-t-elle d'une voix sourde.

— Mais bien sûr. Tout le monde pense la même chose.

— Ah ? Vraiment ? Eh bien, dans ce cas, pourquoi est-ce qu'on n'essaierait pas tout de suite pour voir ce que ça donne ? (Elle plaqua le sac de runes contre sa poitrine plate et prit une profonde inspiration.) Les pierres sont en colère. Je sens leur chaleur. Elles sont prêtes à rendre leur prophétie. Elles veulent qu'on écoute leur message.

— Laisse tomber tes conneries, Anya.

Anya avança et lissa la couverture devant Jenny, puis elle me jeta un coup d'œil.

— Ton amie, demanda-t-elle, elle aussi, elle pense que c'est des conneries ?

— Mais bien sûr ! Elle n'est pas idiote !

Je ne contredis pas Jenny, curieuse de voir ce qui allait se passer.

— Très bien. Nous allons lire l'oracle.

Avec le mouvement de quelqu'un qui tourne le contenu d'un énorme chaudron, Anya passa le sac de runes devant mon visage. Je reculai la tête d'instinct. Jenny, qui s'attendait au geste, ne cilla pas.

Anya prit un air féroce, nous regarda tour à tour, puis jeta les runes sur le couvre-lit blanc bien tiré devant Jenny. Elle les examina avec avidité, telle une chasseresse, puis s'assombrit.

— Alors ? demanda Jenny, curieuse malgré elle. Dis-nous ce que tu vois.

Anya fronçait les sourcils. Sa colère s'était évanouie. Elle ramassa les runes d'un geste rapide et les rangea dans leur sac.

— Je n'aurais pas dû les interroger dans la colère. J'ai eu tort.

— Allez, vas-y !

— La colère était en eux. Mieux vaut que je me taise.

— Mais enfin, Anya ! Tu ne peux pas te défiler comme ça.

— Oui, dis-nous ce que tu as vu, intervins-je.

Malgré mon scepticisme, j'étais mal à l'aise. Tout comme j'avais deviné qu'Elaine se moquait de moi, j'étais à présent tout aussi certaine qu'Anya, si insensé que cela paraisse, croyait entièrement à la prophétie des pierres.

Elle se tourna vers moi, calme à présent, mais méfiante.

— Qui es-tu ? demanda-t-elle.

— Je m'appelle Carol Brewster. Je suis une Aspirante niveau trois.

— Tu n'aurais pas dû venir.

— Ah ! triompha Jenny. Je le savais.

— Pourquoi ? demandai-je.

— Tu veux vraiment que je te le dise ?

— Oui. (Pour une fois, Jenny et moi avions répondu d'une seule et même voix.)

— D'accord, alors je vais vous révéler ce que j'ai vu. Un grand danger vous guette toutes les deux. Carol, c'est toi qui en es la cause. Je vois un petit espace, comme un placard. Ou un cercueil. Vous y êtes toutes les deux enfermées. Je vois du feu, de la fumée. C'est un danger que vous courez toutes les deux. Et cela doit se passer ici, là où nous sommes.

16

Nous appelions sur nous l'énergie lunaire. C'était du moins ce qu'on voulait nous faire croire, mais moi, la sceptique de service, je ne voyais qu'une bande de fanatiques en habit de moine qui sautillait dans un temple pseudo-grec en psalmodiant des invocations au son des tam-tams.

Cependant mon mauvais esprit restait de surface. Au fond, il y avait une partie de moi – celle qui se serait volontiers laissé manipuler par les Héritiers d'Akasha si je n'avais pas connu l'envers du décor – qui s'émerveillait de la beauté de la cérémonie.

La nuit était tombée sur les collines arides d'El Cortijo Tartessus, apportant la fraîcheur. Le croissant de lune, délicate griffure dans le noir du ciel, luisait à côté d'une étoile solitaire. Nous devions être plus d'une centaine réunis dans le Temple de Tartessus, assemblage de colonnes pâles et d'arcades, dallé de pierre blanche. Au loin, un scintillement dans la nuit rappelait la présence de l'océan.

Nous étions vêtus de longues bures, les couleurs habituelles nous distinguant selon notre rang. J'avais passé une fois de plus la robe brune des Aspirants ; les Pèlerins portaient du bleu, les Voyageurs du vert pâle et les Acolytes de l'écru. Le rituel avait lieu tous les mois le jour de la nouvelle lune, mais ce soir la portée de l'événement était, semblait-il, des plus considérables, car il s'agissait de la dernière Invocation avant la cérémonie du Serment de fidélité prévue deux semaines plus tard.

À la place du dîner ce soir-là, l'ensemble de la communauté avait eu droit à une heure de méditation dans le Grand Hall de l'Atlandide. Comme en Cornouailles, une énorme horloge akashique couvrait l'un des murs, à mon avis de facture plus grossière, l'expérience acquise lors de la construction de la première ayant sans doute profité à la conception de la suivante. Ra et les autres membres du Cercle interne, Katie incluse, étaient présents. Tous portaient des robes blanches brodées d'or, insigne de leur statut, mais il n'y avait plus trace de l'exaltation théâtrale qui avait entouré l'apparition du gourou en Cornouailles. L'atmosphère était somme toute assez ordinaire, même si, à cause du dîner manqué et des exercices respiratoires de la séance de méditation, je me sentais un peu soûle quand nous sortîmes en file indienne dans la nuit andalouse.

Des mélopées et des chants commencèrent à s'élever. Par moments, le spectacle me semblait des plus étranges, mais, dans l'ensemble, j'avais la curieuse impression de vivre un événement familier, une sorte de veillée autour d'un feu de camp. Nous formions un immense cercle dont, de temps à autre, certains s'échappaient pour slalomer entre les hautes colonnes, ou pour danser jusqu'au dais sous lequel le Cercle interne chantait tout en se balançant. Pour tout éclairage, un feu contenu dans une coupe entourée d'eau brûlait au milieu du temple.

Les visages, bizarrement illuminés par les flammes, prenaient des allures démoniaques dans la nuit. De temps en temps, je jetais un regard vers Ra, entouré par des femmes du Cercle interne – Palu, Serafa et Katie –, et je me laissais gagner par l'inquiétude ; puis un membre de la communauté me lançait un grand sourire de dessous sa capuche bleue ou brune, et mon anxiété s'évaporait.

Nous nous jetions beaucoup dans les bras les uns des autres. Était-ce l'influence des frêles énergies de la lune nouvelle ? En tout cas, nous débordions d'amour. Et, qui sait, peut-être y avait-il un fond de vérité dans tout cela, car, au milieu de notre Invocation lunaire, un Pèlerin vêtu de bleu trébucha vers moi dans l'obscurité pour me parler.

— Excuse-moi pour les runes, Carol, on voulait juste te faire une farce.

Un sourire contrit éclairait le visage rond d'Elaine sous sa grande capuche.

— Ce n'est pas grave, répondis-je sans hésitation – pardon qui me valut une embrassade d'inspiration lunaire.

Je fus encore plus surprise de découvrir un peu plus tard que le Pèlerin qui chantait avec ferveur à côté de moi n'était autre que Jenny. Il aurait fallu plus que l'énergie de tout le cycle lunaire pour pousser Jenny à me présenter des excuses, mais elle se tourna vers moi avec un sourire prudent et prit ma main dans la sienne, ce qui, pensai-je, était déjà un exploit. Je lui rendis son sourire : j'aurais bien le temps de lui dire ce que je pensais d'elle une fois qu'elle serait libérée de la secte.

Jenny, Elaine et tous les Pèlerins qui devaient prononcer leur Serment de fidélité lors de la pleine lune suivante avaient ceint de larges écharpes dorées passées sur une épaule. Cela me rappela les bandeaux colorés que nous portions en sport au collège pour indiquer à quelle équipe nous appartenions.

Alors que la cérémonie arrivait à son paroxysme, un Aspirant au dos voûté portant une longue bure brune se fraya un chemin jusqu'à moi à travers la foule.

— Pas croyable, hein ?

C'était Lionel. Les verres épais de ses lunettes se coloraient d'orange à cause du feu, lui donnant des allures de grenouille exotique ; il était radieux.

— Je n'ai jamais rien vu de pareil ! criai-je – sans mentir – pour couvrir le bruit.

— Je passe au grade de Pèlerin niveau un le mois prochain, me confia-t-il. Et toi ?

— Non, moi, je ne suis là que pour la retraite Aspirant de deux semaines. J'ai un peu de mal à me décider.

Je ne pouvais pas m'empêcher de me demander pourquoi Lionel avait été accepté, alors qu'il ne me paraissait pas du tout correspondre au genre de recrue recherché par la secte.

— Donc ensuite tu pourras rester ici toute ta vie ?

— Oui, exactement ! répondit-il avec jubilation. J'ai été pris en tant que PP : Parasite Payant. Pour ça, il faut que je fasse don de tous mes biens au groupe, et en échange je peux vivre ici jusqu'à la fin de mes jours – ou jusqu'à la Submersion de vérité, selon ce qui viendra d'abord.

— Mais si tu changes d'avis ? Que se passera-t-il si tu as envie de partir ?

Il me fixa d'un œil glauque, murmura quelques mots inaudibles et repartit en se dandinant pour trouver quelqu'un qui ne gâcherait pas son plaisir avec des questions désagréables.

Si étrange et barbare que parût l'Invocation lunaire, elle se révéla en tout cas un excellent moyen de s'ouvrir l'appétit. Quand tout fut terminé, la troupe se dirigea vers le bâtiment principal où un festin avait été dressé sur les tables. Il y avait de la paella, du ragoût d'agneau, du pain fraîchement sorti du four avec des olives, des fruits, du fromage, et du vin à volonté. L'état d'euphorie provoqué par la cérémonie rehaussait les goûts de tout ce que nous mangions... et buvions.

En plus de leur avoir donné très faim, l'énergie lunaire avait eu un impact très marqué sur leur libido. Plusieurs couples s'échappèrent du réfectoire pendant le repas, emportant parfois une carafe de vin. Je vis Elaine, les joues roses de bonheur, s'esquiver avec un jeune homme brun d'environ son âge. Jethro, Pèlerin natif du Yorkshire, qui participait au même groupe de travail que moi, avait pris l'habitude de s'asseoir à mon côté pendant les repas. Il jeta un coup d'œil à sa montre au départ puis au retour des deux tourtereaux.

— Huit minutes, commenta-t-il. C'est du rapide, même pour Dan.

— Pas étonnant qu'Elaine ait l'air sonnée, commentai-je avec un sourire. Elle n'a rien dû sentir passer.

Jethro me lança un long regard.

— Tu veux essayer ? proposa-t-il sans autre forme de procès. Je te garantis au moins une demi-heure, tout compris.

— Merci, c'est très gentil, mais je préfère qu'on me le dise avec un dîner et quelques fleurs.

Cela le fit sourire. Il était même peut-être un peu soulagé. Il y avait plus de femmes que d'hommes à El Cortijo Tartessus et les hétérosexuels pratiquants étaient très demandés, comme Herman en faisait l'expérience.

Plus tard, je me demandai pourquoi je ne lui avais pas dit que j'étais mariée. Peut-être parce que je ne me sentais plus tellement mariée, surtout ici. Après seulement trois petites journées au centre, ma vie à Sturford commençait à me paraître lointaine et insignifiante.

Et la même chose, réalisai-je à mon grand désarroi, s'appliquait à Gus.

Éprouvant le besoin de communiquer avec le monde extérieur, je me demandai qui appeler. Tim et moi avions décidé que, pour ma sécurité, je ne lui téléphonerais pas à moins d'avoir une information importante à lui transmettre. Quant à Gus, je n'avais pas envie de l'appeler parce que je lui avais menti sur ma destination. J'avais la quasi-certitude qu'il savait que je lui mentais, et qu'il ne disait rien car cela l'arrangeait ; n'empêche, je voyais mal comment j'allais reprendre contact avec la réalité en lui parlant d'amis imaginaires avec lesquels j'aurais passé des vacances non moins imaginaires dans un gîte de mon invention.

Je me retirai donc dans un coin tranquille du domaine avec mon portable et appelai Brian, qui, à part Tim, était le seul à savoir où je me trouvais. J'espérais qu'après une conversation bien saine sur des toitures et des tuyaux d'évacuation j'aurais retrouvé le sens des réalités.

Tandis que je composais le numéro familier, d'énormes oiseaux tournoyaient lentement au-dessus de ma tête : non pas des aigles comme on me l'avait expliqué, mais des vautours. Dans la prairie du dessous, une volée de petits oiseaux picorait des graines de fleurs séchées.

— Brian ?

— Carol ! Alors, tout va bien ? Ça y est, ton lavage de cerveau est fini ? Tu leur as légué ta moitié de l'entreprise ? Et la fin du monde ? Toujours prévue pour la même date ?

J'éclatai de rire. Je savais que Brian s'inquiétait pour moi, et il avait tout fait pour me dissuader de venir, mais son intelligence et son ironie me firent un bien fou. Je lui livrai un bref récit de l'Invocation lunaire et de l'épisode des runes.

Il n'apprécia pas beaucoup.

— Jenny croit vraiment à toutes ces foutaises ? s'indigna-t-il. Tu n'as pas encore pu la convaincre de partir ?

— J'attends le bon moment ; tu sais comme elle prend facilement la mouche. Et je n'ai pas du tout pu approcher de Katie.

— Alors, comment passes-tu le temps ? Tu ne peux pas méditer toute la journée en attendant la fin du monde !

— Tu ne devineras jamais. Ils m'ont embauchée pour construire une chrysalide.

— Tu veux dire que tu fais un boulot de chenille ?

— À Tartessus, les chrysalides ressemblent un peu à des cellules d'ermites – il y en a pas mal dans le domaine. On s'y enferme quand on a besoin de se retrouver seul pour se livrer à la Méditation solitaire, ou SoloMed dans le jargon.

— Je pensais qu'ils croyaient dur comme fer à la vie communautaire. Comment justifient-ils de s'enfermer tout seul ?

— C'est une question de yin et de yang, hasardai-je sans être très sûre de moi. Tout doit avoir son opposé, ou un truc du genre. Jethro dit que, pour pouvoir pleinement tirer parti de la vie de groupe, tout le monde doit passer par la Méditation solitaire. C'est bon pour l'âme, d'après ce que j'ai compris. Un peu comme l'isolement cellulaire.

— J'espère que tu n'as pas l'intention d'essayer.

— Même si j'étais tentée, les Aspirants n'y ont pas droit.

— Tant mieux. Dépêche-toi de revenir. Les affaires marchent bien, mais tu manques à ton associé.

Après la fin du coup de fil, je m'allongeai sur la terre chaude et regardai les cinq oiseaux décrire des cercles dans le ciel bleu andalou. Les journées commençaient à se fondre les unes dans les autres, et le sentiment d'urgence qui m'avait envahie à mon arrivée se dissipait. Il aurait vraiment fallu que j'essaie de parler à Katie. Je fermai les yeux et m'endormis.

Je ne trouvai pas l'occasion d'entrer en contact avec Katie avant la fin de la première semaine. Je m'étais arrangée pour discuter plusieurs fois avec Jenny, le plus souvent à l'heure des repas ou pendant les temps morts l'après-midi, mais en m'appliquant à bavarder de tout et de rien ; je devais gagner sa confiance avant de lui poser des questions sur le Serment de fidélité, ou de lui parler de contacter Harriet, sinon elle prendrait ses jambes à son cou.

De temps en temps, comme pendant l'Invocation lunaire, j'avais pu apercevoir les membres du Cercle interne, mais de loin, car ils restaient beaucoup entre eux, gardant le menu fretin à distance. C'était très frustrant ; je rêvais de pouvoir prendre Raymond et Pauline à part, et Katie aussi, et de les interroger sur leurs années à Grays Orchard. J'imaginais de longues conversations au cours desquelles ils me donneraient la clé du comportement étrange de Gus, même si je voyais mal comment je pourrais poser la question essentielle, celle qui me semblait être à l'origine de tout : Raymond – je veux dire Ra – est-ce toi qui as tué Andrew Forester ? Les autres ont-ils dû mentir pour te protéger ?

Je me rendais compte avec inquiétude que le temps filait et que j'étais loin d'avoir atteint mes objectifs. Nous nous levions tôt, méditions avant le petit déjeuner, puis je passais la matinée avec l'équipe de construction de la chrysalide. L'après-midi, nous avions quartier libre pendant une heure ou deux. Le reste du temps, jusqu'au soir, était réservé à la méditation, aux ateliers de compatibilité et aux cours portant sur des sujets tels que la lecture des auras, la divination sur cristaux, et les formes de gouvernement de l'Atlantide.

À Tartessus, le système était sans conteste autocratique. Le quatrième jour de mon séjour, Ra édicta une nouvelle loi qu'il communiqua par l'intermédiaire de Palu et de Serafa, interdisant les serrures. L'équipe technique passa la matinée à extraire les verrous des toilettes et des portes de salles de bains, et on interdit aux adeptes de continuer à enfermer les objets de valeur dans des valises cadenassées. Cette décision déclencha un mouvement de mauvaise humeur, mais, à ma connaissance, tout le monde obéit.

Fidèle à ma promesse, j'allai à la conférence d'Intara, la réceptionniste, sur le *Livre de Thot*, qui eut lieu, comme il se doit, dans le Grand Hall de l'Atlantide. Sur scène, derrière elle, étaient exposées des œuvres représentant l'Atlantide, peintes de bleus et de verts chatoyants. Bien que très absorbée par son sujet, Intara s'exprimait d'une voix monocorde qui eut vite un effet soporifique sur quelques auditeurs. Elle nous décrivit une civilisation de grande beauté où régnait l'harmonie, ayant connu son essor à une époque où l'esprit rationnel était moins développé. L'espèce humaine recourait alors davantage à son intuition, ce qui rendait possible la communication télépathique. L'influence du mal ne s'était fait sentir que lors des derniers siècles de son existence. Le *Livre de Thot* décrivait la décadence de l'Atlantide – ou du moins l'aurait fait si tous les exemplaires connus n'avaient disparu. Heureusement pour Intara, le Livre akashique comblait les manques. Ce livre était décidément bien pratique : on pouvait inventer tout ce qu'on voulait (et plus c'était improbable, mieux on se portait) sans s'assommer à fournir des preuves rationnelles ; il suffisait de dire qu'on était entré en phase avec le Livre akashique en utilisant ses perceptions extrasensorielles. Je me demandai si Brian et moi ne pourrions pas essayer la méthode la prochaine fois que nous devrions fournir un budget prévisionnel à la banque.

Le soir, nous avions le choix entre une énième méditation ou différents groupes de réflexion, ou nous pouvions simplement ne rien faire en discutant autour d'un verre et en faisant de la musique. Comme il y avait beaucoup de musiciens de talent au centre, je choisissais généralement cette dernière option.

Le plus surprenant fut la rapidité avec laquelle tout cela cessa de me paraître étrange pour devenir parfaitement naturel.

Il était midi et demi et nous venions de terminer notre travail de construction pour la journée. La matinée avait été particulièrement pénible, car le ciment se mélangeait mal et ne prenait pas. J'avais tout de suite compris qu'on nous avait livré du sable de mer et que le sel était la source de nos tracas, mais notre chef d'équipe, Damon, qui prenait son rôle très au sérieux, ne voulut rien entendre et s'entêta à nous faire remplir indéfiniment la bétonnière, dont il fallait jeter le contenu à chaque fois. Midi venu, le terrain autour de la chrysalide en construction était parsemé de petits monticules de mauvais ciment semblables à des déjections d'éléphant anémié, et nous étions tous d'une humeur exécrable.

— On fait un câlin de groupe ? suggéra Jethro, considérant l'équipe aux visages moites et gris de saleté. Il faut projeter des énergies positives dans cette chrysalide ou son karma va être complètement foireux.

Damon jugea que le karma de la chrysalide pouvait aller se faire voir, et plusieurs autres membres de l'équipe secondèrent cette opinion sans hésitation. Ils déclinèrent le câlin de groupe, filant vers maisons longues et villas pour se laver et se changer avant le déjeuner.

— Quel dommage, commenta Jethro en les regardant s'éloigner. Ils se seraient sentis beaucoup mieux après. (Il se tourna vers moi avec un sourire engageant.) Et si on se faisait un câlin de groupe à deux ?

La spontanéité de la proposition la rendait presque tentante, mais je refusai.

— Merci beaucoup mais…, commençai-je avant d'être interrompue par un cri perçant.

— Coucou ! Carol ! C'est moi, Ka… Oh, pardon, Lumina !

Je n'en revins pas de ma chance. Vêtue d'un pantalon flottant en lin et d'un haut ajusté, Katie enjambait les monticules pour me rejoindre.

— Lumina ! Bonjour ! Je suis contente de te voir.

Son regard passa de moi à Jethro comme si elle se posait des questions, mais elle eut un discret haussement d'épaules signifiant : peu importe, ça ne me regarde pas.

— Vous construisez quoi, là ? demanda-t-elle.

— Une chrysalide, répondit Jethro. Pour la SoloMed.

— Mais quelle excellente idée ! s'enthousiasma-t-elle avec son enjouement coutumier. On ne médite jamais assez : SoloMed, AquaMed, ou bonne vieille méditation des familles. Ça me fait toujours un bien fou, comme un bon bain de boue avec un petit masque de beauté.

Jethro eut l'air décontenancé. J'en déduisis qu'il n'avait encore jamais eu affaire à Katie.

— Un masque de beauté ? répéta-t-il d'un ton perplexe.

— Oui, c'est trop divin, confirma Katie avec un sourire charmant, autant qu'une longue séance chez le coiffeur ! Mais on a presque du mal à s'en souvenir, c'est si loin tout ça, n'est-ce pas Carol ?

— Je ne suis là que pour quinze jours, pas à perpétuité.

— Oui... Tu t'appelles bien Carol ? C'est bien ça, non ? J'ai une très bonne mémoire des noms. Tu as été tellement gentille avec moi le jour de cet événement déplaisant pendant la Compatibilité, et je n'ai même pas eu l'occasion de te remercier.

— Je t'en prie.

J'étais soulagée qu'elle n'ait pas l'air de soupçonner le rôle que j'avais joué dans notre rencontre « accidentelle » avec son fils.

— Tu n'aurais pas envie de venir déjeuner avec nous aujourd'hui ? demanda-t-elle.

— Ça me ferait très plaisir. Mais d'abord, il faut que j'aille me laver et me changer.

— Tu dors dans une des villas des Hespérides ? Je t'accompagne.

— Je suis à Hespé deux.

— C'est fou ! Justement, j'ai dormi là à mon arrivée. Quelle coïncidence incroyable ! C'est une petite maison adorable. Je n'y suis restée que deux jours, à cause de Davy.

— Davy ?

Je m'étais rappelé juste à temps que je n'étais pas censée le connaître.

— Mon petit-fils. Tu le verras au déjeuner.

Je compris vite pourquoi l'accès à la villa qu'occupaient Ra et le reste du Cercle interne était interdit au reste de la communauté. Son luxe aurait provoqué un mouvement d'insatisfaction, pour ne pas dire une mutinerie. Je n'avais jamais vu de décoration aussi magnifique en dehors des pages de magazines.

De loin, la maison ne semblait pas particulièrement grande car l'architecte avait intelligemment intégré la structure dans les contours de la colline, mais dès que je fus entrée je me rendis compte qu'elle était gigantesque. D'une cour intérieure me parvenait le glouglou musical d'une fontaine. Toutes les pièces étaient immenses, dallées de marbre, avec d'énormes canapés de cuir blanc, et des tapis et des rideaux également blancs. Les murs formaient un contraste d'ocres aux couleurs chaudes et de roses très tendres. Un plateau d'apéritifs attendait sur une desserte ancienne, mais il n'y avait personne.

— Je devine où sont les garçons, dit Katie avec un soupir résigné. À la piscine, comme d'habitude.

Nous traversâmes la maison et émergeâmes au soleil. J'éprouvai un choc en constatant que le terme « les garçons » désignait non pas Davy et d'hypothétiques camarades, mais Davy et Ra lui-même.

Je n'avais vu Ra l'initié, médium du Langage sacré de toute éternité et interprète du Livre akashique, que tout d'or vêtu dans sa robe de cérémonie, ainsi que dans sa bure blanche bordée d'or de tous les jours. Aujourd'hui, il portait un tout petit slip de bain noir et se faisait pousser dans la piscine par un gamin qui criait d'une voix suraiguë :

— À l'attaque ! Retourne en Atlantide ! Vlan !

Ra tomba à l'eau avec un grand plouf tandis que Davy sautait à sa suite, genoux remontés contre la poitrine.

Katie leur annonça que le déjeuner serait servi dans un quart d'heure. Ils sortirent du bassin et, tout dégoulinants, partirent se doucher et se rhabiller.

— Ah ! Les hommes ! commenta Katie.

Je tombai en panne de réponse.

Le déjeuner fut servi dans l'ombre tachetée de soleil d'une tonnelle couverte de bougainvillées de cinq couleurs différentes. Une senteur délicate et exotique embaumait l'air. Nous nous régalâmes de poulpe délicieusement tendre, de salades et de pain frais. Seule l'absence de vin apportait au repas un semblant d'austérité : nous ne bûmes que de l'eau.

Ra tenait la tête de la table. À ma grande surprise, Intara était également présente. En la voyant au sein du Cercle interne, je réalisai d'un coup qu'elle devait être la fille de Palu. Elles avaient les mêmes traits épais, mais si Intara semblait un peu lente, Palu avait au contraire un grand sens de l'organisation et était loin d'être bête. Quel dommage, songeai-je, qu'Intara ne ressemble pas davantage à Ra, qui doit être son père !

Je n'arrivais pas du tout à cerner le personnage. Encore un peu humide après son bain, il portait à présent une kurta de coton blanc. Il ne participait pas à la conversation, mais chaque fois que quelqu'un parlait, c'était en s'adressant à lui de façon détournée, comme s'il s'agissait du seul interlocuteur valable. Je crois que c'étaient ses yeux qui affectaient les gens : si sombres qu'ils en étaient presque noirs, si denses et fixes qu'ils en devenaient hypnotiques. Son regard ne tomba sur moi qu'à deux reprises au cours du repas, et chaque fois j'eus l'impression ridicule qu'il savait tout de moi, même ce que je pensais. À mon grand agacement, je rougis comme une pivoine, ce qui ne m'arrive presque jamais. Juste à cet instant, Davy tira sur la manche de la kurta de Ra et lui murmura quelques mots à l'oreille qui donnèrent le fou rire aux deux « garçons ».

La conversation était monopolisée par un jeune homme et une quinquagénaire en visite de la branche mexicaine de la secte. Ils s'appelaient Zostro et Agape, étaient ingénieurs, et venaient rendre compte à leurs homologues de Tartessus des progrès de leurs expériences portant sur la possibilité de survie prolongée dans des capsules submersibles au fond de la mer. Palu leur posa des questions techniques détaillées ; Katie émit l'avis aimable qu'ils s'occupaient d'un domaine passionnant, émaillant la conversation de précieux commentaires tels que : « Ah ! La grande question de l'air recyclé ! Ça doit vous donner bien du fil à retordre. »

Vers la fin du repas, Palu s'adressa à moi pour la première fois.

— Tu te plais, ici, Carol ?

— Oui, c'est très intéressant.

— Intara m'a dit que tu avais loué une voiture. As-tu trouvé l'occasion d'aller faire un peu de tourisme ?

— Pas encore. Intara m'avait bien prévenue que je serais trop occupée.

— Il faut que tu ailles faire un tour dans la région au moins une fois. Il y a tellement de coins intéressants près d'ici !

— Tu as des conseils à me donner ?

— Ronda plaît toujours beaucoup, et Cadix est une ville fascinante. Tu connais déjà Tarifa.

— Je l'ai vue trop vite, m'empressai-je de rectifier, j'ai manqué beaucoup de choses. J'avais envie d'y retourner pour faire une visite plus complète. Voir le château et l'église.

— Quelle bonne idée ! (À mon immense surprise, Palu débordait d'enthousiasme.) Et pourquoi n'emmènerais-tu pas quelqu'un pour te tenir compagnie ? Je dis toujours à ces paresseux qu'ils devraient se remuer plus. (Elle fit une pause, puis, comme si l'idée lui traversait l'esprit à l'instant, elle ajouta :) Pourquoi pas Lumina ? Qu'en dis-tu, Lumina ? Tu n'as presque rien visité dans la région. Je suis sûre que Carol serait ravie de t'emmener.

Je n'en revins pas.

— Oui, viens, insistai-je. Ce serait beaucoup plus amusant de me promener avec quelqu'un.

Elle fronça les sourcils.

— Merci, Carol, mais je n'ai pas envie de sortir. Je suis très bien ici.

Palu eut un petit sourire contenu, et je compris que l'échange avait été orchestré à mon intention. L'invitation à déjeuner, même, n'était sans doute pas de l'initiative de Katie. Cette mise en scène n'avait pour but que de rattraper toute impression défavorable que la Cornouailles aurait pu me laisser. Palu, en proposant à Katie d'aller à Tarifa avec moi, lui avait aussi donné l'occasion de refuser. Je devais en déduire qu'elle était libre d'aller et venir à sa guise. Elle ne faisait l'objet d'aucun contrainte, et préférait simplement ne pas quitter le territoire de la secte.

Bien entendu, je ne fus pas dupe un seul instant.

17

En rentrant aux Hespérides, je trouvai un texto sur mon portable : *Appelle Victor. Urgent.* Selon le code que nous avions mis au point, la première lettre de son pseudonyme, proche de la fin de l'alphabet, indiquait l'extrême urgence du message.

J'allai donc avec mon portable dans une zone buissonneuse à quelque distance des habitations, et appelai le numéro de Tim. Sa voix, quand il répondit, me sembla étrangement déformée.

— Tim, ça va ?

— Ouais, à peu près... Et puis non, zut, ça ne va pas du tout ! Enfin si, tout se passe bien, ne t'inquiète pas. On va y arriver.

— Tim, je ne comprends pas ce que tu me dis. Tu as bu ?

— Tu sais bien que je ne vois jamais... bois jamais.

De la drogue alors ? Des tranquillisants ? Mais Tim ne voudrait jamais le reconnaître.

— Que se passe-t-il ?

— J'avais besoin d'entendre ta voix. Où en es-tu ?

Le besoin de m'entendre ne justifiait pas l'urgence de son message ; peut-être avait-il du mal à supporter son attente solitaire.

— Je viens de déjeuner avec ta mère et Davy, annonçai-je d'un ton aussi positif que possible.

Il exhala un long soupir.

— Comment vont-ils ?

Je lui racontai brièvement notre déjeuner et mes efforts pour persuader Katie de m'accompagner à Tarifa. Mon échec le déçut, mais je fis tout pour le réconforter.

— Ne t'en fais pas, je ne vais pas m'arrêter là, et je te rappelle dès qu'il y aura du nouveau.

— Non, Carol, ne raccroche pas. Parle-moi encore un peu. Je n'ai parlé à personne depuis des jours. Je commence à oublier le son de ma propre voix. Attendre comme ça, sans rien faire, attendre sans arrêt me rend dingue. Pour toi, c'est facile, tu vois des gens, tu n'es pas en train de te perdre, comme moi. Quand crois-tu pouvoir les faire sortir de là ?

Je fis de mon mieux pour le rassurer, mais il était resté enfermé trop longtemps seul avec ses obsessions.

— Écoute, tu veux que je vienne te voir à Tarifa ? proposai-je. Je peux filer demain après-midi. Nous aurons plus de temps pour discuter.

— Arrange-toi pour m'amener Katie. Il faut absolument que je lui parle. Rien qu'une heure. Est-ce trop te demander ? Tout de même, c'est ma mère !...

— Je vais essayer, Tim, c'est promis, mais ne te fais pas trop d'illusions. Je serai à ton hôtel à deux heures. Tu vas tenir le coup, d'ici là ?

— Il faudra bien. Je compte sur toi, Carol. Ne me laisse pas tomber.

— Je ferai de mon mieux.

Comme je le pressentais, on ne me donna pas l'occasion de parler à Katie le lendemain matin, et encore moins de l'inviter à aller à Tarifa avec moi. Il faudrait bien que j'y aille toute seule. Mais à l'heure du déjeuner, juste au moment où je mettais mes clés de voiture dans mon sac en sortant de ma villa, Jenny surgit devant moi.

— Où vas-tu ? demanda-t-elle.

— À Tarifa pour l'après-midi.

— Tarifa ? répéta-t-elle en s'illuminant. Je viens !

Échaudée par la Cornouailles, je surveillais sans cesse nos arrières pour m'assurer qu'on ne nous suivait pas. La route étant déserte, je n'aurais eu aucun mal à repérer une filature. Nous n'abordâmes que des sujets neutres. Jenny me parla un peu de son travail dans le potager et des amis qu'elle s'était faits à Tartessus, mais s'en tint surtout à des commentaires sur le paysage ; elle mentionnait les Héritiers d'Akasha sans enthousiasme. J'avais beau avoir beaucoup de questions à poser, je préférais ne pas trop m'engager dans un débat difficile à l'aller ; j'étais déjà assez inquiète de savoir comment j'allais la semer à l'arrivée. Le retour serait le moment idéal pour la lancer sur le sujet de son adhésion à la secte. Mais avant toute chose, il fallait que je m'occupe de Tim.

Nous arrivâmes à Tarifa en début d'après-midi ; les cafés se vidaient et le silence de la sieste descendait sur la ville. Dès que je me fus garée, Jenny, à mon grand soulagement, me faussa compagnie.

— Je vais me balader un peu toute seule. La vie communautaire finit par me taper sur les nerfs.

— Ça ne m'étonne pas.

Elle me lança, comme souvent, un regard méfiant, et nous nous fixâmes rendez-vous dans un café près de l'église à cinq heures. Cela nous laissait trois heures de liberté. Elle partit vers la plage et les cerfs-volants qui se balançaient et virevoltaient dans le ciel par-dessus les toits. Tarifa, m'avait-on dit, attirait tous les sports se pratiquant par vents forts. Jenny ne se retourna pas. Je regardai sa silhouette maigre et anguleuse s'éloigner d'un pas vif vers la mer. Elle me sembla soudain très fragile et très seule, et j'eus un élan d'affection pour elle malgré tous les ennuis qu'elle m'avait causés. Elle était censée prononcer son Serment de fidélité dans deux semaines, mais ne se comportait jamais comme si elle appartenait à la secte. Même ici, elle détonnait : on comprenait mal quel intérêt elle aurait eu à tout abandonner pour vivre dans un endroit où elle ne trouvait pas sa place.

Je tournai les talons et entrai dans le centre-ville, laissant ces réflexions pour plus tard : je devais m'occuper de Tim en priorité.

Nous étions convenus de nous retrouver au bar en bas de son hôtel, un bâtiment moderne situé près de la place principale. Je le vis en entrant, assis à une table dans un coin sombre. Il s'était fait une raie bien droite, mais sa chemise ressemblait à un chiffon, sans doute ramollie par les lavages à la main dans sa chambre d'hôtel. La tension nerveuse donnait un air revêche à son visage régulier. Je m'appliquai à ne pas le regarder, commandai un café et un verre d'eau et, une fois qu'il eut franchi la porte qui menait à l'ascenseur, je m'installai plus commodément pour attendre le moment de le suivre.

Je laissai s'écouler dix minutes, qui passèrent avec une lenteur d'escargot. Enfin, je pus me lever, payer mon café et me diriger vers l'ascenseur. La cabine monta en grinçant jusqu'au deuxième. J'allai à la chambre 6 et frappai trois coups à la porte. Tim ouvrit aussitôt.

— Carol ! Enfin !

Radieux, il amorça un geste pour me prendre dans ses bras. Je songeai à la proposition de Jethro de faire un « câlin de groupe à deux » et ne trouvai pas l'idée mauvaise, mais je réalisai aussitôt qu'il ne s'était pas attendu à me voir seule. Il se détourna et alla s'effondrer dans un fauteuil près de la fenêtre.

— Katie n'est pas là, gémit-il d'un ton vibrant de déception.

— Je t'avais averti que j'aurais du mal à l'amener, me justifiai-je en fermant la porte. Ils ne veulent pas qu'elle bouge, même s'ils font semblant de lui laisser sa liberté.

Je lui décrivis la petite comédie à laquelle j'avais eu droit au déjeuner la veille.

— Pourquoi n'as-tu pas insisté ? (Il se leva et se mit à marcher de long en large dans le petit espace à côté du lit.) Tu n'aurais pas dû te décourager si vite !

— Ça n'aurait servi qu'à éveiller leurs soupçons.

— C'est affreux, on n'avance pas d'un pouce, gémit-il. Je sais que tu n'y es pour rien, Carol. Je me doutais depuis le début que ça ne serait pas facile. Si seulement je pouvais lui parler, rien que lui parler ! Je veux juste l'aider à y voir clair pour une fois dans sa vie. (Il se jeta sur le lit.) On n'y arrivera jamais. Tous nos efforts ne servent à rien !

J'allai à la fenêtre. Les rideaux avaient été tirés pour masquer le soleil de l'après-midi ; j'en tirai un de quelques centimètres pour regarder les toits et les feuilles recourbées des palmiers.

— Ne t'avoue pas vaincu, l'exhortai-je, c'est trop tôt ! Ce serait peut-être un peu gros, mais pourquoi ne pourrais-je pas tout simplement dire à Katie que tu es là ? Elle aurait sûrement envie de te voir si elle pensait pouvoir le faire sans s'attirer d'ennuis. Palu t'a préparé le terrain. Elle a même suggéré à Katie de m'accompagner quand je vais faire du tourisme, donc maintenant elle peut difficilement revenir sur son autorisation. On pourrait s'arranger aussi pour que Davy vienne.

Tim leva les yeux vers moi et, un instant, eut presque l'air de reprendre espoir, mais son froncement de sourcils coutumier revint.

— C'est trop risqué. Cette bande d'escrocs a tellement tout fait pour me noircir qu'elle prendrait sans doute ses jambes à son cou si elle apprenait que je suis dans la région. Elle meurt de peur d'entendre ce que j'ai à lui dire parce qu'elle ne veut pas reconnaître qu'elle s'est laissé abuser. Je veux dire, tout au fond, elle a très envie de me voir, bien entendu, mais on lui a fait un lavage de cerveau. On ne peut donc plus lui faire confiance, elle ne prendra pas la bonne décision.

— Mais quelle alternative avons-nous ? J'imagine que je pourrais toujours te faire entrer clandestinement à Tartessus à l'arrière de ma voiture, mais tu courrais un risque énorme. Et si j'échouais, nous aurions tout perdu. D'ailleurs Katie est rarement seule.

— Bon Dieu, ça me rend dingue !

Il se leva et se passa les doigts dans les cheveux, ce qui le décoiffa et lui fit tomber une mèche sur les yeux, avec pour résultat de le rendre dix fois plus séduisant.

— Je n'en peux plus de rester là toute la sainte journée à attendre que le téléphone sonne, bon sang ! Tu imagines ce que j'endure ? C'est le pire drame de ma vie et je suis totalement impuissant. Je ne peux strictement rien faire d'autre qu'attendre. Je deviens fou, ici, Carol !

Je baissai les yeux vers la rue bruyante. Bien que ce fût l'heure la plus calme de la journée, elle fourmillait de touristes et d'autochtones qui vaquaient à leurs occupations. Au coin, un homme criait sans fin la même phrase à pleins poumons, ne s'interrompant que lorsque quelqu'un s'arrêtait pour lui parler.

— Il y a pire, comme endroit, pour tuer le temps ! commentai-je avec bonne humeur.

— Ah oui ? Sans blague ! (Je me tournai vers lui, prise au dépourvu par son animosité. Il avait l'air de me détester parce que j'étais libre de mes mouvements alors que lui était coincé dans une chambre étouffante à attendre un coup de fil qui ne venait pas.) Tant mieux pour toi, parce que moi, je ne le supporte pas ! J'ai horreur de ce sale bled. Les gens sont des abrutis et la nourriture est immonde. Tu entends cet imbécile dehors qui beugle la même chose tout le temps ?

— Qu'est-ce qu'il dit ?

— Comment veux-tu que je le sache ? Qu'il ferme sa gueule, je ne demande que ça ! Je te préviens, Carol, je suis en train de devenir dingue !

Il se laissa retomber sur le lit et plongea son visage dans ses mains.

— C'est affreux, je te demande pardon ! Je ne voulais pas me mettre en colère contre toi. Je n'ai que toi. Mais je ne sais pas combien de temps je vais pouvoir tenir…

Je sais bien que c'est mon talon d'Achille, mais je n'ai jamais pu me retenir de voler au secours des âmes en détresse, surtout quand il s'agit de beaux garçons. Or Tim était très à mon goût, et il avait sans conteste grand besoin de mon aide. Je m'assis au coin du lit et lui pris la main.

— Je voudrais pouvoir faire plus, lui dis-je doucement. Quel cauchemar pour toi !

Il agrippa ma main, ses tendons saillant comme des cordes sur ses avant-bras, et se tourna vers moi.

— Je n'arrête pas de me répéter qu'il faut garder le moral, mais c'est difficile, tu sais. Je tourne comme un lion en cage en attendant que le téléphone sonne et en pensant que Davy est en train de se faire démolir par ces salauds. Je n'ai personne à qui parler. J'ai l'impression que la réalité m'échappe.

— Pauvre Tim...

J'avais dû me pencher vers lui. Il tira sur ma main pour la presser contre sa poitrine, puis la porta à sa bouche pour l'embrasser. Ses lèvres, douces et chaudes, se posèrent sur ma peau.

— Au moins, toi, tu es bien réelle, souffla-t-il.

— Tu l'as dit !

Il serra ma main à me faire mal.

— Ne te moque pas de moi, Carol. Je ne supporte pas ça. (Il me relâcha et posa les mains à plat sur mes épaules en continuant d'une voix sourde.) Tu dois me promettre de ne jamais te moquer de moi. Jamais. Quoi qu'il arrive.

— Mais bien sûr. Pourquoi veux-tu que je me moque de toi ?

Il me prit dans ses bras et m'attira contre lui. Il posa la joue contre ma tempe, et je sentis fuser entre nous un érotisme puissant. Pour être honnête, j'avoue qu'une certaine ambiguïté était née à l'instant où j'étais entrée dans sa chambre. Je me laissai aller dans ses bras.

— Dis-moi que je ne rêve pas, murmura-t-il, son souffle soulevant mes cheveux derrière mon oreille.

— Non, tu ne rêves pas.

Il déplaça la tête, frôlant ma joue avec sa bouche, puis chercha mes lèvres. Nous échangeâmes un long et langoureux baiser. Il s'interrompit et se recula pour déboutonner mon chemisier, ce qu'il fit avec maladresse tant ses mains tremblaient. De mon côté, j'ouvris sa chemise sans un frémissement, tout en m'étonnant de la puissance de mon désir. Il était très bel homme, certes, et il avait besoin d'être sauvé, mais, même si c'était amplement suffisant en soi, cela n'expliquait pas tout. La froideur de Gus pendant ce dernier été avait été telle que j'avais un grand besoin de me retrouver dans les bras de quelqu'un, d'être aimée, de ressentir le désir de l'autre.

Un cocktail détonant. Tim se montra tendre, presque hésitant, tandis que, nus, nous nous explorions. Les scooters vrombissaient dans la rue sous nos fenêtres, et l'homme du trottoir vantait toujours sa mystérieuse marchandise à tue-tête. Quand Tim était tenté d'aller trop vite, je l'obligeais à prendre son temps. Il avait été trop seul ces derniers jours, et probablement même depuis des semaines : il fallait l'aider à retrouver les réflexes de l'échange. Il avait pensé devenir fou, et un moment de tendresse pourrait l'aider à retrouver ses marques. Et puis cela me donnerait plus de plaisir aussi.

Après de longs préliminaires, le rythme changea brusquement. Il me renversa sur le dos et me pénétra très vite. Ce qui suivit fut rapide, brutal, presque. Il se conduisait comme un homme privé trop longtemps de nourriture, et, surprise par l'impact érotique de son avidité, je jouis presque instantanément. Quand il eut atteint l'orgasme, il roula sur le dos avec un grognement. Appuyée sur un coude, je me penchai pour l'embrasser, mais il détourna la tête. Puis il se leva et alla prendre une douche. Je l'entendis maudire la précarité de l'installation. Il reparut un peu plus tard, une serviette nouée autour de la taille, et il s'habilla vite comme s'il avait honte que je voie sa nudité, maintenant que nous avions terminé.

— À toi de prendre ta douche, annonça-t-il.

— Je ne suis pas pressée.

— Tu ne te sens pas sale ?

Sa façon de prononcer le mot « sale » me choqua.

— Bien sûr que non, rétorquai-je. Et toi ?

Il ne répondit pas, mais le regard qu'il me glissa me gêna soudain.

— Tim, qu'est-ce qu'il y a ? Que se passe-t-il ?

Il me fixa un moment, comme s'il avait devant lui une étrangère, puis son regard sortit du brouillard et il sembla me voir vraiment.

— Pardon, dit-il avec un sourire. J'étais dans la lune. Et merci, c'était très bien. Tu as été formidable.

Il n'hésita qu'un instant avant de traverser la pièce pour venir me donner un léger baiser sur le front.

J'étais surprise et déçue, mais, sous ma douche, je me dis que cela ne servait à rien de lui reprocher de m'avoir utilisée. Ne m'étais-je pas aussi servie de lui pour me remettre d'aplomb après mon été sans amour avec Gus ?

Je n'avais pas envie de penser à Gus, et le pire était de savoir que s'il avait appris ce qui venait de se passer, il s'en serait royalement fichu. N'essayait-il pas de m'éloigner de lui depuis le printemps ?

Trouvant plus simple de me tourner vers des problèmes pratiques, je repris le dialogue avec Tim une fois douchée et rhabillée.

— J'ai une idée.

Il se tourna vers moi avec intérêt.

— Pourquoi ne dirais-je pas à Katie que quelqu'un d'autre que toi veut la rencontrer ? Est-ce qu'elle a une amie proche, ou de la famille qui pourrait être venue ici pour elle ? Quelqu'un ne présentant aucun danger et qu'elle aurait envie de voir ?

Tim, qui avait été occupé à redonner à ses cheveux un ordre impeccable avec son peigne, s'arrêta net, soudain très intéressé.

— Quelle idée excellente, Carol ! Tu es un génie ! Attends que je réfléchisse… Il y a la tante Tor, c'est Victoria, la sœur de mon père… Mais elle ne se déplace jamais sans son mari et ma mère ne s'est jamais entendue avec lui, donc ça risquerait de ne pas marcher. Qui d'autre ? Ah ! Je sais, Hilda Bissell. C'était pendant des années l'infirmière scolaire à Hollings – le pensionnat de mon père. Les relations entre elle et maman n'ont pas toujours été au beau fixe, mais elles ont fini par devenir très amies. Et elle est plus âgée que Katie. On pourrait raconter qu'elle est atteinte d'une maladie incurable et qu'elle veut voir Katie une dernière fois avant de mourir. Maman ne lui refuserait jamais ça.

La suggestion me dérangea car cette histoire de maladie me faisait trop penser à Harriet et j'eus peur que cela ne nous porte malheur, mais Tim était trop bien parti pour s'arrêter.

— Tu vas rentrer à Tartessus et lui dire qu'il est arrivé une coïncidence extraordinaire. Tu as engagé la conversation avec une dame dans un café de Tarifa, et elle t'a demandé si tu connaissais les Héritiers d'Akasha. Elle t'a parlé d'une de ses amies qui vivait là-bas et qu'elle tenait absolument à revoir à cause de sa maladie. Elle avait entendu dire que les visiteurs n'étaient pas bien accueillis et voulait savoir si tu pouvais l'aider à entrer en contact avec Katie.

Ce scénario ne me semblait pas très crédible, mais Tim m'assura que Katie n'y verrait que du feu si je jouais bien mes cartes, ce dont je dus convenir. Personne d'autre n'aurait pu avaler cette histoire, mais Katie était tellement confiante... Je me souvins de son émerveillement quand elle s'était aperçue que je dormais dans la villa où elle avait logé à son arrivée – alors qu'il n'y en avait que trois : le calcul des probabilités n'était pas le point fort de Katie.

Tim me raconta tous les détails dont il se souvenait sur Hilda Bissell.

— Ce qu'il y avait de bien avec elle, expliqua-t-il avec enthousiasme, c'est qu'elle adorait Davy. Elle n'avait pas d'enfants alors elle me gâtait beaucoup, et quand Davy est arrivé, elle serait venue vivre chez Lucy et moi si elle l'avait pu. La pauvre Lucy disait que c'était comme d'avoir deux belles-mères. Donc tu vas pouvoir dire à Katie que Hilda tient à tout prix à voir Davy. Si seulement on arrivait à s'arranger pour que Katie prenne son passeport avec elle, on pourrait même carrément tenter le coup de les emmener.

— Peut-être qu'elle le garde dans son sac, comme moi.

— Essaie de vérifier si tu en as l'occasion. Ah, je sais ! On a besoin d'un passeport pour encaisser les traveller's cheques, non ? Si Hilda s'était fait voler son sac et avait besoin d'argent liquide, elle pourrait lui demander de l'aide par ton intermédiaire, et Katie serait obligée d'apporter son sac et...

J'interrompis cette belle envolée.

— Personne n'utilise plus de traveller's cheques, Tim. Ici, c'est comme en Angleterre, on retire son argent dans les distributeurs. (Il était presque cinq heures.) Je dois m'en aller.

— C'est trop tôt. Tu viens à peine d'arriver.

— Je n'ai pas le choix. J'ai rendez-vous à cinq heures avec Jenny.

— Et alors ? On a encore tout le temps. Tu peux bien arriver en retard. Reste, Carol, je t'en prie. Ne m'abandonne pas.

Il me désirait de nouveau. Sa bouche se fixa sur la mienne, mais j'écartai la tête en me dégageant.

— Il faut vraiment que j'y aille.

Il avait la respiration haletante, et ses yeux bleus brillèrent d'une intensité particulière en se posant sur moi, mais je n'avais plus envie de lui ; j'avais compris qu'il ne me désirait que pour calmer sa terreur de la solitude.

— Reste avec moi, supplia-t-il. Prends-moi dans tes bras.

— Une autre fois. Pas maintenant.

— Si, maintenant !

Il y eut un moment de flottement déplaisant pendant lequel je crus qu'il allait m'empêcher de quitter sa chambre. Cet homme, laminé par ses angoisses, était au bord de la crise de nerfs et j'étais plus déterminée que jamais à lui permettre de retrouver son fils.

— Réfléchis, lançai-je d'un ton ferme, si j'arrive au café avec une demi-heure de retard et en venant de coucher avec toi, Jenny aura du mal à se dire que je viens de passer l'après-midi toute seule à faire du tourisme. Et elle ne croira pas non plus que je viens de discuter avec une infirmière à la retraite qui s'appelle Hilda Bissell.

— Mais…

— Je vais revenir bientôt, je te le promets. Et la prochaine fois, avec un peu de chance, ce sera avec Katie.

Il se passa les doigts dans les cheveux, puis sourit et fit un pas de côté pour me laisser passer.

— Bon, d'accord. Mais n'oublie pas, je compte sur toi.

Je descendis en courant et retrouvai le brillant soleil. J'étais inquiète et j'avais hâte de m'éloigner de l'hôtel. Je n'avais pas envie non plus de penser à ce que je venais de faire avec Tim ni à notre discussion. L'homme dont la litanie s'était insinuée dans notre étreinte était assis sur une caisse retournée devant une boutique de poterie et de souvenirs. Il avait répété les mêmes mots si souvent qu'ils en étaient devenus indistincts, comme ceux des vendeurs de journaux du soir à Londres.

Je crois qu'il vendait des billets de loterie. Sans trop savoir pourquoi, il me sembla que cela convenait à merveille à la situation.

Ni moi ni Jenny ne fûmes très bavardes pendant la première partie du retour. Jenny répondit du bout des lèvres quand je lui demandai comment s'était passé son après-midi, et comme on pouvait s'y attendre elle ne montra pas le moindre intérêt pour mes activités ; je n'eus donc pas l'occasion de m'exercer à raconter l'histoire de Hilda Bissell. Elle se tenait recroquevillée sur son siège, collée à la portière, sans doute pour mettre autant de distance que possible entre elle et moi, et regardait le paysage brun et sec avec morosité.

Au bout d'un moment, elle poussa un soupir.

— Dis donc, c'est drôlement caillouteux, par ici.

— C'est... sauvage, intervins-je, tâchant d'introduire une note de bonne humeur.

— Tu parles, on dirait la face cachée de la lune.

Il était temps de discuter un peu. J'étais encore en train de me demander comment me débrouiller pour attirer ses confidences quand elle se mit à se plaindre toute seule.

— Quelle horreur, on a l'impression de rentrer au pensionnat après une sortie !

— Tu étais interne ?

— Bien sûr. Maman s'est débarrassée de moi dès qu'elle l'a pu. J'avais huit ans.

— Tu as dû trouver ça dur.

— Pas trop. Valait mieux ça que de rester à la maison, en tout cas.

— Ah bon ? Tu ne devais pas être très heureuse chez toi, alors, risquai-je avec précaution.

— Bof...

— Tu n'étais pas proche de ta mère ?

Elle me glissa un de ses regards lourds qui lui donnaient l'air d'être à la fois blessée, méfiante et calculatrice.

— Non, pas vraiment, finit-elle par répondre. Nous ne nous sommes jamais bien entendues. Bon, on s'aime, c'est évident, mais on se tape sur les nerfs. Sans doute parce que nous nous ressemblons trop.

Mon Dieu ! songeai-je. Deux Jenny. Chez elles, l'atmosphère avait dû être à couper au couteau. Je plaignis Ian.

— Est-ce qu'elle sait où tu es ? demandai-je.

— Bien sûr. Elle a toujours des espions pour la renseigner.

— Mais tu ne l'as pas contactée directement depuis que tu es entrée dans le groupe ?

Je m'attendais qu'elle me remette à ma place en me signifiant que j'étais trop curieuse, mais elle se contenta d'une réponse laconique.

— Pas à proprement parler.

— Tu dois savoir qu'elle est malade ?

Elle se tourna vers moi depuis son coin de portière et braqua sur moi un regard furieux.

— Tu as dit que tu ne lui avais jamais parlé. Tu m'as menti, Carol ?

— Non, je t'assure. Je n'ai jamais parlé à ta mère de ma vie, mais Ian est passé nous voir il y a quelque temps.

— Qu'est-ce qu'il voulait ?

— Il s'inquiétait pour toi. Harriet ne savait pas qu'il allait venir, mais...

— Ah ! ça, c'est tout lui. Il n'arrête pas de faire ses coups derrière le dos de ma mère.

— Il essayait de faire de son mieux, le pauvre. Il a dit que ta mère était très malade.

Jenny me fusilla du regard.

— Et alors ? demanda-t-elle brutalement.

— Ian a l'air de penser qu'elle n'en a plus pour très longtemps, quelques mois peut-être, mais je suppose que tu le sais déjà.

— Oui, je le sais, mais c'est une tactique vieille comme le monde. Presque chaque membre d'Akasha a été rappelé chez lui par un parent atteint soudain d'une maladie bien commode. Je ne me laisserai pas prendre à ce genre de chantage.

J'eus une pensée coupable pour la fausse Hilda Bissell et sa grave maladie, mais me contentai de nier.

— Je ne crois pas que ce soit un mensonge, dans le cas présent.

— À d'autres... Elle allait très bien la dernière fois que je l'ai vue. Ah ! c'est pratique que son état s'aggrave juste quand ça l'arrange !

— Jenny, tu exagères. Je l'ai entendue parler à Gus au téléphone, et elle avait l'air d'aller vraiment très mal.

Jenny encaissa le coup et détourna la tête.

— Tant pis pour elle, dit-elle – mais je crus voir des larmes dans ses yeux.

Au bout d'un moment, je repris doucement :

— Tu fais semblant d'être indifférente, mais je sais qu'au fond ce n'est pas vrai.

— T'as trouvé ça toute seule ?

Elle resta un moment ratatinée dans son coin, puis elle se tourna vers moi.

— Tu n'y comprends rien, Carol. Harriet n'a plus d'importance pour moi. Avant, oui, mais maintenant, ma famille, c'est les Héritiers d'Akasha, je n'ai besoin de rien d'autre. Ils ont été merveilleux avec moi et je leur dois tout.

Des phrases qui sonnaient faux, comme si elle récitait un rôle.

— Et cette pauvre Harriet ? demandai-je. Tu ne vas quand même pas l'abandonner ?

— Et pourquoi pas ? Essaie de comprendre que ma mère fait partie de mon ancienne vie et que je lui ai tourné le dos. À la prochaine pleine lune, je prononcerai le Serment de fidélité et on me donnera mon nouveau nom. Je ne le connais pas encore, mais je sais qu'il sera très beau. On dit que c'est comme quitter une vieille peau dont on n'a plus besoin. Je vais renaître à une nouvelle vie. Je suis triste que Harriet soit malade, bien sûr, mais ce qu'elle traverse n'est qu'une épreuve corporelle. Elle a encore le choix de vivre autrement, mais je ne peux pas le faire pour elle. Elle pourrait venir chez les Héritiers si elle voulait, elle aussi, et renaître à une vie nouvelle, comme je vais le faire. Qui sait, sa maladie la quittera peut-être.

— Tu ne devrais pas dire des choses pareilles ! Ils n'ont pas le droit de te remplir la tête de telles idioties ! Il faut qu'elle aille dans un endroit où elle pourra recevoir un traitement médical adapté.

— Carol, tu es venue à cette retraite dans le but de me faire du chantage affectif et de m'obliger à retourner chez ma mère ?

— Ne te flatte pas, j'avais plein de raisons personnelles qui n'ont rien à voir avec toi.

— Ah oui ? Je me demande bien quoi. Je devrais te dénoncer, ça mettrait un peu d'animation. Tu sais ce qu'ils font aux imposteurs ?

— Je te dis que je suis venue en toute bonne foi. J'ai participé à la retraite sans préjugés. C'est tout ce qu'on demande aux Aspirants, non ? Mais maintenant que j'ai pu voir de près à quoi ça ressemble, oui, je peux dire que je trouve que nous sommes chez des dingues. Je n'arrive pas à croire que tu as gobé toute cette histoire à dormir debout sur l'Atlantide et la fin du monde.

— Ah ? Eh bien tu n'as rien compris ! (Ses yeux s'étaient mis à briller d'un éclat fanatique.) Moi, je sais que c'est vrai, parce que je l'ai vu dans le Livre akashique.

— Quoi ?

— Quand on médite, on voit des choses avec son troisième œil qui ne sont pas accessibles aux gens ordinaires. C'est complètement fascinant.

— Je ne supporte pas de t'entendre débiter de telles imbécillités ! Et maintenant qu'ils t'ont accrochée, tu vas donner tout ton argent à la secte et tu ne le récupéreras jamais.

— Ah ! Nous y voilà ! Je savais qu'on finirait par en arriver à l'argent. Ian n'est préoccupé que par mon compte en banque, j'en étais sûre !

— Il s'inquiétait pour toi, c'est tout.

— Il ne s'intéresse qu'au fric. Si tu savais comme je serais contente de ne plus rien avoir ! Je n'ai qu'une hâte : laisser des gens qui m'aiment sincèrement prendre ma vie en charge. Je pourrai enfin réfléchir à des questions spirituelles au lieu d'être obsédée par l'argent et par mon statut social, comme Ian et ma mère.

— Le Cercle interne ne se prive de rien, tu sais. Ils n'ont pas fait vœu de pauvreté.

— Et alors ? Je m'en fiche.

Nous étions arrivées aux Colonnes d'Hercule. Les deux statues de pierre baissaient des yeux méprisants sur notre dispute. Pendant que nous attendions l'ouverture du portail, j'insistai.

— Jenny, tu n'es pas idiote. Tu dois bien te rendre compte que tu es en train de faire une bêtise monumentale que tu risques de regretter toute ta vie. Je suis vraiment triste de te voir bousiller ton existence de cette façon.

— Et alors ? Ça me regarde !

— Mais tu ne pourrais pas juste passer un coup de fil à Harriet ? Ça compterait tellement pour elle ! Elle est malheureuse, tu sais !

Je fis avancer la voiture et le portail se referma derrière nous. Jenny se tourna vers moi, les yeux étincelants de malice.

— Tu gobes tout ce qu'on te raconte, hein, Carol ? Tu es complètement à côté de la plaque !

18

Katie était mal à l'aise.

— Je n'ai pas quitté Tartessus depuis une éternité ! s'exclama-t-elle alors que le lourd portail se refermait derrière nous. J'ai l'impression de vivre une grande aventure.

Bien maquillée pour l'occasion, ses fins cheveux blonds coiffés en arrière, elle avait revêtu une veste et une jupe mauve pâle, et portait des perles aux oreilles et au cou.

— Hilda a sauté de joie à l'idée de te revoir, déclarai-je avec enthousiasme.

— Comme c'est gentil. Ah ! Sacrée Hilda !

Une ombre d'inquiétude sur le visage, elle se tourna sur son siège afin de jeter un dernier coup d'œil aux Colonnes d'Hercule qui disparaissaient. J'étais affolée de voir à quelle vitesse les membres de la secte devenaient dépendants et perdaient toute capacité à se débrouiller seuls dehors. Moi aussi, je regardai la route derrière moi, mais plutôt pour m'assurer que nous n'étions pas suivies. Elle me demanda nerveusement :

— C'est loin, ce Trafalgar Square dont tu m'as parlé ?

— À une demi-heure, tout au plus. Et ça s'appelle le cap Trafalgar – *Cabo Trafalgar.* (Je le lui avais déjà expliqué, mais elle devait avoir oublié.) C'est près de l'endroit où la bataille a eu lieu, ajoutai-je.

— Oui, je sais ! lança-t-elle gaiement. Mais quand même, je trouve bizarre qu'on ait donné le nom d'une place de Londres à une bataille navale.

Je lui jetai un rapide coup d'œil pour m'assurer qu'elle ne se moquait pas de moi, mais elle était sérieuse.

— Je crois plutôt que c'est à la place londonienne qu'on a donné le nom de la bataille, rectifiai-je.

— Oui, bien sûr, évidemment, approuva-t-elle d'un ton distrait.

Je changeai de sujet.

— Tu as revu le garçon que nous avons rencontré en Cornouailles ?

Elle ne répondit pas mais ouvrit son sac, fouilla dans son contenu – mouchoir, poudrier, porte-monnaie – et en tira des lunettes de soleil qu'elle se mit sur le nez.

— Je regrette de ne pas avoir de cadeau pour Hilda, dit-elle en se tournant vers moi avec un sourire. Vincent et moi, nous lui ramenions toujours quelque chose quand nous allions en Écosse, des sablés ou un foulard, par exemple. Cette pauvre Hilda n'aimait pas beaucoup partir en vacances. Je crois qu'elle allait toujours voir une vieille tante sinistre à Torquay.

— Dans ce cas, elle doit rattraper le temps perdu.

Je me demandai pourquoi elle évitait de parler de Tim. Cela devait beaucoup la peiner d'être séparée de lui. Je fis une nouvelle tentative.

— Ce garçon, il ne t'a pas appelée maman ?

Elle regardait droit devant elle.

— Tim, dit-elle simplement.

— Et c'est ton fils ?

Elle fit oui de la tête et plongea de nouveau dans son sac pour y prendre son mouchoir et se moucher.

— Tu as d'autres enfants ?

Elle fit non de la tête.

— J'aurais bien voulu mais... J'ai fait deux fausses couches. Je n'ai que Tim.

— Il doit beaucoup te manquer. Il ne t'arrive pas parfois d'avoir envie de le voir ?

De grosses larmes débordèrent de sous ses lunettes noires. Regardant toujours droit devant elle, elle répondit avec raideur :

— Je m'appelle Lumina, à présent. Je n'ai plus besoin de mon ancienne famille.

Elle récitait une leçon, exactement comme Jenny, répétant les mêmes formules imbéciles.

— Je l'ai laissée avec mon ancienne vie. Davy et moi, nous pouvons espérer un nouvel avenir, maintenant.

Cette attitude si stoïque, si malavisée, me brisait le cœur. J'appuyai sur l'accélérateur, m'imaginant sa joie quand elle retrouverait Tim. De temps à autre, quand nous arrivions sur une ligne droite, je jetais un coup d'œil dans le rétroviseur. Nous étions presque arrivées.

On nous avait expliqué que le cap Trafalgar était l'un des coins les plus connus et les plus beaux de la région. C'était, semblait-il, le meilleur endroit d'où contempler le soleil couchant. Nous avions prévu les retrouvailles pour quatre heures, ce qui me permettrait, au cas où Katie et « Hilda » trouveraient beaucoup de choses à se dire, d'avoir le plaisir de voir un de ces fameux couchers de soleil.

Nous atteignîmes la côte et traversâmes la petite ville, qui n'était guère plus importante qu'un gros village. Je fus rassurée en trouvant un poteau de signalisation indiquant *Cabo Trafalgar*, qui nous fit prendre une route à travers une zone de dunes et de roseaux.

L'inquiétude de Katie s'accrut.

— Comme c'est bizarre que Hilda ait choisi de nous donner rendez-vous ici... Il n'y a même pas de café.

— Regarde, on dirait que c'est là-bas. On voit le phare.

En hiver, ou les soirs de tempête, l'endroit devait être assez lugubre. Une route étroite menait à une barrière de dunes sauvages parmi lesquelles se dressait un phare solitaire. Une seule voiture était garée au bout de la route, près des dunes. Je roulai lentement jusqu'à elle et m'arrêtai à environ cinq mètres.

— Ça doit être elle, dis-je.

Katie contempla la voiture de location de Tim d'un air dubitatif.

— Hilda n'aime que les belles voitures, commenta-t-elle.

— Allons voir, tu veux ?

Nous descendîmes et avançâmes sur la route blanche. À part le pépiement des oiseaux de dune, il régnait un profond silence. Quand nous arrivâmes à la hauteur du véhicule, la portière du côté conducteur s'ouvrit et Tim sortit. Il avait pris grand soin de son apparence : cheveux bien plaqués et partagés par une raie, vêtements repassés par une main maniaque, et chaussures cirées à l'extrême.

Katie s'arrêta net en poussant un petit cri.

— Mais mon Dieu ! Qu'as-tu fait à Hilda ?

— Hilda n'est pas là, répondit Tim calmement. C'est moi qui ai inventé cette histoire. Je suis désolé d'avoir menti, maman, mais il fallait que je te voie.

Katie se tourna vers moi avec une sorte de panique dans le regard.

— Mais tu avais dit que c'était Hilda !

— Elle ne va pas venir, expliquai-je. Je ne l'ai jamais rencontrée de ma vie, et sûrement pas à Tarifa. Je t'ai raconté ça pour te donner l'occasion de parler à Tim. Nous n'avons pas trouvé d'autre moyen de te faire sortir d'El Cortijo.

Katie avait l'air de plus en plus perdue.

— Vous vous connaissez ? demanda-t-elle à Tim.

Il sourit. Je pouvais désormais détecter chez lui les signes d'une tension extrême : le battement de la veine sous l'œil gauche, le tremblement de ses mains.

— Oui, nous essayons d'organiser cette entrevue depuis des semaines. Ne te fâche pas, maman, je t'en prie. Carol sait à quel point j'ai besoin de vous voir, toi et Davy. Comment va mon petit Davy ?

— Davy ? répéta Katie, encore sous le choc.

— Ne me dis pas qu'on lui a changé son nom à lui aussi !

— Non, non... Il... il va bien. Davy va bien.

— Vous devez avoir beaucoup de choses à vous dire, intervins-je, sentant que ma présence introduisait une gêne.

Je vous laisse un moment. Nous avons tout le temps. Je les ai prévenus que nous rentrerions tard.

Katie se tourna vers moi avec un air effaré.

— Je reste avec toi, Carol. Tu pourrais te perdre, toute seule.

— Maman ! Je t'en prie ! Tu ne peux pas partir comme ça ! (La voix de Tim se brisa. Il devait être aussi horrifié que moi par la peur de cette mère de passer du temps avec son propre fils.) Maman, s'il te plaît, je t'en supplie ! Reste un peu. Ne me laisse pas maintenant, surtout après ce que j'ai enduré pour te voir.

— Mais...

— Ça ne peut quand même pas te faire de mal de me parler.

Elle hésitait. Il lui tendit les bras. Katie fit un pas hésitant vers lui. Il l'attira et l'étreignit.

Mon rôle d'intermédiaire terminé, je devenais une intruse. Je me dépêchai de m'en aller.

Je tournai la tête et les vis s'éloigner côte à côte sur le chemin des dunes vers la mer. Je partis dans la direction opposée, me dirigeant vers le nord et laissant le phare derrière moi. Il était quatre heures passées. Nous n'étions pas convenus d'une heure pour nous retrouver, mais il leur faudrait sans doute au moins une heure d'intimité. Tim allait la submerger de questions sur son fils, et, malgré le pouvoir de persuasion qu'il se prêtait, il lui faudrait quand même un peu de temps pour la convaincre de quitter la secte.

L'air était doux comme une caresse. À part les colonies d'oiseaux de mer qui peuplaient le pied des dunes, la plage était déserte. J'entendais de temps à autre une voiture qui avançait au pas sur l'étroite route du phare, mais personne ne restait bien longtemps. Les touristes descendaient pour se dégourdir les jambes, faire un petit tour jusqu'au phare et jeter un coup d'œil à la mer, puis ils remontaient en voiture et repartaient pour finir l'étape, découvrir la ville suivante, ses hôtels, ses restaurants. *Nous avons vu le cap Trafalgar. C'est à côté de l'endroit où Nelson a remporté sa grande victoire.* Ou, si on était Katie, c'était le lieu de la bataille auquel on avait donné, pour une raison obscure, le nom d'une place de Londres.

Je m'assis dans les dunes, m'arrangeant pour m'adosser au sable chaud tout en contemplant le spectacle toujours changeant de l'océan. J'étais ravie que Katie et Tim se soient enfin retrouvés grâce à moi. Si la chance continuait de me sourire, je réussirais à organiser la fuite de Katie et de Davy ; il était donc grand temps que je m'attelle au problème Jenny. Il ne me restait que cinq jours avant la fin de ma retraite, et plus le départ approchait, moins j'avais peur de me faire démasquer, malgré les menaces de Jenny. Je pourrais toujours prétendre que j'étais venue au stage en toute bonne foi et que ce n'était pas ma faute si je n'avais pas apprécié l'expérience. Personne ne découvrirait mon alliance avec Tim à moins que Katie ne me dénonce, et elle n'avait aucun intérêt à le faire.

Je repartis vers les voitures, attendis un peu, puis regardai ma montre. Il était cinq heures passées. Je commençais à me demander où ils en étaient. Je pris le chemin des dunes.

Le soleil brillait droit devant moi, boule orange suspendue au-dessus de l'horizon ; je balayai l'immense plage du regard. Au loin, vers le sud, je distinguai deux silhouettes qui marchaient lentement vers moi. Les deux promeneurs se séparèrent puis se rapprochèrent. Je fis un signe du bras mais ils ne me virent pas. Une petite brise s'étant levée, je m'installai à l'abri d'une hauteur couronnée d'herbes de dune et m'allongeai au chaud. Quel luxe de se prélasser au soleil en plein mois d'octobre ! Je songeai aux grises journées d'automne à Sturford, aux feux qu'on allumait dehors, au brouillard et à l'humidité froide qui montait de la terre. Ici, c'était une autre saison, et j'avais bien l'intention d'en profiter.

Tim et sa mère prenaient vraiment leur temps. Peut-être discutaient-ils déjà de la façon dont elle pourrait échapper aux Héritiers d'Akasha. Tout allait pour le mieux.

Je m'assoupis un moment. Quand je sortis de ma torpeur, j'entendis une voix de l'autre côté de la dune, une voix d'homme, basse et insistante. La voix de Tim. Il semblait donner des instructions. Ma première impression fut qu'il lui indiquait un plan pour se sauver.

Puis, quand le son approcha, me permettant de distinguer les mots, un frisson d'incrédulité me parcourut.

— Non, maman ! Tu ne peux pas le garder parce que tu n'es pas en état de t'occuper de lui. Tu as toujours été une incapable. Tu sais bien que papa était obligé de tout faire pour toi. Tu as foutu en l'air ta vie et celle de toute ta famille par la même occasion, et tu continues à faire exactement pareil ! Tu es incorrigible !

— Mais cette fois, c'est différent, Tim, protesta Katie. Je ne suis plus toute seule. J'ai des amis, maintenant.

— Ces gens ne sont pas tes amis, ils se servent de toi. Tu t'es toujours laissé exploiter par les autres. Sois réaliste, maman, tu n'as jamais eu d'amis. Je ne vois pas qui pourrait s'intéresser à toi.

— Ils m'aiment bien, je suis sûre que c'est vrai. Et ils adorent Davy. (Sa voix se fit suppliante.) Il est tellement heureux, Tim. Si seulement tu pouvais le voir ! Tu sais que tu peux venir nous rendre visite quand tu veux, à condition que tu acceptes leurs conditions. Fais l'effort d'essayer, je t'en prie.

— Pas question ! s'exclama Tim avec brutalité. Je vais voir Davy, ça, c'est certain, mais comme je voudrai. Je refuse tout net de rendre visite à mon fils chez une bande de dingues, alors ce n'est même plus la peine d'y penser. Tu es trop bête pour comprendre, comme d'habitude !

J'allais me dresser de fureur, mais j'hésitai à les interrompre et me contins. Ce que j'entendais n'avait aucun sens. Tim était un père malheureux, un fils aimant qui essayait de tirer sa mère des griffes de faux amis qui lui voulaient du mal. J'avais cru à cette version si longtemps que je n'arrivais pas à en croire mes oreilles. Je restai donc à écouter, attendant qu'ils veuillent bien reprendre les rôles que je leur avais assignés.

Katie se défendait de son mieux.

— Tu déformes tout, et tu me rabaisses, exactement comme ton père, mais aujourd'hui j'ai des amis qui me respectent. Je ne veux pas les quitter. Cette fois, je reste.

Il y eut un long silence. J'aurais bien voulu savoir ce qui se passait, mais je ne voulais pas risquer de me faire voir. Quand Tim reprit la parole, ce fut d'une voix plus douce.

— Tu sais, maman, je te plains presque. Tu as foutu ma vie en l'air, et maintenant tu recommences avec Davy. Mais tu n'y arriveras pas. Je ne te laisserai pas faire. C'est plus fort que toi, hein ? Tu ne te rends même pas compte de la peine que tu causes aux gens. Je t'en ai voulu pendant des années parce que tu m'avais abandonné…

— Mais, Tim, je ne t'ai pas abandonné. Je t'ai emmené avec moi, c'est ton père qui…

— Tais-toi ! Tu vas m'écouter, oui ? Mon père était un type bien et je n'admets pas qu'on dise du mal de lui. Si parfois j'ai commis des erreurs, c'était entièrement ta faute. Je ne comprends pas comment tu peux être aussi mauvaise.

— Tim, non, écoute…

J'aurais dû intervenir, c'est vrai, mais j'étais trop pétrifiée par ce que j'entendais pour bouger.

Un changement s'opérait. La voix de Tim s'adoucit.

— Rentre à la maison, maman, viens avec moi. C'est moi ta famille. J'ai besoin de toi, tu ne comprends pas ça ? Je n'arrive plus à vivre sans toi. C'est horrible ! (Sa voix me parvenait étouffée, comme s'il pleurait ou cachait son visage dans le cou de sa mère.)

— Mon pauvre Tim, je suis désolée, mais je ne peux pas les quitter. Nous sommes une grande famille, et je veux que tu viennes aussi. Essaie, tu verras, tu seras heureux, comme moi. Je suis heureuse pour la première fois de ma vie.

— Heureuse ? gronda Tim. Espèce de sale égoïste ! Comment peux-tu dire que tu es heureuse quand tu fous ma vie en l'air ? Tu vas voir si tu es heureuse quand je récupérerai Davy ! Parce que tu sais très bien que c'est moi qui vais gagner. Tous les avocats disent que je n'ai qu'à claquer des doigts et que la police débarquera pour te le reprendre. Et je peux t'assurer que si tu ne m'aides pas maintenant, tu vas le payer cher.

— Tim, non..., gémit Katie d'une voix déformée par la douleur.

— Si. Donc tu n'as qu'une alternative : soit tu me rends Davy de toi-même, soit la police intervient. De toute façon, je vais le récupérer, je vais gagner. C'est mon fils et il n'y a rien que vous puissiez faire pour m'en empêcher, toi et tes copains malades mentaux. Si tu fais ce que je te demande, il te reste une petite chance pour que je sois gentil avec toi et que j'accepte de te laisser faire la cuisine et le ménage pour nous, et si tu es très sage, tu pourras peut-être voir Davy de temps en temps, quand je le voudrai bien. Mais c'est moi qui déciderai, tu entends ? Alors, tu préfères quoi ? M'aider, ou perdre Davy pour de bon ?

— Non... Je veux... garder Davy...

Je me levai d'un bond. Voilà donc ce que Tim avait en tête quand il disait que sa mère était influençable. Il pensait à ce genre de marché quand il se vantait de n'avoir besoin que d'une heure pour lui faire changer d'avis.

Ils étaient en dessous de moi sur la plage, plus loin que je ne l'aurais cru. Les voix portaient dans le silence du soir. Tim me tournait le dos. Il avait la main gauche plongée dans les cheveux de Katie et il lui tirait la tête en arrière pour l'obliger à le regarder dans les yeux. Je vis qu'elle portait ses sandales à la main.

— Je n'ai pas bien entendu ! aboya-t-il en lui assénant un coup de poing dans les côtes. (Elle gémit et laissa tomber ses sandales.) Qu'est-ce que tu as dit ? répéta-t-il. Allez, vas-y, salope. Dis oui !

Il la frappa une nouvelle fois à la poitrine. Je crus que j'allais vomir.

Katie m'aperçut. Son expression ne changea pas, mais elle céda.

— D'accord, dit-elle. J'accepte. Je ferai tout ce que tu voudras.

J'ouvrais la bouche pour hurler à Tim de la lâcher quand Katie fronça les sourcils en secouant discrètement la tête. Puis elle lança avec une amabilité enjouée :

— Ah ! Carol ! Te voilà !

Je glissais déjà en bas de la dune vers eux, mais je m'arrêtai net. Tim pivota ; un dixième de seconde, je vis le visage d'une brute empourprée, puis, comme Katie, il reprit son masque de tous les jours.

— Carol !

Ce monstre paraissait vraiment content de me voir.

À l'instant où il s'était détourné d'elle, Katie avait reculé d'un pas, et, me regardant toujours bien en face, elle avait posé un doigt sur ses lèvres.

— Mon Dieu ! s'exclama-t-elle. Comme il est tard ! Nous jacassons comme des pies, et cette pauvre Carol qui nous attend ! Elle doit en avoir plus qu'assez.

Le mieux était encore de suivre son exemple. Elle estimait sans doute que c'était la meilleure tactique pour lui échapper.

J'étais encore sous le choc et je me sentais complètement perdue.

— Ne vous inquiétez pas, lançai-je sans trop savoir ce que je disais. J'ai fait une belle promenade.

J'avais les poings crispés à m'en faire mal.

— Eh bien tant mieux ! commenta Katie. Je suis bien contente pour toi.

Tim se passa les doigts dans les cheveux pour ramener sa mèche en arrière tandis qu'un sourire innocent éclairait son visage.

— Tu es allée de quel côté ?

Je fis un geste vague vers le phare.

— Par là. C'est magnifique. Je suis désolée de vous interrompre, mais il est temps de rentrer.

— Comme c'est dommage ! soupira Katie. Enfin, tout a une fin.

Elle voulut avancer vers moi, mais Tim la retint par le bras. Elle s'arrêta, la peur dans les yeux, mais il se contenta de se baisser pour ramasser les sandales.

— Tu ne vas quand même pas rentrer pieds nus, maman ?

— Non, bien sûr, que je suis bête.

— Tu veux que je t'aide à les remettre ? demanda-t-il d'une voix doucereuse.

— Comme c'est gentil, mon chéri, je veux bien.

Il s'agenouilla et prit le pied délicat dans ses mains pour attacher la bride. La comédie était monstrueuse. Pendant ce temps, Katie gardait son petit sourire faussement joyeux. J'avais envie de le pousser et de partir en courant avec elle jusqu'à la voiture.

— Allez, on rentre à Tartessus, dis-je.

— Oui, il est un peu tard, approuva Katie.

Je vis la main de Tim se refermer sur sa cheville. Katie s'immobilisa, et il leva la tête vers elle, les yeux pleins d'innocence.

— Tu n'oublieras pas ce dont nous venons de parler, maman ? susurra-t-il.

— Non, je te le promets.

— La prochaine fois, tu viendras avec Davy. Et les passeports.

— Oui, mon chéri.

J'allais protester quand, sans se faire voir de Tim, Katie me fit signe de garder le silence.

— Tu es sûre que tu n'oublieras pas ? insista-t-il.

— Tout à fait.

Il lui lâcha la cheville et se releva. Katie me rejoignit ; je lui pris le bras. Mon cœur battait à tout rompre quand nous passâmes les dunes pour retourner aux voitures.

— Souviens-toi, dit Tim, Carol a un téléphone portable, donc tu as un moyen de me contacter. On se téléphone ce soir pour confirmer nos plans.

— D'accord, chéri.

— Demain, d'accord ? Même heure, même endroit ?

— Oui, demain.

J'étais dans une telle colère que j'avais du mal à respirer, mais la pression de la main de Katie me retenait et je n'intervins pas. Espèce de salaud, pensais-je. Espèce de monstre !

Nous arrivâmes aux voitures. J'étais presque déçue que Tim s'en tienne maintenant à une attitude aussi calme et mesurée. D'une certaine façon, j'aurais aimé qu'il recommence sa petite scène rien que pour lui montrer qu'au moins une de nous savait se défendre.

Le soleil descendait dans un embrasement de rouges et d'ors, le fameux coucher de soleil du cap Trafalgar, mais je le remarquai à peine.

— Au revoir, maman. À demain. Et cette fois, pas de bêtises, on est bien d'accord ?

Katie ne protesta pas quand Tim la prit dans ses bras, mais elle eut un réflexe de douleur quand il la pressa contre lui ; dès qu'il la libéra, elle se dépêcha de se réfugier dans la voiture.

— Au revoir, Tim. À demain.

Elle parvint même à lui lancer un grand sourire d'adieu. Mes mains tremblaient si fort que je fis grincer les vitesses pendant mon demi-tour, puis nous repartîmes en cahotant sur la petite route qui nous ramenait vers les collines de Tartessus… et la sécurité.

Nous roulâmes en silence. Au bout d'une dizaine de minutes, nous entendîmes un coup de klaxon derrière nous. Je jetai un coup d'œil dans le rétroviseur et vis que Tim avait mis son clignotant pour prendre la route de Tarifa, alors que nous devions continuer tout droit et nous enfoncer dans les terres vers le nord. Je levai la main en signe d'adieu, mais à côté de moi Katie resta figée comme une statue.

Je ne pris la parole qu'une fois certaine que nous étions seules sur la route.

— Katie… (Elle ne sembla pas m'en vouloir de l'appeler par son vrai nom.) Katie, j'ai entendu ce que te disait Tim sur la plage. Je l'ai vu te frapper. Je suis désolée. C'est ma faute.

Elle ne répondit pas. Dès que nous étions montées en voiture, elle avait mis ses lunettes noires pour cacher son expression. Son profil était si fin, si délicat, qu'on devinait à quel point elle avait été belle ; Gus avait dû être fou d'elle. Je gardai le silence un moment pour lui laisser le temps de se reprendre, mais elle continua de se taire, fixant la route devant elle et serrant son sac sur ses genoux.

— Je suis la seule coupable, répétai-je, et je suis profondément désolée. J'ai fait ça pour vous aider. J'ai rencontré Tim à une réunion de présentation du groupe à Londres et il avait l'air tellement perdu et malheureux que je l'ai cru. Il prétendait qu'on t'avait fait subir un lavage de cerveau et qu'on lui avait enlevé son fils, alors j'ai accepté d'essayer d'organiser une rencontre entre vous. Il a dit que si seulement il pouvait trouver le moyen de te parler, ne serait-ce qu'une demi-heure, tu quitterais le groupe et que tout s'arrangerait. Jamais je n'aurais imaginé que c'était une telle brute. Quelle honte ! Pourquoi m'as-tu empêchée d'intervenir, tout à l'heure ?

— Personne ne doit savoir, expliqua-t-elle à voix basse. Nous avons toujours respecté cette règle, dans la famille. (On aurait dit qu'elle se parlait à elle-même.) Même quand ça allait très mal, nous sauvions toujours les apparences. C'était très important pour Vincent.

— Ton mari ?

— Oui, Vincent avait de grandes exigences. Il le fallait bien – tu penses, un chef d'établissement – mais à la maison... il était aussi très strict. Tim lui ressemble beaucoup. (Elle frissonna.) Vincent me le faisait toujours payer plus tard s'il trouvait que je l'avais trahi par ma conduite. Malheureusement, la plupart du temps, je ne savais même pas ce que j'avais fait pour le mettre en colère. Il s'emportait pour un rien.

— Ton mari était violent ?

— Il ne faut pas dire du mal des absents.

— Est-ce que Vincent te battait ?

— Oh ! oui, répondit-elle d'un ton presque léger, comme si la chose était naturelle. Pas trop souvent, au fond, mais le problème, c'est que je ne savais jamais quand ça allait me tomber dessus. (Elle croisa les bras.) Il s'arrangeait pour ne pas laisser de marques. Tim a appris la méthode de lui. Vincent disait que je le provoquais, et je l'ai cru pendant des années. Serafa pense que c'était lui le coupable, et je commence à me dire qu'elle a peut-être raison, tu sais.

— Mais bien sûr qu'elle a raison ! Katie, si seulement j'avais su ! Tu n'en as jamais parlé à personne ?

Elle se tourna vers moi avec un petit sourire secret.

— Une seule fois. Et le plus drôle, c'est que la personne à laquelle je me suis confiée, il y a des années, était Hilda Bissell. Vincent l'écoutait, elle, alors j'avais espéré qu'elle arriverait à le convaincre de se contenir. Mais elle n'a pas arrêté de me vanter les mérites de mon mari : il était très intelligent, il croulait sous les responsabilités, et, bien sûr, elle avait raison, d'une certaine façon. Elle m'a dit qu'il fallait que je cesse de ne penser qu'à moi, que si je l'aidais davantage, il s'irriterait moins et ne passerait plus ses nerfs sur moi. Je pense qu'elle était un peu amoureuse de lui. Vincent savait se montrer très charmant quand il le voulait, comme Tim. C'est pour ça que j'ai eu envie de voir Hilda aujourd'hui, pour lui montrer que j'étais enfin heureuse, que je n'avais plus honte de moi. (Sa voix s'étrangla sur ces derniers mots.) Je suis venue uniquement dans ce but.

— Et je t'ai fait tomber dans le piège. Comme je m'en veux !

Elle ne me répondit pas, se contentant de me jeter un petit sourire rassurant. Je sais qu'il y a des questions qu'on ne pose pas, mais il fallait que je sache. Je n'avais jamais compris comment une femme pouvait rester avec un homme qui la battait. Pour moi, c'était inimaginable.

— Pourquoi te laissais-tu faire ? Pourquoi ne l'as-tu pas quitté ?

— Je suis partie, une fois, répondit-elle en triturant le fermoir de son sac. Je suis allée vivre avec des amis qui avaient une maison à la campagne. J'ai emmené Tim avec moi. Il avait quatre ans et il se plaisait beaucoup là-bas. Quel adorable enfant c'était… Mon Dieu…, acheva-t-elle, la voix tremblante.

— C'était à Grays Orchard ?

Absorbée par ses souvenirs, elle ne s'étonna pas que je connaisse le nom de la maison, et se contenta de hocher la tête.

— Oui, c'est ça, Grays Orchard. Un endroit très joli, et nous étions vraiment heureux, là-bas. Mais Vincent est venu avec ses parents et ils ont emmené Tim. Ils m'ont dit que j'étais incapable de m'en occuper, et…

— Et tu les as crus ?

Elle hocha tristement la tête.

— Ils étaient tellement sûrs d'eux, tu n'as pas idée.

Si la scène dont je venais d'être témoin s'approchait de leur stratégie de l'époque, je voyais très bien au contraire à quoi elle faisait allusion.

— Si Gus ou un de mes autres amis avaient été là, j'aurais peut-être pu les empêcher de le prendre, mais ils m'ont piégée, et j'ai perdu Tim. Ç'a été horrible. Il a bien fallu que je finisse par rentrer. Je ne pouvais pas le laisser tout seul avec eux, pauvre petit bonhomme.

— Tim ne se souvient pas du tout de Grays Orchard.

— Parfois, soupira Katie, ce sont les bons souvenirs qui sont les plus durs à supporter.

Je n'avais jamais rien entendu d'aussi triste. Je fus saisie par un immense élan de sympathie pour Tim, l'enfant qui avait été obligé d'oublier les jours heureux passés à Grays Orchard.

Au bout d'un moment, je repris la parole.

— En fait, je vis à Grays Orchard, maintenant.

— Ah bon ?

— Oui. Je suis mariée à Gus Ridley.

Elle ne répondit pas tout de suite. Je crus qu'elle était encore trop bouleversée par ce qui venait de se produire pour intégrer cette information nouvelle, mais elle finit par réagir.

— Gus Ridley. Quelle coïncidence ! Je ne comprends pas comment c'est possible. Et Grays Orchard... J'aimais tellement cette maison.

— Il ne s'agit pas vraiment d'une coïncidence. Je suis venue ici comme toi, parce que c'est ici que vit le vieil ami de Gus, Raymond Tucker.

— Ah oui... J'aimais beaucoup Gus... Est-ce qu'il peint toujours ses jolis tableaux ?

Malgré ce qui était arrivé, je ne pus m'empêcher de sourire. Elle avait l'air de ne voir en sa peinture qu'un passe-temps, à peu près du même intérêt qu'une collection de timbres.

— Il traverse une période difficile. Toutes ses toiles ont été détruites au printemps dernier par... par quelqu'un qui s'est introduit dans la maison.

— Comme c'est triste. Quel coup dur ! Il y a toujours eu des indésirables à Grays, sans doute parce que la maison est très isolée. Nous sommes bientôt arrivés à Tartessus ?

— Plus qu'une dizaine de minutes.

Je tenais enfin l'occasion tant attendue, même si, compte tenu de ce que Katie venait d'endurer, et à cause de moi de surcroît, j'avais honte d'essayer de lui soutirer des informations. Mais il le fallait bien : je risquais de ne plus jamais retrouver des conditions aussi favorables.

— Tu te souviens de ton séjour à Grays ? demandai-je. Tu t'entendais bien avec les autres membres du groupe ?

— Oui, très bien, nous nous amusions beaucoup. Même le dernier été, avec la canicule, les peintures de Gus qui s'assombrissaient de jour en jour et l'atmosphère tendue, j'étais encore heureuse. Je pense qu'après ce que j'avais vécu... Mais bien sûr, Davy me manquait constamment.

— Tim, corrigeai-je.

— Oui, Tim, que je suis bête.

— C'est le meurtre d'Andrew Forester qui a fait éclater le groupe, sans doute ?

— Oui, probablement. (Elle sortit son poudrier et s'examina dans le miroir.) Après ça, rien n'a plus été comme avant.

— Beaucoup de gens dans la région ont pensé que c'était un membre du groupe qui avait tué Forester, et non pas un cambrioleur. On a même dit que Ra aurait pu être coupable – Raymond Tucker, comme il s'appelait encore à l'époque.

— Quelles sornettes ! (Elle referma brusquement son sac et croisa de nouveau les mains sur le fermoir.) Les gens disent n'importe quoi. Ray a toujours été l'homme le plus doux du monde..., de ce monde-ci ou d'un autre. Tu savais qu'il arrive à parler à des peuples de l'Antiquité ? C'est fascinant de penser aux conversations qu'ils doivent avoir !

— Mais s'il n'était pas...

— Ne parlons pas du meurtre, coupa-t-elle. Ça me gâche mes souvenirs de cette belle époque.

Je ne pouvais guère insister après ce que je lui avais fait, même si j'étais dévorée par la curiosité.

— Et donc, tu es heureuse avec les Héritiers d'Akasha ? Quand je pense que j'ai failli te faire perdre ton bonheur !

— Oui, et Davy s'y épanouit aussi. C'est ça qui compte le plus pour moi. Si seulement je pouvais convaincre Tim de venir vivre avec nous, mais il ne voudra jamais. J'avais cet objectif quand je suis allée rejoindre le groupe. Je pensais que Tim nous suivrait et que nous pourrions tous être heureux ensemble. Tu as dû te faire une opinion déplorable de lui aujourd'hui, mais il n'a pas toujours été si brutal, tu sais. Il a beaucoup changé à la mort de son père. On aurait dit que Tim avait cessé d'être lui-même pour devenir son père. À la différence que ce n'était plus Vincent qui s'en prenait à Tim et moi, mais Tim à Davy et moi. Et il était tellement dur... Je n'aurais jamais cru pouvoir rien subir de plus atroce que les coups de Vincent, mais parfois j'avais l'impression que Tim s'ingéniait à trouver des idées pour nous faire encore plus de mal. Davy a toujours eu peur du noir, alors Tim l'enfermait dans un placard au moindre prétexte. Et il l'attachait à sa chaise pendant des heures s'il se conduisait mal à table. Et puis il le repunissait s'il n'arrivait pas à se retenir et mouillait sa culotte. On n'en voyait pas la fin. Puis Ray m'a recontactée, et il m'a invitée à leur rendre visite, ce que j'ai fait. Lui et Palu ont été adorables. Ils se sont chargés de tout, de l'aspect financier et juridique. Et Serafa m'a apporté un soutien inestimable.

— Et puis je suis arrivée...

— Ne te fais pas de reproches, Carol. Tim sait se montrer très persuasif, comme son père. C'est pour cette raison qu'on l'admirait et qu'on le respectait tant. Vincent n'a jamais levé la main sur un élève. On s'émerveillait toujours de sa douceur : un homme admirable ! J'ai tout fait pour que personne n'apprenne ce qui se passait dans le secret de la maison du directeur. Les gens pensaient que je n'étais qu'une jolie petite idiote qui lui avait mis le grappin dessus, et on l'a pris pour un saint quand il a accepté de me reprendre après l'histoire avec Gus. S'ils avaient su...

— Alors qu'en fait, c'était toi, la sainte.

— C'est ce que Serafa n'arrête pas de me dire. Elle veut que je reprenne confiance en moi. J'avoue que j'ai du mal, parfois.

Nous étions arrivées devant le haut portail de Tartessus. Contrairement à la coutume, il était grand ouvert et les hercules de pierre surveillaient deux adeptes affectés au service de l'entretien qui se penchaient sur le boîtier de télécommande.

— Au moins, te voilà de nouveau en sécurité, lui fis-je remarquer au moment où nous entrions dans la propriété. Tu ne seras plus jamais obligée de revoir Tim.

Loin d'être réconfortée par cette pensée, elle me répondit avec un tremblement dans la voix.

— Au contraire, c'est ce qui me fait le plus de mal. Je le vois tous les jours en Davy. Je sais que Tim s'est mal conduit, mais il n'est pas un monstre, je t'assure. Tout au fond, il est resté le petit garçon perdu d'autrefois. Tu sais, Carol, c'était un vrai petit ange, comme Davy maintenant, un enfant si gentil, si tendre... et malgré mon désir de l'aider et de le protéger, je ne pouvais rien faire. Je reconnais mon erreur d'être allée vivre à Grays. Vincent et sa mère ne m'ont jamais laissée oublier cette erreur, et après ça j'ai passé ma vie à essayer de réparer. Aujourd'hui, j'ai l'impression de recommencer à lui gâcher la vie. C'est quand même mon fils, quels que soient ses torts.

Nous nous arrêtâmes devant la villa du Cercle interne alors que, au souvenir de Tim enfant, les larmes de Katie se mettaient enfin à couler.

— Il est soumis à une telle pression par ma faute ! sanglota-t-elle. Si j'avais pu l'élever comme je voulais, il ne serait pas aussi perturbé.

— Pauvre Katie...

Je comprenais maintenant pourquoi le Cercle interne mettait un tel acharnement à empêcher Tim Fairchild d'approcher de sa mère et de son enfant. Il y avait sa brutalité, bien sûr, mais aussi la souffrance de Katie qui voyait trop en lui l'enfant malheureux et pas assez l'adulte pervers, manipulateur et sans scrupules qu'il était devenu.

— Il n'est pas seulement perturbé, Katie, il est violent et menteur.

— Il n'a pas que des défauts, et tous les hommes sont un peu des brutes sous le vernis de bonnes manières.

— Là, non, je ne suis pas d'accord avec toi !

Elle enleva ses lunettes noires pour se tamponner les yeux, puis posa un regard pénétrant sur moi.

— Non ? Pourtant je croyais que tu étais partie pour échapper à Gus.

— Bien sûr que non.

— Il ne te frappe pas ?

— Certainement pas ! m'exclamai-je avec une sincère indignation. Gus est incapable de battre qui que ce soit.

Katie garda le silence.

— Katie, tu ne veux quand même pas me dire que Gus te frappait ?

— Non, pas moi..., répondit-elle les yeux dans le vague, comme si elle retournait loin dans le passé. Je l'ai vu la frapper... et il pleurait...

J'eus un frisson.

— Qui, Katie ? Qui frappait-il ?

Elle eut un battement de paupières et se tourna vers moi.

— Je n'ai pas envie de parler de ça. S'il te plaît, ajouta-t-elle en jouant avec le fermoir de son sac, ne revenons pas sur le passé.

Elle sortit son poudrier et scruta son visage dans le minuscule miroir, retouchant son maquillage avec dextérité.

— Tu sais, reprit-elle, quand on a des malheurs, il faut aller de l'avant. C'est ce que j'ai envie de faire, maintenant. J'ai tenu tête à Tim aujourd'hui, non ? Peut-être les Héritiers m'en ont-ils déjà assez appris pour me permettre de réagir s'il essayait de nouveau de me brutaliser.

— Non, Katie. Ne fais pas de bêtises. (J'eus tellement peur de ce qu'elle risquait de faire que toute pensée pour Gus et sa victime inconnue fut balayée.) Tim est trop dangereux pour toi.

— Oui, peut-être. Je ne sais pas. Je vais demander à Serafa et à Ra ce qu'ils en pensent. Ils m'aideront à y voir plus clair.

J'eus un coup au cœur. Je ne pouvais évidemment pas lui demander de cacher au Cercle interne qu'en jouant un double jeu je l'avais mise en danger, ce qui ne m'empêchait pas de redouter leur réaction.

— D'accord, dis-je. Si tu penses que ça peut t'aider.

Quelle que soit la décision du Cercle interne, j'aurais bien mérité ce qui m'arriverait, songeai-je sombrement en montant derrière elle les larges marches qui menaient à leur villa.

Autant dire que cette pensée ne me réconforta guère.

19

En entrant avec Katie dans la villa Omega, j'étais encore trop bouleversée par ce que je venais de voir, et effarée par ce qu'elle m'avait appris sur Gus, pour préparer ma défense. Peu importait d'ailleurs, car, quoi que je dise, j'étais inexcusable. Cela me rendait malade de penser à la façon dont Tim m'avait menée en bateau, aux trésors de gentillesse que j'avais gaspillés pour ce menteur sadique. Et pour couronner le tout : je l'avais trouvé séduisant, assez même pour coucher avec lui. Comment avais-je pu me tromper à ce point ?

Plusieurs membres du Cercle interne se trouvaient dans la salle de séjour. Si j'avais cru qu'ils occupaient leur temps à communiquer avec les esprits défunts de l'Atlantide ou à trouver des moyens d'extorquer de l'argent à des Aspirants innocents, ce que je vis m'aurait vite ôté cette illusion. Serafa était étendue sur un énorme divan de cuir blanc, tandis que Palu, juchée sur un accoudoir, se vernissait les ongles de pieds en orange vif. Davy était vautré à plat ventre sur le tapis devant le feu, tandis que, de l'autre côté, Ra, assis en position du lotus, se tenait parfaitement immobile. Il ne méditait pourtant pas, s'il fallait en croire le jeu de dames qui se trouvait entre eux.

Davy leva la tête et claironna :

— Je gagne, mamie ! Ra a gagné trois parties de suite, mais moi je vais gagner celle-ci.

Ra haussa les sourcils, sauta par-dessus cinq des pions de Davy avec un des siens, puis sourit.

— Oh ! non ! gémit Davy. Quatre à zéro pour toi. (Il retrouva son enthousiasme en un instant.) On fait la revanche ?

Serafa eut un rire indolent.

— Ça ne t'avancera pas à grand-chose, tu en as déjà joué trois. (Souriant toujours, elle tourna la tête vers Katie.) Alors, Lumina ? Comment se porte ton amie Hilda ?

— En fait…, commença Katie.

J'eus très peur. Il aurait été beaucoup plus malin de déposer Katie à Tartessus et de m'enfuir tout de suite, plutôt que de m'affronter à eux. J'étais non seulement coupable d'être venue les espionner, mais, pis encore, d'avoir exposé quelqu'un à un réel danger.

C'était compter sans Katie.

— Hilda n'a pas changé, rapporta-t-elle d'un ton critique. Toujours à se mêler de mes affaires ! J'aurais dû m'en douter. Ce n'est pas pour me revoir qu'elle est venue : nos retrouvailles n'étaient qu'un prétexte pour m'obliger à parler à Tim.

— Quoi ? s'exclama Serafa. (Le regard noir, elle se redressa et posa ses pieds élégants par terre.) Tu l'as vu ?

Ra et Davy avaient cessé de disposer leurs pions et écoutaient la conversation de toutes leurs oreilles.

— Oui, dit Katie. C'était un piège, et, comme une idiote, je me suis jetée dans la gueule du loup.

— Quelle horreur ! (Serafa traversa la pièce pour lui passer un bras autour des épaules.) Ça va ?

— Non, ça ne va pas du tout, intervins-je, prenant la parole pour la première fois depuis notre arrivée. Tim lui a dit des choses affreuses, et il l'a frappée.

Serafa se tourna vers moi avec étonnement.

— Tu étais présente ?

— J'ai surpris la fin de la discussion.

— Et tu ne l'as pas empêché de la battre ?

— Carol a été merveilleuse, coupa Katie. Je ne sais pas comment je m'en serais sortie sans elle. (Elle se dégagea des bras de Serafa et me prit la main.) Je ne te remercierai jamais assez pour tout ce que tu as fait pour moi aujourd'hui, Carol.

Je marmonnai quelques mots sans suite. Je ne comprenais pas pourquoi Katie cherchait à me protéger, mais je lui en fus reconnaissante. Je l'avais beaucoup sous-estimée. En cachant pendant tant d'années la violence de son si respectable mari, elle était devenue une dissimulatrice hors pair.

Davy avait rampé sur le tapis pour aller s'asseoir sur les genoux de Ra. Celui-ci lui caressa l'épaule tout en observant Katie d'un air songeur. Puis, un bref instant, ses yeux extraordinaires se posèrent sur moi et j'eus de nouveau la certitude qu'il connaissait mes secrets les mieux enfouis.

— Heureusement que tu n'avais pas emmené une certaine personne avec toi, dit Palu, ou nous aurions été vraiment dans de beaux draps !

Ra caressa une nouvelle fois l'épaule de Davy.

— Il lui a fait promettre de retourner là-bas demain, intervins-je, et d'emmener une autre personne avec elle.

Ra hocha la tête.

— Qui ? demanda Davy.

Et Katie répondit :

— Peu importe, mon chéri.

Elle réussit même à sourire, alors que je sentais sa main trembler comme une feuille dans la mienne. Elle faisait bonne figure pour Davy, évidemment, mais ce n'était pas facile.

Ra avait dû aussi le comprendre, car il le fit descendre de ses genoux et le prit par la main.

— Dis bonne nuit à tout le monde, Davy, ordonna Palu, et va te coucher avec Ra. C'est l'heure. Peut-être que Tris voudra bien te raconter une histoire.

Davy se rebella bruyamment, mais Serafa intervint, voyant qu'il serait au-dessus des forces de Katie de calmer son petit-fils. Davy protesta encore un moment, pour la forme, puis il suivit Ra.

— Bien, lança Palu dès qu'ils furent partis, raconte-nous ce qui est arrivé.

— Tu n'es pas obligée de parler si tu n'en as pas envie, intervint Serafa. Il ne t'a pas fait trop mal, ma chérie ? Tu veux que je te donne des gouttes de premier secours ? On pourrait aussi faire un rituel de guérison. Ou une puja si tu préfères méditer.

— Ça ira. Je suis juste un peu contrariée.

— Tu ne veux pas essayer un peu de tout ? suggérai-je. Ce salaud lui a fait du chantage affectif pour qu'elle promette de le revoir, c'était vraiment odieux. Et en remerciement, il l'a bourrée de coups de poing.

Serafa fit asseoir Katie à côté d'elle sur l'un des gigantesques canapés. Installée en face, Palu ne les quittait pas des yeux. Quand Serafa lui passa le bras autour de la taille, Katie sursauta. Très doucement, Serafa remonta le haut de coton et découvrit d'énormes contusions sur ses côtes. Je me maudis. Pourquoi Katie n'avait-elle pas crié ? Pourquoi n'étais-je pas intervenue plus tôt ?

— Quelle horreur ! jeta Serafa avec répugnance. Il va le payer !

Katie rabaissa son vêtement, mortifiée que nous ayons vu les traces de coups.

— Rien ne t'oblige à le revoir, dit Palu.

— Je sais bien, soupira Katie en s'appuyant à l'épaule de Serafa.

— Donc tu n'iras pas demain, malgré ta promesse ? demandai-je.

— Non, bien sûr que non.

La réponse avait été donnée sans hésitation, un peu trop volontiers. Maintenant que j'avais vu à quel point Katie était bonne menteuse, je ne pouvais plus la sous-estimer. Dans la voiture, elle avait été si émue au souvenir du pauvre petit garçon malheureux qui se dissimulait dans ce cœur de monstre qu'elle en était arrivée à se croire capable de lui tenir tête. Elle pouvait très bien nous jouer la comédie pour désamorcer nos craintes.

Je ne voyais qu'une seule façon de m'assurer que Katie ne tiendrait pas la promesse qu'elle avait faite à Tim, et après les tourments que je lui avais causés, je lui devais bien de me sacrifier pour réparer.

— Écoute, proposai-je, demain j'irai au cap Trafalgar à ta place. Je lui annoncerai que tu ne viendras pas et je lui expliquerai pourquoi. Je serai enchantée de pouvoir dire à ce sale type ce que je pense de lui en face.

— Ne dis pas de bêtises ! s'indigna Serafa. Tu n'as pas l'air de te rendre compte qu'il est dangereux !

— Si, je l'ai vu à l'œuvre aujourd'hui.

— Ça ? Mais ce n'était rien !

— Tout de même. Il n'oserait pas s'attaquer à moi, je suis plus que capable de me défendre.

Cela la fit rire.

— Pauvre innocente ! Pourquoi crois-tu que nous nous soyons donné autant de mal pour l'empêcher d'approcher du groupe ? Il ne s'agit pas simplement d'un garçon qui aime un peu trop se servir de ses poings. Non, il est investi des forces du mal, il...

— Non ! supplia Katie, de nouveau en larmes. Je t'en prie, ne lui parle pas de ça.

— Il le faut bien, chérie. Carol doit savoir à qui elle a affaire. Sinon elle va jouer les héroïnes et elle va finir comme cette pauvre Lucy.

— Mais nous n'avons pas de preuves, interrompit Katie, au désespoir. Il n'y a que des suppositions.

— À moi, ça me suffit amplement, s'agissant de cet ignoble individu, rétorqua Serafa. Je suis désolée, Lumina, je sais que c'était ton fils dans ton ancienne vie, mais il est né avec une âme mauvaise. Tu n'es pas en cause. C'est son karma, et il doit se sauver tout seul. Ça n'a plus rien à voir avec toi.

— Mais de quoi parlez-vous ? demandai-je avec stupéfaction.

— Tu ne sais pas ce qui est arrivé à sa femme ? demanda Palu.

— Si, elle a trouvé la mort dans un accident.

— Oui. Elle s'est noyée. Circonstances accidentelles, a décrété son certificat de décès. Le seul problème, c'est que personne n'est vraiment sûr que cette hypothèse soit la bonne. D'après Tim, ils seraient rentrés par des chemins différents, elle aurait glissé et serait tombée à l'eau. Il ne s'est inquiété qu'en ne la voyant pas rentrer le soir.

— Cela peut arriver que les gens se noient, murmura Katie d'un ton désespéré. Les accidents existent.

— Bien sûr, approuva Serafa, mais quel sacré manque de chance, quand même, que cette pauvre femme se noie juste la veille de le quitter ! Tous ses amis ont dit que c'était le sadisme de Tim envers le petit qui l'avait décidée à partir. Elle voulait mettre Davy à l'abri avant que ce fou ne lui fasse encore plus de mal. Mais, je ne sais pas comment, Tim a appris son projet. Quand on songe à ses exploits passés, la coïncidence est un peu énorme.

— Exactement, approuva Palu. Donc, si tu t'amuses à lui raconter que Lumina ferait mieux de rester chez nous, il ne va pas apprécier du tout.

— Que faire, alors ?

Un léger bruit de pas dans le couloir se rapprocha et Ra reparut. Il considéra les visages anxieux qui l'entouraient, puis traversa la pièce et s'accroupit devant Katie, dont il prit les mains. Un son profond et résonnant monta dans le silence, que je mis quelques secondes à identifier : c'était un bourdonnement de gorge. Ra ferma les yeux et se mit à se balancer doucement de droite à gauche, puis il passa les mains par mouvements rapides devant le visage de Katie. Elle était assise très droite, parfaitement immobile. Enfin, il lui plaça les deux mains au-dessus de la tête, à deux ou trois centimètres des cheveux. Un profond silence régnait dans la pièce. Au bout d'un long moment, il laissa retomber ses bras le long de son corps et s'assit sur ses talons.

Katie esquissa un sourire.

— Merci mille fois, Ra, dit-elle. C'était follement agréable.

Cette extrême civilité dans une situation aussi farfelue me donna envie de rire. Mais, me souvenant qu'elle avait fait preuve de la même politesse quand Tim l'avait aidée à remettre ses sandales sur la plage, mon amusement mourut d'un coup.

Ra traça quelques mots sur une feuille et tendit celle-ci à Serafa qui lut :

— L'énergie maléfique de Tim a pénétré profondément dans ton âme, Lumina. À l'aube, Ra rassemblera tous les Acolytes pour un rituel de guérison solaire.

— Excellente idée, jugea Palu.

Ra tourna ses yeux noir de fumée vers moi et leva les paumes en l'air comme pour me montrer qu'il n'avait rien à cacher. Serafa traduisit.

— Il veut que tu te joignes à nous demain, Carol. Les ondes néfastes ont aussi touché ton âme.

Je hochai la tête, ne sachant que répondre. Je n'aurais pas choisi ces mots pour décrire la situation, mais, finalement, ce n'était pas si loin de la vérité.

— Tu vas voir le bien que ça fait, Carol, intervint Katie, tentant de conserver un ton enjoué.

— Les guérisons solaires sont irremplaçables, c'est vrai, confirma Palu, mais nous devons aussi prendre des mesures concrètes pour protéger Lumina et le petit. Ils ne peuvent pas rester ici.

— Oh ! non ! s'écria Katie avec désespoir. Tu ne veux pas nous faire encore déménager ?

— Désolée, mais Palu a raison, chérie, dit Serafa. Dès qu'il comprendra que tu refuses de te plier à sa volonté, tu ne seras plus en sécurité ici.

— C'est bête, nous qui commencions à nous sentir chez nous !

— Vous êtes sûrs qu'il est bien prudent de les faire partir ? demandai-je.

Je songeais à ce que Tim m'avait dit sur son agent double qui avait été transféré dans un autre centre, mais je ne voyais pas comment avertir le Cercle interne sans me trahir. Je me rassurai en me disant que Tim avait peut-être inventé de toute pièce son agent double pour mieux me manipuler et me convaincre d'aller en Espagne.

— Tim ne réussira pas à pénétrer dans le centre, fis-je remarquer, votre système de sécurité est bien trop efficace. Que pourrait-il faire ?

Serafa me considéra longuement, comme si elle se demandait si j'étais vraiment digne de confiance, puis elle s'expliqua.

— Jusqu'à présent, Tim voulait récupérer Lumina en même temps que Davy. Quand il se rendra compte que c'est impossible, il se contentera de Davy.

— Mais comment ?

— Par les voies légales, bien entendu. Cela lui prendra peut-être du temps, et ce ne sera pas facile, mais il a de grandes chances de gagner au bout du compte.

— Un juge ne retirerait pas Davy d'un endroit où il est heureux pour l'obliger à vivre avec un père sadique !

Serafa eut un rire désabusé.

— Ah non ? Redescends sur terre, Carol. Ça arrive tout le temps. Et dans le cas présent, qui d'autre que nous est au courant de sa brutalité ? Personne.

— Il ne montre pas son vrai visage en public, appuya Palu. Il joue bien son rôle. Tu es la première à pouvoir témoigner, Carol. Le jour où nous l'avons expulsé de la réunion, peux-tu dire en toute honnêteté que tu as vu en lui un homme dangereux ? Tu ne l'as pas plutôt pris pour une victime ?

Je ne trouvai rien à répondre. Je m'étais demandé si Palu et Serafa se souvenaient que j'avais été présente le jour de la réunion avec Tim. Qu'avaient-elles remarqué d'autre qu'elles n'avaient pas encore mentionné ?

— Soyons réalistes, poursuivit Serafa. S'il y a un procès, Lumina aura du mal à se défendre. Vous imaginez ? Les médias vont adorer ! Tim vend son histoire aux journaux : un père, jeune, grand et beau, avec un emploi respectable dans la finance, éclate en sanglots en décrivant le sort qu'une bande de fanatiques fait subir à son petit garçon. Et pas de chance, en effet, nous portons des robes de moine et nous parlons de l'Atlantide. Y a-t-il la moindre hésitation possible ? M. Fairchild va remporter l'affaire sans difficulté.

— Et encore, intervint Palu, cela pourrait être pire. Si les avocats de Tim connaissent leur métier, ils iront déterrer les vieilles rumeurs qui couraient sur moi et Ra dans le temps :

les histoires qu'on racontait sur cet incident dans notre ancienne vie, et les mensonges sur nos premiers financements. Lumina n'aurait pas la moindre chance de gagner, et si la machine s'emballe le scandale pourrait nous faire mettre la clé sous la porte. L'ensemble de notre travail depuis des années serait anéanti à cause d'un seul désaxé. Nous devons cacher Lumina et Davy pour empêcher les forces du mal de se liguer à travers lui pour détruire notre projet.

— Il n'est quand même pas invulnérable !

— Non ? Tu veux parier ? Qui a le plus de chances de gagner ? Le jeune fils d'un directeur de pensionnat bien éduqué, ou la grand-mère cinglée qui s'est fourrée dans les pattes de la secte d'un gourou métèque ?

Je jetai un coup d'œil à Ra pour voir comment il prenait cette description peu flatteuse, mais il se contenta de sourire.

— Il faut agir vite, jugea Serafa. Nous avons moins de vingt-quatre heures. Lumina, tu dois le revoir et lui faire croire que son plan est en train de se réaliser. Pendant ce temps, nous pourrons organiser ton transfert.

Ra fit un geste, comme s'il demandait aux autres où il valait mieux l'envoyer. Il avait traversé la pièce et s'était accroupi pour ranger le jeu de dames.

— On retourne en Cornouailles ? suggéra Katie, pleine d'espoir.

— Non, trancha Palu. Et il est aussi hors de question d'aller au Mexique. Ces deux centres sont beaucoup trop connus. Tu as vu comme il t'a vite retrouvée ? Il faut vous cacher dans un de nos appartements secrets ou alors chez un groupe ami. Vous allez devoir être discrets un bon moment, Lumina, c'est le seul moyen de vous en tirer. Il faut que vous disparaissiez, toi et Davy.

Ces derniers mots me donnèrent la chair de poule. Je pensai à tous les crimes perpétrés sous cet euphémisme, « disparition ».

— Vous ne pensez pas que vous vous affolez un peu vite ? demandai-je.

— Non, pas du tout, coupa Serafa. Mais il n'y a qu'un seul moyen de découvrir s'il y a du danger, et je n'ai aucune intention de courir ce risque.

Elle entoura les épaules de Katie.

— Ne t'en fais pas, chérie. Je vous accompagnerai partout où vous irez. Nous ne nous quitterons pas.

Ra hocha la tête. Je me rendis compte qu'il n'avait pas ouvert la bouche pendant que se décidait l'avenir de Katie.

— Est-ce bien prudent, Serafa ? s'enquit Palu d'un air pensif. Lumina et Davy risquent beaucoup moins d'attirer l'attention s'ils voyagent seuls. Avec une escorte discrète, bien entendu.

— Lumina a besoin de compagnie, rétorqua Serafa d'un ton sans réplique. Je l'accompagne.

— Je n'arrive pas à dormir !

Personne n'avait remarqué le retour de Davy. Il ressemblait plus que jamais à un petit ange : boucles dorées en bataille, joues roses, il était pieds nus dans sa chemise de nuit en coton blanc – semblait-il faite à la main – qui lui arrivait aux genoux.

Il regarda prudemment les adultes pour voir comment son interruption était accueillie, puis, encouragé par le silence, il traversa la pièce et grimpa sur le canapé à côté de Katie. Elle le prit dans ses bras, puis fit une grimace de douleur quand il rebondit joyeusement contre elle.

— Attention, avertit Serafa. Ta Lumina est un peu fatiguée.

Palu se leva et lui tendit la main.

— Allez, viens avec moi, jeune homme, et laisse ta grand-mère se reposer. Elle en a besoin. Et on ne discute pas, enchaîna-t-elle avec fermeté pour couper court à ses protestations. Je vais te préparer une boisson chaude et te raconter une histoire. Tu vas t'endormir très vite, je te le promets.

Davy glissa en bas du canapé à contrecœur et lui prit la main. Elle s'exprimait avec le genre d'autorité que les enfants savent inutile de contester, et Davy ne faisait pas exception.

— Pendant que je suis dans la cuisine, ajouta-t-elle, je demanderai à Tris de nous envoyer un plateau pour le dîner.

Je suppose que personne n'a très envie d'un vrai repas. Et je vais aussi contacter Karnak. Plus tôt elle sera prévenue, mieux cela vaudra. Nous allons devoir doubler les mesures de sécurité jusqu'à ce que le danger soit écarté. Je vais mettre Intara à la réception : les nouveaux sont parfois un peu laxistes. Dieu sait ce que cet homme est capable de faire quand il se rendra compte que nous avons encore déjoué ses plans.

— Palu a raison, déclara Serafa quand celle-ci fut partie en emmenant Davy. Il faut faire venir Karnak de Cornouailles ; c'est elle la meilleure. Et pour avoir un petit répit, il serait peut-être bon de repousser le rendez-vous de vingt-quatre heures. Ça nous donnerait plus de temps pour organiser votre départ. Comment peux-tu entrer en contact avec lui ?

— Il a un téléphone portable, intervins-je sans laisser le temps à Katie de répondre.

— Parfait. Lumina, tu devrais lui téléphoner tout de suite.

— D'accord.

Mais malgré cette déclaration, elle ne bougea pas.

— Tu as son numéro ?

— Quoi ? demanda Katie comme si elle n'écoutait qu'à moitié. Ah oui, je crois qu'il me l'a donné. (Elle évitait soigneusement de me regarder.) Mais... Tu es sûre qu'il faut que je l'appelle ?... Ça... ça semble tellement compliqué.

— Tu veux que je l'appelle à ta place ? proposai-je. J'ai noté son numéro cet après-midi. Il ne trouvera pas ça bizarre. Après tout, j'étais là pendant qu'ils ont pris rendez-vous, et je peux toujours lui dire que c'est trop risqué pour Lumina de lui téléphoner elle-même.

Serafa me lança un long regard méfiant.

— D'accord, tant que tu l'appelles ici devant nous pour que nous puissions t'entendre.

Cela me contraria ; j'essayai de tourner ses craintes en dérision.

— Pourquoi toutes ces précautions ? Tu as peur que je sois tentée de l'avertir ? Après ce que je l'ai vu faire aujourd'hui ?

Mais Serafa resta intraitable.

— Nous ne pouvons courir aucun risque vu les circonstances. Appelle d'ici.

J'essayai une première fois, mais le numéro était occupé. Je priai en silence qu'il ne soit pas en train de m'appeler : je ne voulais surtout pas avoir à détourner la conversation sous le regard perspicace de Serafa et de Ra.

À la deuxième tentative, il décrocha.

— Allô ? Je parle bien à Tim Fairchild ? dis-je du ton le plus formel possible.

— Carol ? demanda-t-il avec surprise.

— Écoutez, c'est Carol Brewster à l'appareil. Nous nous sommes rencontrés cet après-midi au cap Trafalgar. J'ai un message pour vous de la part de votre mère.

Il y eut une exclamation étouffée à l'autre bout du fil. J'eus l'impression qu'il marchait dans sa chambre d'hôtel, le téléphone coincé sous le menton. Je me demandai ce qu'il pouvait bien fabriquer.

— Vous êtes à votre hôtel ?

— C'est quoi, ce message ?

— Votre mère ne peut pas vous téléphoner elle-même ce soir, elle m'a donc demandé de le faire à sa place. Elle dit qu'elle vous obéira, mais qu'elle a besoin de vingt-quatre heures supplémentaires pour s'organiser. Elle vous retrouvera comme prévu, mais pas demain. Le jour suivant.

— Et c'est tout ?

— Oui.

— Ça ne me gêne pas.

Il avait l'air tendu, plus nerveux que jamais, pourtant il acceptait le contretemps sans un murmure de protestation, et cela me sembla suspect. Je m'étais attendue qu'il soit déçu, qu'il se mette en colère et veuille discuter, et non pas qu'il accepte si vite.

— Vous êtes sûr ?

— Tout à fait sûr. C'est tout ?

— Oui.

— Alors je l'attendrai jeudi.

Il raccrocha, et j'éteignis mon portable puis le remis dans la poche de ma veste.

— Il a dit quoi ? demanda Serafa.

— Il a dit d'accord, à jeudi. Ce n'est pas normal. Je m'attendais à ce qu'il soit déçu, qu'il discute.

— Oh ! Le pauvre chéri, gémit Katie, dont les yeux se remplirent de larmes. Cette histoire doit être une vraie torture pour lui.

— S'il souffre, c'est sa faute, déclara Serafa fermement. Il n'était pas obligé de choisir la violence. Il aurait pu adopter une voie pacifique.

— Je croyais que c'était à cause de son karma, fis-je remarquer.

Serafa ne daigna pas répondre.

Palu revint et nous apprit qu'elle avait réussi à contacter Karnak, qui devait venir d'Angleterre dès le matin. Par chance, elle assistait à une réunion à Londres ce soir-là et pourrait prendre le premier vol de la journée. Puis Tris arriva, poussant une desserte chargée de nourriture, et je me rendis compte que je mourais de faim. Katie chipota tandis que Palu et Serafa comparaient les mérites des différents lieux où Katie et Davy pourraient être envoyés.

Elles étaient courtoises avec moi mais sans plus. Serafa, j'en étais sûre, avait des doutes sur le rôle que j'avais joué dans les événements de la journée.

Vu les circonstances, je ne me réjouissais guère de revoir Karnak.

20

La lune, bientôt à moitié pleine, jetait sa lumière fantomatique sur le versant de la colline, rendant presque superflues les lampes à batteries solaires disposées le long du sentier. Je rentrais aux Hespérides à pas lents, encore sous le choc de ma visite à la villa Omega. Dans l'après-midi, quand j'étais partie pour le cap Trafalgar, je me formais une image claire de la situation et de ce qu'il convenait de faire. Maintenant, tout était bouleversé et j'avais les idées beaucoup plus confuses. Le cours des événements devenait très incertain, et je ne savais plus où me situer dans la crise.

Il fallait, me dis-je, s'en tenir aux faits : il ne faisait aucun doute que Tim m'avait manipulée et trahie ; c'était une brute sadique dont la cruauté avait poussé Katie à chercher refuge auprès de ses anciens amis, les Héritiers d'Akasha. Mais si je m'étais trompée sur son compte, cela ne signifiait pas pour autant que j'avais mal jugé la secte. Leurs idées n'en restaient pas moins délirantes. J'aurais même eu tendance à trouver que Katie était tombée de Charybde en Scylla en cherchant à résoudre ses problèmes.

Et puis je n'avais pas été convaincue quand Palu avait accusé Tim de la mort de sa femme. S'il l'avait tuée, la police aurait au moins eu des soupçons. Les gens ne s'amusaient pas à supprimer leur femme dès qu'elle menaçait de les quitter. La brutalité de Tim n'en faisait pas un assassin. Palu et Serafa avaient dû concocter ce scénario pour faciliter à Katie la séparation d'avec son fils. En fait, j'avais davantage de sympathie pour la loyauté de Katie envers Tim : c'était un peu facile de se contenter de dire qu'il avait l'âme maléfique. Il fallait chercher des solutions pour le soigner – une thérapie comportementale, une analyse, que sais-je – avant de décider que son cas était désespéré.

Mais, tandis que je rentrais à flanc de coteau sous la lumière de la lune en remuant ces pensées, les problèmes de Tim et de Katie laissèrent la place à des préoccupations plus personnelles. Une énigme subsistait, à laquelle j'évitais de penser depuis trop longtemps : il s'agissait d'Andrew Forester, de la responsabilité de Raymond Tucker dans son meurtre, et du rôle que Gus avait joué dans tout cela.

Je crois qu'en voyant Katie tout faire pour ne pas admettre la terrible vérité sur Tim, j'avais compris qu'il était temps d'affronter mes propres peurs. On s'arrange toujours pour ne pas regarder la vérité en face quand il s'agit des gens qu'on aime, et, de bien des façons, j'avais essayé de trouver des excuses à Gus comme elle le faisait pour Tim ; inconsciemment, j'avais pourtant été taraudée par le doute. Je tentai d'envisager la question de façon rationnelle. Tous ceux qui connaissaient Raymond s'entendaient pour dire qu'il était incapable de faire du mal à une mouche, et le peu que j'avais vu de lui confirmait cette opinion. J'étais bien placée pour savoir à quel point les apparences pouvaient être trompeuses, mais cela écartait tout de même un peu les soupçons. Ce qui voulait dire que, si les habitants de Grays Orchard avaient menti pour protéger le criminel en inventant l'histoire de l'agression par un inconnu, le meurtrier d'Andrew devait être parmi les autres : Katie, Pauline, ou Harriet.

Ou Gus.

Non pas que je veuille ajouter foi à ce que Katie m'avait confié sur la violence de Gus ; d'après moi, elle s'était fabriqué ce souvenir pour rendre plus supportable le comportement de Tim, mais je devais quand même accepter la possibilité que Gus ait pu tuer Andrew. J'avais beau faire, je n'y croyais pas.

Après tout, j'avais vécu six ans avec lui, et nous étions mariés tout de même ! Je le connaissais et je lui faisais confiance.

Malheureusement je m'étais déjà trompée si souvent que je me demandais si je pouvais continuer à croire en mon instinct. Je m'arrêtai net, effrayée par le cours que prenaient mes pensées. C'était ridicule. Quel motif Gus aurait-il pu avoir pour tuer Andrew, un de ses plus proches amis ? Quel intérêt aurait-il eu à démolir l'univers de Grays Orchard auquel il tenait tant ?

Mais si on admettait que Gus avait pu (accidentellement, peut-être ?) tuer Andrew, beaucoup de choses s'expliquaient : la terrible culpabilité qui l'avait conduit à noircir puis à détruire tous les tableaux qu'il avait peints par la suite ; son refus de revoir Harriet ; son désarroi quand Jenny avait fait irruption dans sa vie, ranimant des souvenirs qu'il avait mis un quart de siècle à essayer d'oublier. Il était possible – non pas probable, seulement possible, bien sûr – que Gus refuse de parler des premières années à Grays Orchard parce que le souvenir du meurtre avait empoisonné tout ce qui précédait.

Une chouette hulula dans la nuit. Je repris mon chemin. C'était peut-être étrange, mais l'idée que Gus avait pu garder cette culpabilité enfouie en lui pendant nos années de vie commune éveillait surtout de la compassion en moi. J'imaginais son désespoir, ses remords. J'excusais mieux son rejet depuis le printemps : ce n'était pas parce que l'attirance des premiers temps se dissipait, mais parce que son noir secret creusait un fossé entre nous. Il devait se ronger de l'intérieur. Si au moins il avait voulu se confier à moi, j'aurais pu l'aider à comprendre ce qui était arrivé. Il devait bien y avoir moyen, à force d'amour, de le conduire à se pardonner.

Mais je serais impuissante tant qu'il ne m'aurait pas dit la vérité.

J'étais arrivée aux Hespérides. Il était près de onze heures, et les villas étaient peu éclairées : à Tartessus, comme la journée commençait à six heures, on se couchait tôt. Je montai les marches de ma villa, et les autres occupantes me saluèrent avec des voix ensommeillées. Le cap Trafalgar était-il joli ? Lumina avait-elle vu son amie ? Je fis de mon mieux pour jongler avec leurs questions, puis, réalisant que je n'arriverais sûrement pas à dormir d'ici un bon moment, je jetai une veste légère sur mes épaules et ressortis.

Je me dirigeai vers la terrasse de Solon. Située à quelque distance des Hespérides, elle jouissait d'une des plus belles vues de la propriété et était particulièrement belle la nuit.

Quelqu'un d'autre avait eu la même idée que moi. Je vis le bout incandescent d'une cigarette briller dans l'obscurité. J'hésitai. De tous les crimes qui pouvaient être commis à Tartessus, le tabagisme était le plus mal vu. Toute personne surprise en flagrant délit était immédiatement convoquée à la Spirale de la justice et se voyait en général infliger une grave punition, comme une corvée de nettoyage des toilettes pendant un mois, ou la rétrogradation au rang de Pèlerin si on était déjà Acolyte. La personne qui fumait en secret ne serait donc pas enchantée de me voir.

J'allais m'éloigner discrètement quand un mouvement me laissa deviner un corps osseux recroquevillé dans une veste d'homme trop grande. C'était Jenny. Elle avait dû acheter les cigarettes à Tarifa. Était-ce pour s'en procurer qu'elle avait tant tenu à m'accompagner ? Elle prenait un risque énorme, car si elle se faisait surprendre, elle perdrait probablement toute chance de prononcer son Serment de fidélité à la fin du mois. J'hésitai, puis la curiosité me poussa à la rejoindre, ainsi, il faut bien le dire, qu'une furieuse envie de fumer.

Elle était assise sur une marche face à la vallée. Elle se tourna vers moi en m'entendant approcher. D'après ce que je vis dans la pénombre, elle ne semblait pas beaucoup se soucier de se faire surprendre ; son expression ne traduisait rien d'autre que sa morosité et son aigreur habituelles.

— Ah ! dit-elle. C'est toi.

— Je peux t'en prendre une ?

— Vas-y.

Elle indiquait le paquet posé à côté d'elle sur la marche de pierre : il était presque plein.

— Merci. Ça t'ennuie si je m'assois avec toi ?

— Ça m'est égal.

Je m'installai à côté d'elle sur la pierre fraîche et dirigeai mon regard vers la vallée et les collines au travers desquelles paraissait une petite ligne de mer. Quelques lumières brillaient, mais très peu, avec par intermittence le faisceau des phares d'une voiture au loin. Mais au-dessus de nos têtes, le ciel était criblé par un million d'étoiles. J'allumai ma cigarette et en tirai une longue bouffée.

Jenny inclina la tête sur le côté et me considéra d'un air narquois.

— Bon, tu as quand même quelques vices… Tu sais que c'est passible de la peine de mort, de fumer ici ?

— Je prends le risque.

— Pourquoi ? Tu t'en veux d'avoir mis Lumina dans la merde ?

— Comment sais-tu ça, toi ?

— Le téléphone arabe. Une de mes amies fait le service à la villa. Si le Cercle interne tient à préserver son intimité, ils n'ont qu'à se taper le sale boulot eux-mêmes. Dès demain, ça aura fait le tour du camp.

— Qu'est-ce que t'a dit ton amie ?

— Que Lumina s'est fait piéger et qu'on l'a obligée à voir son fils dingue. L'histoire dit que tu étais un témoin innocent, mais je n'y crois pas. Connaissant ta manie de fourrer ton nez partout, je parie que c'est toi qui as tout manigancé. Je me trompe ?

Je pris une nouvelle bouffée et exhalai lentement la fumée avant de répondre.

— Ça ne serait pas du luxe que tu arrêtes d'être aussi agressive tout le temps, Jenny ! Mais ne t'inquiète pas, je ne vais pas recommencer à te faire la morale. Avant, je croyais que les Héritiers ne s'intéressaient qu'à l'argent… (Tout en parlant, je me demandai pourquoi je m'exprimais au passé. Avais-je changé d'opinion ? En fait, je n'en savais rien, mais après ce que j'avais vu ce soir, j'étais prête à leur laisser le bénéfice du doute.) Je me rends compte maintenant que ce n'est pas si simple. Je pense toujours que leur philosophie est loufoque, mais si c'est là que tu as envie de vivre, ça te regarde.

— Il faudrait que je te dise merci ?

— Arrête, Jenny. Je voulais seulement t'aider, et je crois toujours que tu devrais contacter ta mère parce que sinon tu le regretteras toute ta vie. J'essayais juste de t'expliquer que j'avais mal jugé le groupe, c'est tout.

— Bon, mais je m'en fiche. Je me tire dans quelques jours.

— Tu laisses tomber ?

— Y a intérêt.

— Mais le Serment de fidélité ? Je croyais que tu tenais beaucoup à le prononcer.

— Je disais ça pour t'embêter. Je voulais déjà partir la semaine dernière, mais tu es arrivée, et quand tu t'es mise à me dire ce que je devais faire, j'ai eu la haine de penser que tu allais pouvoir te vanter de m'avoir arrachée à une secte dangereuse. Alors j'ai décidé de tenir le coup encore un peu. Je t'en ai vraiment voulu ces derniers jours, quand je m'arrachais les mains dans leur Potager lunaire pourri.

Je n'en revenais pas. Et tout ce qu'elle m'avait raconté dans la voiture, l'après-midi de notre expédition en ville ? Je me rappelai alors sa dernière phrase et l'éclair de malice qui avait brillé dans ses yeux : *Tu gobes vraiment tout ce qu'on te raconte, Carol.* Malheureusement, elle avait eu encore plus raison qu'elle ne le croyait…

— Qu'est-ce qui t'a fait changer d'avis ? demandai-je.

— Je n'ai jamais eu l'intention de passer plus d'un mois ou deux ici, et finalement je suis restée six mois. J'ai passé un des meilleurs étés de ma vie, et je ne regrette rien. J'ai pu parler à Ra et à Palu d'Andrew et de tout ce qui s'est passé à Grays Orchard. Je suis venue dans ce seul but. Ils m'ont raconté des tas de choses sur lui. Ils trouvent que je lui ressemble beaucoup.

— Ils savent que tu es la fille de Harriet ?

— Évidemment. C'est même pour ça qu'ils m'ont acceptée sans qualification intéressante et qu'ils fermaient les yeux quand je faisais des histoires. Il paraît que Ra a dit que je servirais d'appât pour faire venir les autres. Il croit que tous les anciens de Grays Orchard vont se retrouver ici à temps pour sa petite Submersion de vérité chérie. Il était fou de joie quand tu es arrivée. D'après lui, Gus va suivre, et ensuite ma mère. Là, le cercle serait au complet.

— Il sait que je suis mariée avec Gus ?

— Bien sûr. Ils sont au courant de tout.

Je n'aurais sans doute pas dû être surprise, mais tout de même, c'était drôle, comme de découvrir qu'on est observé alors qu'on se croit seul.

— Ils ont l'air complètement partis, continua-t-elle, mais ils ont les pieds sur terre. Surtout Palu. Ils se renseignent sur tout ce qui peut être important pour eux. Ra tient absolument à attirer Gus et ma mère ici. Et qui sait, ils seraient peut-être déjà venus me récupérer si tu n'avais pas tenu à faire le sale boulot à leur place.

— Tu devrais être soulagée que ce ne soit pas Gus qui se trouve là !

— Pourquoi ? demanda-t-elle d'un ton geignard. C'est mon oncle, non ? Il s'inquiétait pour moi, mais il a fallu que tu gâches tout en te mêlant de trucs qui ne te regardaient pas.

Je tâchais de comprendre.

— Tu tenais vraiment à ce que Gus vienne te faire une scène ? C'est pour le provoquer que tu as fait ça, alors ?

— Fait quoi ?

Elle me regardait d'un air ahuri. J'avais lu quelque part que l'esprit a tendance à se dissocier des souvenirs douloureux et je me demandai si elle avait effacé de sa mémoire les événements de son dernier passage à Grays.

— Jenny... Quand je t'ai vue sortir de Grays, la dernière fois, tu étais dans un tel état que tu as foncé sur la route sans faire attention à la circulation. J'ai proposé d'appeler la police, mais Gus a voulu te protéger à tout prix.

— Mais de quoi ? Il n'est pas interdit de prendre le volant quand on a subi un choc, que je sache. Ce n'était quand même pas ma faute !

Ne s'estimait-elle pas coupable du saccage des œuvres de Gus ?

— Ah oui ? C'était la faute de qui, alors ?

— La faute à cet horrible tableau qu'il avait peint de moi ! répondit-elle avec un frisson. Je me demandais pourquoi il ne voulait pas que je le regarde pendant qu'il travaillait. Je croyais que ce tableau ressemblerait aux autres portraits, ceux qu'il fait d'habitude…

— Plus depuis longtemps, corrigeai-je automatiquement.

— C'est ça, ceux de maman en train d'arroser les salades et de porter des fleurs. Mais quand il me l'a montré – *beurk !* – j'ai eu envie de vomir. C'était un truc de pervers. Ra et Palu disent que je n'aurais pas dû le prendre pour moi, qu'il s'agissait d'une interprétation artistique, mais sur le moment, ça m'a fichu un coup.

— Au point de le déchiqueter ?

Elle eut l'air surprise.

— Mais non, pourquoi ? C'était plutôt à celui qui exposait son esprit tordu à la vue de tout le monde d'être gêné. Peut-être que Gus n'avait pas remarqué à quel point cette toile était dégueulasse avant de voir ma réaction. Je me souviens qu'il est venu se mettre derrière moi. Il m'a demandé ce que j'en pensais, alors je lui ai tout balancé. J'ai peut-être été un peu brutale, mais je n'aurais jamais pensé qu'il aurait cette réaction.

La température avait dû tomber car j'eus un frisson.

— C'est-à-dire ? demandai-je.

— Ben tiens, ce pauvre dingue s'est jeté dessus, répondit-elle à voix basse. Il avait un cutter à la main, un de ces cutters à manche orange court supercoupants. Il a dit que les critiques ne mentaient jamais, et il a planté la lame dans le tableau, en plein milieu du front, et puis il a tranché la toile en descendant à travers mon corps et l'horrible fleur. J'ai cru qu'il riait parce qu'il faisait un bruit bizarre, mais il pleurait à moitié. Je me suis dit : « Ce type déjante complètement. Mieux vaut se tirer. » Je sais que c'est un peu exagéré, mais j'avais à moitié peur qu'il s'en prenne à moi quand il aurait fini de massacrer le portrait. Il se conduisait comme un vrai cinglé. Je crois qu'il s'attaquait à un autre tableau au moment où je sortais, mais je n'ai pas attendu de voir. Merde, si c'est ça le tempérament d'artiste, très peu pour moi !

Sans un mot, je lui repris une cigarette. Si seulement j'avais pu me dire qu'elle racontait des histoires... mais cela sonnait trop vrai. Et je ne me souvenais pas d'avoir entendu Gus dénoncer Jenny. J'avais automatiquement supposé que c'était elle la coupable, mais il était tout à fait plausible que ce soit Gus.

Assise dans le noir sur ma marche, fumant une des écœurantes cigarettes de Jenny, j'eus la totale certitude que Gus avait détruit ses œuvres.

— Il ne s'est pas arrêté là, repris-je finalement. Il a tout déchiqueté, jusqu'à la dernière toile.

— Ah bon ? C'est fou ! Mais ça ne m'étonne pas vraiment. Il doit être dérangé.

— Peut-être.

— Je n'aurais rien pu faire pour l'arrêter, Carol. Il était très violent.

Je grelottais, mais pas de froid. Jenny m'entoura les épaules. J'avais voulu appeler la police, mais Gus avait refusé. Et il m'avait fait jurer de n'en parler à personne. J'avais cru que c'était pour protéger Jenny. J'avais tort. La seule personne que Gus voulait protéger, c'était lui-même.

M'étais-je encore beaucoup trompée ?

J'écrasai mon mégot sur la pierre et regardai le paysage sombre qui s'étendait devant moi jusqu'à la mer. Les mensonges de Tim m'avaient rendue furieuse, mais l'idée de Gus vandalisant ses propres œuvres puis me laissant le plaindre en accusant Jenny me terrassait.

C'est immonde, songeai-je. Quel lâche !

— Tiens, un retardataire, fit remarquer Jenny en se déplaçant un peu pour mieux voir du côté des collines.

À environ huit cents mètres, la lumière de sécurité s'était allumée au niveau des Colonnes d'Hercule, et dans le silence de minuit le bourdonnement étouffé d'un moteur de voiture devint audible.

— Je me demande qui c'est, dit-elle.

Moi aussi, j'étais étonnée. Les Héritiers d'Akasha se levaient tôt, et à cette heure les visites étaient rares. Soudain, je fus prise d'angoisse.

— Ce doit être quelqu'un qui a pris le dernier vol de Málaga, supposa Jenny.

Impossible que ce soit déjà Karnak. Avaient-ils fait venir des renforts de plus près ? Le moteur fut coupé juste avant que la voiture n'atteigne le bâtiment de la réception. Les lumières de sécurité s'éteignirent. L'obscurité et le silence redescendirent sur El Cortijo.

Jenny bâilla.

— Je vais me coucher. Il faut encore s'occuper de ces légumes de merde demain matin et...

— Chut !

Je posai ma main sur son bras pour l'arrêter. Elle se dégagea et allait protester quand je montrai du doigt le sentier sombre en contrebas. Une silhouette se déplaçait à pas prudents. Un visiteur qui ne connaissait pas le chemin. Quelqu'un vêtu d'un pantalon et d'une veste clairs, dont les cheveux blonds semblaient presque blancs dans la lumière lunaire.

— Qui est-ce ? souffla Jenny.

— Tim. Le fils dérangé de Katie.

— Qu'est-ce qu'il fabrique ici ?

— Quelqu'un a dû vendre la mèche.

Je me maudissais d'avoir été aussi bête. Quand j'avais compris qu'il m'avait menti sur ses relations avec Katie, j'aurais dû me souvenir de la personne qui l'aidait de l'intérieur et qui avait comme par hasard été mutée dans un autre centre juste avant mon arrivée.

— Il vient enlever Davy.

— Qui l'a laissé entrer ?

— Je n'en sais rien.

À toute allure, je passai en revue les membres du groupe que j'avais vus à la villa Omega pour essayer de trouver le traître, mais cela aurait pu être n'importe qui. Tris, la cuisinière, par exemple, voire – pensée affreuse – le petit Davy lui-même.

— Nous devons donner l'alerte, dis-je. Il ne connaît pas la propriété. Nous pouvons prendre un raccourci par le Temple. En courant, nous arriverons à la villa Omega avant lui.

— Mais…

Déjà, la silhouette claire avait disparu derrière une longue haie. Je me levai en hâte.

— Vite, Jenny, vite ! Pour une fois dans ta vie, ne discute pas et agis !

Je remontais déjà la colline, suivant l'étroit chemin qui longeait le potager lunaire vers le Temple. Les colonnes blanches se dressaient telles des fantômes sous la lune, et je franchis au pas de course les dernières centaines de mètres qui me séparaient des marches de la villa Omega. Tous les volets étaient clos et aucune lumière ne filtrait.

Je grimpai les marches en courant et tournai la poignée de la porte d'entrée. Elle était verrouillée de l'intérieur. Je tâtonnai pour trouver le bouton d'une sonnette ou un heurtoir, mais sans succès.

— Hé ! hurlai-je en martelant la porte à coups de poing. Hé ! Ouvrez !

La porte s'ouvrit aussitôt. Palu, boulotte et sans charme dans sa bure bleue – qui sur elle avait toujours l'air d'une robe de chambre –, me jeta un regard furibond.

— Chut ! Tu veux réveiller tout le monde ?

— Oui ! rétorquai-je. (Je ne savais pas à qui je pouvais faire confiance, et le seul moyen de se prémunir était d'alerter le plus de monde possible.) Oui, c'est ça, réveille tout le monde !

Jenny arrivait derrière moi, très essoufflée. Avant que je ne puisse l'arrêter, elle lâcha :

— Palu, vite, préviens la sécurité. Le fils de Lumina est entré. Il veut enlever le petit garçon.

Palu me lança un regard perçant.

— Il fallait le dire tout de suite ! Où est-il ?

— Il arrive par le chemin de la réception. Nous avons pris un raccourci, mais il ne va pas tarder.

Palu eut l'air de réfléchir. Elle nous attira toutes les deux à l'intérieur dans l'obscurité du hall et referma doucement la porte derrière nous.

— Je vais donner l'alerte maximale. Je m'occupe de cacher Davy et d'envoyer une équipe pour patrouiller le terrain. Vous, allez chercher Ra. Il est le seul à pouvoir déclencher l'alerte rouge. Il n'y a pas d'autre moyen de boucler complètement la propriété.

— Où est sa chambre ? demandai-je.

— En haut, mais il n'est pas là. Il fait une veille pour le rituel de guérison solaire de demain. Tu sais où est la chrysalide de la villa Omega ?

Jenny répondit à ma place.

— Moi, je sais, je vais te montrer, Carol.

— Dépêchez-vous ! Vous irez plus vite par l'arrière, lança Palu en s'éloignant de l'entrée pour nous faire traverser la maison.

— Et Lumina ?

— Je vais la réveiller. Elle se cachera avec Davy jusqu'à ce qu'on attrape Fairchild. Cette fois, il ne s'en tirera pas comme ça. Par ici.

Elle ouvrit une porte qui donnait sur un espace pavé à l'arrière de la villa. Par contraste avec l'intérieur obscur dont nous sortions, l'extérieur nous sembla très clair sous la lune, ce qui nous permettrait de voir sans difficulté où nous mettions les pieds.

— Contournez la piscine par la droite puis prenez le chemin. La chrysalide Omega est à cinquante mètres sur la gauche. Dites à Ra que nous devons lancer l'alerte rouge totale. Nous ne pouvons prendre aucun risque avec cet individu qui rôde dans la propriété. Vite !

Jenny partait déjà en courant et Palu refermait la porte. Je n'avais confiance ni en l'une ni en l'autre, mais n'avais aucune envie de me retrouver seule face à Tim dans le noir – Tim, qui maintenant avait dû apprendre par son informateur anonyme tout ce que j'avais fait, ou n'avais pas fait, et devait m'en vouloir énormément.

Je me dépêchai donc de suivre Jenny.

La chrysalide Omega, vue de l'extérieur dans le noir, ressemblait comme une jumelle à celle que nous construisions depuis une semaine. Aucune lumière n'en filtrait, et la porte était fermée.

— Je te parie qu'il pionce au lieu de méditer ! s'indigna Jenny. Hé ! Ra ! Réveille-toi ! C'est une urgence !

Elle ouvrit la porte et entra.

— Ra, vite ! Il faut que tu déclenches l'alerte rouge, ou l'alerte totale, je ne sais plus ! Le fils de Lumina a... (Elle s'interrompit, puis reprit d'un ton hésitant :) Ra... ?

J'allais la suivre quand, à la dernière seconde, j'hésitai. J'étais arrêtée sur le seuil quand elle pivota pour me faire face.

— Il n'y a personne !

— C'était un piège.

— Mais pourquoi Palu nous a-t-elle envoyées là s'il n'y est pas ?

— J'ai compris, c'est elle !

Juste au moment où j'allais faire demi-tour, une poussée violente venant de la gauche me projeta en avant, me faisant perdre l'équilibre. J'essayai de me rattraper au chambranle, mais je sentis un énorme choc dans le milieu du dos qui me coupa le souffle. Je fus catapultée dans l'obscurité de la hutte et projetée contre Jenny. Je tendis les bras en avant, mais ne trouvai rien à quoi me retenir. Je m'effondrai par terre au moment où la porte claquait derrière nous et j'entendis le bruit du loquet qui retombait.

Il y eut un crissement de pas sur le sol caillouteux à l'extérieur. Je crus distinguer les pas de deux personnes, mais j'étais trop étourdie par ma chute pour en être certaine avant d'entendre un murmure de voix.

— Voilà, souffla Palu d'un ton satisfait. Nous sommes tranquilles avec ces deux-là jusqu'à demain matin. Je vais vous chercher le gamin.

Les pas s'éloignèrent et le silence revint.

— C'est quoi, ce cirque ? s'écria Jenny.

Elle faillit trébucher sur mes jambes en se précipitant vers la porte. Je savais déjà que ça ne servirait à rien.

— Que se passe-t-il ? demanda-t-elle encore.

Sa voix tremblait, enfantine, désemparée. J'eus du mal à me redresser car une violente douleur me paralysait le côté gauche.

— Palu est la complice de Tim depuis le début, lui expliquai-je. Comment ai-je pu être assez bête pour ne rien deviner ? Maintenant, ils sont arrivés à se débarrasser de nous et Tim va emmener Davy !

— Qu'est-ce qu'on va faire ? Comment on va sortir d'ici ?

Sur le coup, je ne vis pas ce qu'il y avait d'ironique dans le retournement de situation. Pour la première fois depuis le jour de notre rencontre au printemps, Jenny me demandait de l'aider. Elle condescendait à me demander conseil.

Et pour la première fois, je n'avais aucune idée de ce qu'il fallait faire.

21

Jenny essaya d'ébranler la porte de la chrysalide pendant plusieurs minutes avant de s'avouer vaincue. Ayant passé une semaine à en construire une, je savais qu'elle perdait son temps. Notre geôlière avait utilisé le lourd loquet fixé à l'extérieur de la porte. Bien qu'ils soient très peu utilisés, ces loquets étaient posés sur toutes les chrysalides : en de très rares occasions, pendant les méditations solitaires, quelqu'un demandait à être enfermé pour mieux résister à la tentation de tricher – du moins, c'était ce qu'on nous avait expliqué. À présent, je me demandais si ces loquets n'avaient pas une double fonction plus inquiétante. Ces petits abris, prévus pour protéger du brûlant soleil d'été, ne disposaient que de deux sortes de meurtrières, qui auraient tout juste permis à un chat de passer, mais sûrement pas à un adulte de sortir. Cela protégeait du soleil, mais ne laissait aucun moyen d'évasion.

Jenny me saisit le bras.

— Hurle ! ordonna-t-elle. Crie le plus fort que tu peux. Quelqu'un finira bien par nous entendre. Nous ne pouvons pas rester là toute la nuit. (Elle se mit à tambouriner sur la porte à coups de poing.) Au secours ! Venez nous ouvrir ! Au secours ! On est enfermées !

Je me jetai contre la porte de toute mes forces et joignis ma voix à la sienne, mais sans nourrir de grands espoirs. Cette chrysalide était assez éloignée de la villa Omega, qui était elle-même déjà distante de huit cents mètres des dortoirs, avec la barrière de la colline pour les séparer. Mais je criai tout de même avec elle, ne sachant pas quelle autre solution proposer.

— Au secours ! criait-elle. À l'aide ! Merde, on va mourir là-dedans ! Au secours !

Petit à petit, je pris conscience que les hurlements de Jenny tournaient à la panique.

— Arrête ! lui ordonnai-je sèchement. Tu deviens hystérique et personne ne nous entend.

Elle s'en prit aussitôt à moi.

— Va te faire foutre ! C'est ta faute si on est enfermées ! Tu ne peux pas t'empêcher de fourrer ton nez partout ! C'est toi qui m'as entraînée là-dedans, espèce de sale fouineuse !

Dans le noir, je ne vis rien venir, mais je sentis le souffle d'air de la main qui arrivait sur ma joue. Je levai le bras pour parer le coup et la repoussai.

— Ne fais pas l'idiote, Jenny ! On est du même bord ! Tim est fou, et je crois que Palu l'aide depuis le début. Elle l'aurait fait entrer quoi qu'il arrive.

— Je te déteste ! Je te déteste, espèce d'imbécile !

Elle perdait le souffle, s'étranglant de colère au point qu'elle avait du mal à respirer.

— C'est ta faute ! Tout ça, c'est à cause de toi...

Mes yeux s'étant habitués à l'obscurité, cette fois j'étais prête quand elle leva le bras pour me frapper, et je parvins à lui saisir le poignet.

— Imbécile ! cria-t-elle encore avant de prendre une brève inspiration sifflante. Oh... Oh !

— Que se passe-t-il ?

— Mon inhalateur... merde !

Mon angoisse ne fit que croître. Je voulus la prendre par les épaules, mais elle me repoussa brutalement.

— Jenny, que se passe-t-il ? Tu es asthmatique ?

— Au secours... Je ne peux plus respirer !

— Écoute-moi, dis-je d'un ton ferme. Garde ton calme. On va t'asseoir sur la banquette. Est-ce que tu respireras mieux si tu t'allonges ? Non ? D'accord. Essaie de te détendre.

En m'entendant, je trouvai mes conseils creux et ridicules, mais que pouvais-je dire d'autre ?

— Ça va passer. Respire lentement.

— Mon-inhalateur...

— On ne l'a pas, Jenny.

Pour la première fois de la soirée, je sentis une réelle terreur monter en moi. Comment l'aider ?

— Je t'en prie, ne cède pas à la panique. Je vais trouver un moyen de t'aider, mais tu dois garder ton calme.

Je prenais de longues et profondes inspirations, comme si je pouvais m'oxygéner pour elle.

— Peux-pas-respirer...

— Je sais, je sais. Ne t'en fais pas, ça va passer.

— Non ! Du-secours...

Seule une sorte de grognement lui tenait lieu de voix, et elle m'agrippait si fort le bras que je ne sentais presque plus mes doigts. La situation était grave. Il ne servait à rien de lui répéter que cela allait passer tout seul. Je ne m'y connaissais pas beaucoup en asthme, mais je savais qu'on pouvait en mourir, surtout quand on ne prenait pas le médicament adéquat. Il devait bien y avoir un moyen de sortir de la chrysalide ; je ne pouvais pas attendre sans rien faire.

Je me remis à la fenêtre.

— Au secours ! À l'aide !

Sous la lueur lunaire, la colline était silencieuse. Je pensai aux adeptes dormant du sommeil du juste dans les dortoirs des villas et des maisons longues. N'y avait-il pas au moins quelqu'un qui fût sorti faire un petit tour ? Pour fumer une cigarette en cachette ? N'y avait-il vraiment personne pour entendre mes cris ?

— Au secours !

Derrière moi, pliée en deux sur l'étroite couchette, Jenny s'étouffait. Je ne sais pas ce qui était le plus terrible : ses inspirations sifflantes et laborieuses, ou les longs silences dans les intervalles qui m'incitaient à me retourner pour m'assurer qu'elle n'avait pas perdu connaissance.

— AU SECOURS !

Je pensai à Tim et à Palu. Quand ils se rendraient compte de la gravité de la situation, ils finiraient bien par nous laisser sortir, tout de même. Et je pensai aussi à Davy, réveillé en pleine nuit et emmené dans les bras de son père sur le chemin. Même un enfant pouvait donner l'alerte.

— Jenny est malade ! Elle ne peut plus respirer ! À l'aide !

Mais seul le souffle de la brise dans les feuilles sèches me répondait.

Je n'arriverais à rien de cette façon, c'était clair. Il fallait que je trouve le moyen de sortir de la chrysalide. J'étais bien placée pour savoir que les constructions étaient bâclées. Je secouai les fenêtres dans leur cadre, essayai d'effriter le ciment avec mes ongles, puis m'attaquai à la porte. Elle était mal construite, mais pas assez branlante pour que je puisse l'arracher avec mes seules mains. J'aurais eu besoin d'un pied-de-biche, de n'importe quel outil pour faire levier.

Les fenêtres laissaient à peine passer une vague lueur du dehors. Je cherchai dans l'obscurité à tâtons, maudissant l'installation sommaire. Il n'y avait que l'étroite couchette où Jenny était assise, paniquée, au supplice, et une petite armoire en osier. C'était tout. Rien pour trouer, éclater, défoncer la porte.

— Crie encore ! haleta Jenny. Encore !

Je retournai à la fenêtre et criai plus fort que je ne l'avais jamais fait de ma vie, un hurlement de sirène qui devait s'entendre jusqu'à la côte, un cri à réveiller les morts...

Oui ! J'entendis enfin le bruit tant attendu : des pas qui venaient vers nous sur le sentier.

— Vite ! Jenny est malade ! Elle a besoin d'aide !

Je sanglotais presque de soulagement en me tournant vers elle, et la vis toujours penchée en avant, en train de s'asphyxier.

— Quelqu'un arrive. Tu es sauvée !

Elle releva la tête et le visage cadavérique du portrait de Gus me revint en mémoire.

— Près-du-lit.

— Ton inhalateur ? Oui, je vais courir le plus vite possible. Ne t'en fais pas.

Les pas étaient tout proches. Notre sauveur s'apprêtait à nous libérer.

— Vite ! criai-je. Il faut que j'aille chercher l'inhalateur de Jenny. Elle n'arrive plus à respirer !

Les pas s'arrêtèrent devant la porte. Je n'en pouvais plus d'impatience.

— Vite ! Dépêchez-vous ! m'époumonai-je en plaquant les mains sur la porte. Il n'y a qu'à lever le loquet en métal.

Une voix d'homme me répondit.

— Tu veux rire !

C'était la seule voix que j'aurais souhaité ne plus jamais entendre de ma vie.

Tim.

Pourquoi était-il revenu ? Il avait pourtant eu le temps de prendre Davy et de l'emporter vers les Colonnes d'Hercule. La déception devait fausser mon raisonnement.

— Tim, écoute-moi. La fille qui est avec moi est en pleine crise d'asthme. Elle ne peut plus respirer. Il faut que tu nous laisses sortir.

— Pas de chance…

— Tim, je t'en prie, c'est grave ! (J'essayais de m'exprimer calmement malgré les battements frénétiques de mon cœur.) Jenny est malade. Elle a besoin de son inhalateur. Tu dois absolument nous laisser sortir. Je sais que tu ne nous veux pas de mal. C'est seulement pour nous empêcher d'intervenir pendant que tu emmènes Davy. Eh bien (cela me coûtait), je te promets de ne pas t'empêcher de partir avec lui.

Il fit entendre un grognement. J'eus l'impression qu'il était penché en avant et faisait quelque chose de l'autre côté de la porte. Que diable trafiquait-il ? Pourquoi était-il revenu ?

— Tu ne crois quand même pas que je vais tomber dans le panneau ? C'est vieux comme le monde cette ruse, ironisa-t-il avec une indifférence inquiétante.

— Mais ce n'est pas une ruse ! Je te jure que je te dis la vérité ! Tu n'as qu'à venir à la fenêtre pour regarder, tu verras bien que c'est vrai !

Je n'arrivais pas à comprendre ce qui se passait. Il s'activait devant la chrysalide. J'entendais des plantes sèches craquer sous ses pieds. Que pouvait-il bien faire ? Je tournai la tête juste à temps pour voir son visage apparaître brièvement à la meurtrière. La lune brilla sur ses cheveux blonds, mais son visage resta dans l'ombre, aussi vide qu'un masque. Il ne pouvait certainement pas voir à l'intérieur, mais la respiration haletante de Jenny suffirait largement à le renseigner.

— Chiqué ! jeta-il.

Puis, couvrant mes protestations, il ajouta :

— Brrr ! Quel froid ! Un petit feu, ça réchauffe.

Il eut alors une sorte de ricanement. Je ne l'avais encore jamais entendu rire, et ce son m'effraya plus que s'il avait hurlé de rage. J'ignorais ce qu'il tramait, mais il avait l'air de beaucoup s'amuser.

— Tim. Ne fais pas l'idiot. Nous devons sauver Jenny. Elle risque de mourir si elle ne sort pas de là.

— Tant mieux ! Et toi, tu vas la regarder s'étouffer sans rien pouvoir faire. Il est temps qu'on t'apprenne à vivre.

Il s'affairait toujours, se baissant de temps en temps comme s'il avait laissé tomber quelque chose.

La respiration de Jenny était de plus en plus laborieuse.

— Tim, je t'en prie, prends Davy si tu veux, fais tout ce que tu voudras, mais laisse-nous sortir !

L'éclat de la lune se refléta dans ses yeux quand il se redressa et s'approcha de la fenêtre. Son visage n'était qu'à quelques centimètres du mien.

— Je ne négocie pas, déclara-t-il. Tu m'as trahi, Carol. Je croyais que tu étais de mon côté. Je t'ai fait confiance, mais tu es passée à l'ennemi. Maintenant, tu vas payer.

Il s'éloigna de la fenêtre. Par terre, près du chemin, je distinguai une masse qui ressemblait à une pile de vêtements froissés. Mais j'y voyais si mal qu'il aurait très bien pu s'agir d'un enfant enroulé dans un drap blanc. Oui, il y avait bien un petit pied qui dépassait du tissu, mais aucun signe de vie.

— Qu'est-ce que tu as fait à Davy ? demandai-je, essayant toujours de voir.

— Ce que je veux, c'est mon fils.

Il parlait avec une calme satisfaction tout en arrachant des touffes d'herbes sèches et des poignées de broussailles dans les buissons, qu'il envoyait voler vers la chrysalide.

— Je vais m'occuper de lui maintenant. Avec moi, il ne craindra plus rien. Ces tordus ne remettront plus jamais la main sur lui. C'est bien fini. (Il se tourna et son regard plongea dans le mien.) Je t'avertis, je préférerais que Davy meure plutôt que de le voir retomber dans leurs griffes.

Il se remit à la tâche.

Pendant quelques secondes je fus trop horrifiée pour parler. Où était donc passée Palu ? L'aurait-elle aidé si elle avait su ce qu'il projetait de faire ?

— Tim, non, arrête, ça n'en vaut pas la peine.

Il s'approcha de la fenêtre, jetant au passage une brassée de ronces sèches contre le mur de la chrysalide. Ensuite il me regarda droit dans les yeux.

— Au contraire. Mon seul regret, c'est de ne pas pouvoir rester pour te regarder souffrir.

— Espèce de salaud !

— D'ailleurs, ajouta-t-il avec un petit sourire entendu, tu n'es qu'une putain.

— Tu es fou ! Personne ne t'autorisera plus à garder Davy après ça ! Mais qu'est-ce qui m'a pris de te croire ? Tim, espèce d'ordure, LAISSE-NOUS SORTIR !

Ignorant mes cris, il se frotta les mains l'une contre l'autre, comme pour essuyer de la poussière, puis il sortit une boîte d'allumettes de la poche de sa veste et s'accroupit. Il gratta l'allumette et approcha la flamme d'un tas d'herbes sèches, puis il recula pour regarder les tiges s'enflammer en crépitant.

Il me jeta un regard satisfait, son beau visage rayonnant d'une fierté enfantine, comme un bon petit scout qui vient de réaliser son premier feu de camp et attend qu'on le félicite de son exploit. Il prononça quelques mots juste avant de s'en aller. À son expression, on aurait pu croire qu'il nous offrait des encouragements, mais je ne l'entendis pas car je m'étais remise à crier au secours à pleins poumons.

Sous l'étroite fenêtre, le feu brûlait joyeusement, et, à travers l'air troublé par la chaleur des flammes, je vis Tim se pencher pour ramasser son fils inconscient et partir, portant le corps inerte dans ses bras. Je le regardai s'éloigner lentement, ralenti par sa charge, le suivant des yeux jusqu'à ce qu'il sorte de mon champ de vision.

La fumée m'obligea à rentrer la tête dans la hutte. Jenny m'observait depuis le lit, genoux repliés contre la poitrine. Son visage m'apparaissait illuminé par la lumière tremblante des flammes. Les yeux exorbités de peur, elle ouvrit la bouche, mais je ne sus si c'était pour parler ou parce qu'elle étouffait, car elle n'émit aucun son. L'air passait de plus en plus mal dans ses poumons. En voyant les premières volutes de fumée entrer par la fenêtre, elle se recula contre le mur. Comme si cela allait changer quelque chose… Sa bouche se détendit et ses yeux remontèrent sous ses paupières. Elle perdait connaissance.

— Jenny !

Ayant inhalé de la fumée, je m'interrompis pour tousser.

Je fermai la fenêtre du mieux que je pus. Puis je m'agenouillai sur le lit, passai les mains sous les aisselles de Jenny et la tirai par terre, pour la coucher sur le sol près de la porte, là où la fumée était le moins dense. Nous nous trouvions dans un espace étroit comme un cercueil. N'était-ce pas ce qu'avaient prédit les runes ?

Un instant, notre situation désespérée me fit perdre courage : comment pouvais-je m'en sortir si tout était écrit d'avance ? Dans l'état de confusion où je me trouvais, je me demandai si mon sort n'était pas consigné dans le Livre akashique et donc inéluctable. Puis ma colère revint en force : Tim et une poignée de runes ridicules n'allaient pas m'intimider, ç'aurait été trop facile !

Je tirai la couchette au centre de la hutte, puis soulevai la petite armoire en osier et la plaçai sur le lit. Quand j'entrepris de l'escalader, le matelas se creusa, si bien que l'armoire se balança et que j'eus à peine le temps de me rattraper aux chevrons pour effectuer un rétablissement. Tendant le bras à travers la charpente, j'essayai de déloger les tuiles de terre cuite qui formaient la toiture. Je les frappai avec les poings et les poussai, mais sans succès. J'essayai tout. Puis j'en cognai une à sa base, et elle se désemboîta d'un coup. Je la fis glisser sur le côté ; un petit rectangle de ciel étoilé apparut. Après cela, je travaillai vite, délogeant les tuiles en les poussant vers le haut, puis les envoyant s'écraser sur le sol au pied de la chrysalide.

Mais maintenant, le trou dans le toit créait un appel d'air, comme une cheminée, attirant la fumée vers le haut autour de ma tête. J'étais aveuglée, j'avais du mal à respirer, les larmes ruisselaient de mes yeux et de mon nez. Enfin, tâtant avec les mains, je décidai que l'espace était assez grand pour me permettre de passer. Faisant appel à une force que je ne me connaissais pas, je m'agrippai à la charpente et me hissai à travers l'étroit trou du toit, puis restai perchée un instant à son bord. Malgré la fumée, je vis que les broussailles alentour s'étaient embrasées, formant un bûcher funéraire autour de la chrysalide. L'incendie envoyait des flammèches qui mettaient le feu à la végétation environnante. Encore quelques minutes, et toute la colline serait la proie des flammes.

Jenny...

Je glissai au bord du toit irrégulier et me laissai tomber au bas de la chrysalide. Je tendis les bras pour amortir ma chute, et ma main droite tomba en plein sur de l'herbe enflammée. Ma manche de veste se mit à se consumer.

M'arrêtant à peine pour taper sur les flammes, je courus vers la porte de la hutte et soulevai le lourd loquet de bois. À l'instant où je tirai la porte, un mur de fumée monta devant moi, m'obligeant à reculer. Je pris une profonde inspiration, levai le bras pour protéger mes yeux larmoyants, et plongeai à l'intérieur, manquant me prendre les pieds sur Jenny dans ma hâte. Je l'attrapai comme je pus et la tirai dehors, agrippant son coude et la ceinture de son jean.

— Jenny ! (Je toussai et crachai en la tirant sur le sol fumant.) On va s'en sortir, tu vas voir. Réveille-toi. Je vais chercher de l'aide.

Pas de réponse. Je la portai en titubant jusqu'au chemin, où le feu risquait moins de se propager, tout en la suppliant de respirer, de respirer normalement, lui répétant que notre calvaire serait bientôt fini ; mais pas un son ne s'échappait de ses lèvres. Je n'arriverais jamais à la ramener seule, ce serait trop lent : il fallait que je coure chercher de l'aide au plus vite.

L'ayant traînée jusqu'à une zone de terrain rocheuse, je la laissai et partis à toute vitesse vers la villa Omega. Derrière moi, j'entendais le grondement des flammes qui s'engouffraient dans la chrysalide, dévorant la porte en bois, le simple matelas, l'armoire en osier, se propageant comme l'éclair sur ces matériaux secs et très inflammables. Si nous ne nous étions pas échappées… Ne pense pas à ça ! Cours !

Je déboulai à la villa Omega et tambourinai à la porte et aux fenêtres, tout en contournant le bâtiment vers l'avant.

— Au feu ! Réveillez-vous ! Jenny a besoin d'aide !

Une fenêtre s'ouvrit alors que j'arrivais à la porte d'entrée, et Serafa passa la tête dehors.

— Qu'est-ce qu'il y a ? Que se passe-t-il ?

— Tim a enlevé Davy ! Palu est complice !

Derrière Serafa j'entendis Katie pousser un cri de désespoir.

— Elle nous a enfermées dans la chrysalide Omega, et Tim est revenu y mettre le feu. J'ai réussi à tirer Jenny jusqu'au chemin mais elle est évanouie. Je cours chercher son inhalateur.

Je jetai ces derniers mots derrière moi en m'élançant sur le sentier, prenant le raccourci des jardins et du temple pour regagner au plus vite les trois villas des Hespérides.

Je montai d'un bond les marches de la villa de Jenny et allumai toutes les lumières en entrant, hurlant aux dormeuses de se réveiller. Elles étaient cinq et grommelèrent en tirant les draps sur leur tête.

— Où Jenny range-t-elle son inhalateur ? criai-je en traversant le dortoir vers le seul lit vide. Elle s'est évanouie. La colline est en feu.

D'un coup, elles se dressèrent sur leur séant. Le visage rond d'Elaine se leva vers moi avec horreur, puis elles sautèrent de leur lit et m'entourèrent, me mitraillant de questions.

— Je n'ai pas le temps, il me faut son inhalateur, vite.

— Le voilà, dit une jeune femme prénommée Sue, la voisine de lit de Jenny. Où est-elle ? continua-t-elle en enfilant un pantalon en coton. Je t'accompagne. J'ai des notions de secourisme.

— Je l'ai laissée près de la chrysalide Omega, mais on doit déjà l'avoir ramenée à la villa.

Je me courbai en deux, essayant de soulager la douleur lancinante qui me prenait à la poitrine. Quand je posai mes mains sur mes genoux, j'eus l'impression que mes paumes étaient en feu.

— Qu'est-ce que tu t'es fait aux mains ! s'exclama Sue. Reste ici, il faut te soigner. Moi, je vais m'occuper de Jenny, mais si c'est une crise grave, il va lui falloir de l'oxygène. Elaine, viens avec moi. Toi, tu suivras plus tard.

— Mais...

— Tu nous retarderais, trancha Sue. Allez, viens, Elaine, on court !

Les ayant suivies jusqu'à la porte de la villa, je vis qu'un tapis incandescent barrait l'horizon derrière la courbe de la colline. Puis je me tournai dans l'autre direction, vers les Colonnes d'Hercule, où tout était sombre. Le portail devait être fermé. Tim avait peut-être déjà eu le temps de s'enfuir, mais il me semblait plus probable que, retardé par le poids de l'enfant qu'il portait, il soit encore dans la propriété. Je me souvins qu'en emmenant Davy pour lui donner sa « boisson chaude », Palu avait déclaré avoir mis Intara de garde à la réception – pour renforcer la sécurité, avait-elle prétendu. Elle avait dû profiter de ce moment pour téléphoner à Tim et l'avertir : je me souvins qu'à mon premier appel la ligne était occupée. Palu devait certainement se servir d'Intara pour aider Tim. Auraient-elles accepté de collaborer avec lui si elles avaient su qu'il n'hésiterait pas à mettre le feu et à tuer ?

Sue et Elaine étaient maintenant hors de vue. Les autres, regroupées sur la terrasse, contemplaient le rougeoiement en attendant qu'on leur dise quoi faire.

— Réveillez tout le monde, ordonnai-je. Il faut éteindre l'incendie.

— Tu vas aller t'occuper de Jenny ? demanda l'une d'elles.

Je tournai les yeux vers le feu de broussailles. Je ne pouvais rien faire de plus pour Jenny ; Elaine et Sue devaient être presque arrivées. Mais si Tim n'avait pas encore quitté la propriété, il me restait une petite chance de l'arrêter.

Une immense fureur montait en moi. Ce salaud avait failli me tuer, et Jenny pouvait ne pas s'en tirer. Peut-être était-il déjà trop tard pour elle. Quant à Davy, le drap blanc qui avait entouré sa forme inanimée ressemblait trop à un suaire... Une sueur froide me couvrit le corps.

— Il y a un fou qui se balade dans le domaine. C'est le père de Davy : il est venu enlever son fils. Il faut l'en empêcher !

Elles me dévisagèrent comme si j'étais folle, et je devais vraiment faire peur, le visage noirci par la fumée, les mains brûlées.

— Prévenez tout le monde, commandai-je sèchement. C'est lui qui a mis le feu pour nous tuer, Jenny et moi.

Je ne pouvais pas prendre le temps de répondre à la salve de questions qui suivit. Ma main droite me brûlait toujours, et la douleur dans mes côtes me faisait souffrir le martyre, mais dès que je me mis à courir vers le bâtiment principal je ne sentis plus rien. Derrière moi, j'entendis une cloche sonner l'alerte générale. Des lumières s'allumaient partout dans les dortoirs tandis que les Héritiers d'Akasha se déversaient dans la propriété, comme des fourmis émergeant de leur fourmilière, pour lutter contre l'incendie qui gagnait du terrain.

Devant moi, la nuit était d'un noir d'encre.

En sortant du dernier tournant, je vis une lumière dans le bâtiment principal, et la voiture de Tim garée près de la mienne. Je ralentis ma course pour ne pas faire de bruit, et avançai prudemment jusqu'à elle. Davy était allongé sur la banquette arrière, toujours enveloppé dans ce que j'avais pris pour un drap mais qui était en fait une couverture de couleur claire. Il avait les yeux fermés et semblait dormir. Pour l'amour de Dieu, faites qu'il soit bien en train de dormir... Je fouillai dans ma poche et y trouvai mes clés de voiture. Si seulement j'arrivais à le transporter dans mon véhicule, je pourrais vite le remettre en sécurité à la villa Omega. Mais où était Tim ?

À pas aussi légers que possible, je traversai le gravier pour approcher de la porte ouverte. De l'intérieur me parvint le son assourdi d'une conversation. Je tâchai de garder le silence, mais j'étais à bout de souffle, l'air sifflait en entrant dans mes poumons.

À pas de loup, j'allai me recroqueviller dans l'ombre de la porte.

La voix de Palu éclata ; elle était en colère.

— Où étiez-vous passé ? Je vous avais dit de me suivre !

— Il a fallu que je retourne à la chrysalide pour terminer le travail, déclara la voix de Tim, qui semblait très content de lui.

— Vous avez le petit ?

— Bien sûr, il est dans ma voiture. Ouvrez le portail, que je puisse partir.

— Attendez, coupa Palu d'un ton anxieux. Et moi ? Carol doit avoir compris que je vous avais aidé.

— Ce n'est pas mon problème. Moi, j'emmène Davy.

— Une minute, vous ne pouvez pas vous enfuir comme ça ! C'est votre faute si elle a compris le rôle que j'ai joué. Si vous aviez attendu que je vous prévienne que la voie était libre comme je vous l'avais demandé, elle n'aurait rien su.

— Peu importe. Vous n'avez plus rien à craindre de Carol.

— C'est-à-dire ?

— Regardez, dit Tim avec un rire.

Je m'aplatis dans mon coin d'ombre tandis qu'ils traversaient la pièce pour regarder par la porte ouverte. Il y avait un rougeoiement derrière le rideau d'arbres.

— Mon Dieu ! souffla Palu. Qu'avez-vous fait ?

— Moi ? Rien. Un incendie a éclaté, un… accident. (Il semblait tellement content de lui que l'envie me démangeait de lui faire rentrer sa satisfaction dans la gorge.) Personne ne devinera que j'ai mis le feu, conclut-il. La chrysalide s'est embrasée comme de la paille.

— Mais Carol ? Et Jenny ? s'écria Palu, horrifiée. Elles vont brûler !

— Je sais bien. Pas bête, hein ? Je vous disais qu'il ne fallait pas vous inquiéter.

— Mais c'est épouvantable ! Il faut les tirer de là tout de suite.

— Désolé, c'est trop tard… d'au moins un quart d'heure, je dirais. Ne vous faites pas tant de bile, Palu. D'ailleurs, c'est surtout à vous et à Intara que profitera leur mort.

— Sûrement pas ! Nous n'avions jamais parlé de ça… (La voix de Palu faiblissait, sans doute parce qu'elle reculait pour s'éloigner de lui.) Je vous ai aidé parce que vous vouliez emmener Davy, mais c'est fini. Un meurtre, c'est autre chose. Je donne l'alerte.

— Non !

Il y eut un grognement sourd, puis le choc de deux corps qui entrent en collision. Je m'écartai du mur et me relevai, restant à l'écart de la bande lumineuse que laissait passer la porte ouverte, et regardai par la fenêtre. Tim avait saisi Palu par les bras et la jeta sur une chaise. Elle voulut se relever, mais il lui donna un coup de poing dans le ventre. Elle était blanche de terreur.

— Ne bouge pas, salope ! jeta Tim, se dressant au-dessus d'elle. Tu ne peux pas me lâcher maintenant, espèce de garce.

Tu es dedans jusqu'au cou, comme moi. Réfléchis un peu : c'est toi qui les as enfermées dans la chrysalide. Qui voudra croire que tu n'y as pas aussi mis le feu ?

— Je n'ai jamais voulu leur faire de mal.

— C'est trop tard pour avoir des regrets. Dis-moi juste sur quel bouton il faut appuyer !

Il était allé au panneau de contrôle, qu'il examinait en jetant des coups d'œil à l'écran de vidéosurveillance fixé au mur derrière le bureau. Il n'y avait aucune image car la zone du portail était plongée dans l'obscurité.

Soudain, dans un coin de la pièce, je vis Intara. Elle avait les mains et les pieds liés et un foulard sous le menton, comme si son bâillon était descendu. Que se passait-il ? Était-ce une mise en scène pour la faire croire victime de Tim ? Ou Palu avait-elle été prête à sacrifier sa propre fille ? Les traits irréguliers d'Intara exprimaient toute son horreur, et elle tournait la tête tantôt vers Tim, tantôt vers sa mère, d'un air hébété.

— Maman ? cria-t-elle. Maman, j'ai peur !

Soudain, Palu sembla prendre une décision. Elle se leva de sa chaise avec difficulté.

— D'accord, Tim, lança-t-elle. Je vous laisse partir, mais il faut que vous nous emmeniez.

— Pas question !

— Nous n'avons pas le choix. Nous ne pouvons plus rester ici.

— C'est votre problème, pas le mien. J'appuie sur ce bouton, là ?

— Non, ne touchez pas à ça, c'est le disjoncteur général. Écoutez, nous ne resterons pas longtemps avec vous. Je ne vous demande que de nous éloigner d'ici. Le bouton du portail est à gauche.

Je le vis avancer la main avec un sourire. Puis il jeta un coup d'œil pour voir ce que faisait Palu ; elle s'était agenouillée et dénouait les cordes qui retenaient les chevilles de sa fille.

— Qu'est-ce que tu fiches ? s'écria-t-il.

Il s'interrompit, triomphant, en voyant à l'écran les lumières de sécurité illuminer l'entrée. Aux Colonnes d'Hercule, le portail s'ouvrait. La sortie était dégagée.

Intara se contorsionna pour permettre à Palu de lui délier les mains.

— Nous partons avec vous, insista Palu.

— Pas question, répondit-il froidement. Ce n'était pas dans le contrat. Je me fiche bien de savoir ce qui vous arrive.

Il partait déjà vers la porte. Palu réagit très vite. De sa position, elle n'aurait pas eu le temps de se lever pour le rattraper, alors, avec un rugissement de rage, elle plongea et lui ceintura les genoux, le plaquant à terre. Il poussa un cri et roula sur le dos pour se défendre, la frappant avec sauvagerie.

Je n'attendis pas d'en voir davantage. Ils faisaient assez de bruit pour que je décide de tenter le tout pour le tout. Je courus à la voiture et ouvris la portière arrière. Davy ne bougea pas, la peur me fit hésiter. Je me penchai sur lui et lui touchai la joue du bout des doigts. Elle était froide... mais il poussa un soupir et sa bouche enfantine fit un mouvement de succion.

Cela me rassura.

— Viens, Davy, dis-je doucement. Je te ramène chez toi.

Je l'attirai précautionneusement à moi. Il marmonnait. Je le pris dans mes bras et le soulevai, ne pensant plus qu'à le porter dans ma voiture et à le remettre en sécurité auprès de sa grand-mère. De la villa Omega et des Hespérides éclataient des clameurs de sirènes d'alarme et des grondements de tracteurs qu'on mettait en marche.

— Allez, Davy, nous y voilà, répétai-je.

L'instant suivant, j'étais étalée par terre à côté de la voiture, avec l'impression que ma tête avait été fendue en deux. J'ouvris les yeux et vis Tim qui remettait son fils dans la voiture.

— Arrête ! hurlai-je. Tu n'as pas le droit de le prendre !

— Va te faire voir !

Il me décocha un coup de pied, mais je roulai sur moi, si bien que seul le bout de sa chaussure m'effleura la hanche. Je me relevai en titubant et me jetai sur lui, l'attaquant à coups de poing. Il claqua la portière arrière et se tourna pour me neutraliser, mais, avant qu'il n'ait le temps de me frapper, je rassemblai mes dernières forces et remontai le genou brutalement entre ses jambes. Il poussa un beuglement et se tordit de douleur, mais parvint à me donner un coup à la tempe. Je ne perdis connaissance qu'un petit instant. En revenant à moi, je me retrouvai par terre, et vis sa voiture rouler vers le portail.

Je ne songeai plus qu'à une seule chose : l'empêcher de fuir. Parvenant à peine à me tenir sur mes jambes, à moitié aveuglée par la douleur qui montait de mon cou et de mes épaules, je parvins à tituber jusqu'à la réception. Palu était assommée par terre, devant le comptoir, et Intara, les poignets encore liés, était accroupie au-dessus d'elle.

— Maman, maman, réveille-toi, répétait-elle. Tout va bien, il est parti.

— Ça va, dit Palu d'une voix pâteuse. Aide-moi à me relever.

Pendant ce temps, j'avais eu le temps de passer derrière le comptoir. J'avais bien regardé quand j'étais à la fenêtre, et je savais où se situait le bouton de commande.

— Qu'est-ce que tu fais ? cria Intara.

Elle serrait sa mère dans ses bras et la berçait, sans esquisser le moindre geste pour intervenir.

— Je l'empêche de partir ! déclarai-je en appuyant sur le bouton. (À l'écran, l'image était neigeuse, ce qui ne m'empêcha pas de constater que le portail se refermait.) Ça y est !

Triomphante, je vis les deux ronds des phares de Tim arriver et s'arrêter devant le portail fermé. Une silhouette sauta de la voiture et courut à la grille.

— Pourquoi as-tu fait ça ? demanda Intara comme une grande gourde. Il veut emmener Davy, et nous, on ne veut pas de Davy ici, hein, maman ? Maman, dis quelque chose !

Palu se remit lourdement sur ses pieds. Elle avait tout un côté du visage enflé et contusionné.

— T'en fais pas, bébé, dit-elle d'une voix déformée à Intara. Ça va aller.

Elle s'acharna sur les nœuds qui retenaient les mains de sa fille, jurant quand ses doigts refusaient de lui obéir.

Dès qu'Intara fut libre, Palu s'effondra contre le mur et se laissa glisser par terre en position accroupie, le regard vide.

Intara vint me rejoindre à pas pesants derrière le comptoir.

— Touche pas à ça ! ordonna-t-elle. On ne veut pas qu'il reste. On préfère s'en débarrasser.

La voix de Tim éclata dans l'interphone.

— Qu'est-ce qui se passe, nom de Dieu ? Qui a refermé le portail ?

— C'est moi ! criai-je en exultant. Tu ne peux plus partir, tu es cuit, Tim !

Il lâcha un rugissement.

Intara était forte comme un bœuf, et, enchantée par les cris d'enragé que poussait Tim et par l'image granuleuse qui montrait sa silhouette coincée derrière le portail, je ne la vis pas prendre le fax. Elle l'abattit sur ma tête par-derrière. Je ne me souvins que des tomettes qui se précipitaient vers moi et des pieds d'Intara dans ses grosses sandales. La frénésie de Tim redoubla.

— Maman, gémit Intara, je n'arrive pas à rouvrir le portail. J'appuie bien sur le bouton, mais rien ne se passe. Le mécanisme doit être cassé, qu'est-ce que je fais ?

— Ils ont dû tout bloquer de la villa, articula Palu avec difficulté. L'alarme a retenti : alerte rouge totale. Ce qui veut dire que tout le système est verrouillé. Personne ne peut plus ni entrer ni sortir.

— Alors, qu'est-ce qu'on fait ? demanda Intara avec angoisse.

— Laissez-moi sortir ! cria Tim.

— C'est bon, ne vous affolez pas, répondit Palu. (Elle essaya de se lever, mais ses jambes ne la portaient plus.) Il va devoir l'ouvrir manuellement, décida-t-elle avec un grognement de douleur. Intara, dis-lui qu'il faut qu'il ouvre lui-même.

Intara répéta le message de sa mère. L'écran de contrôle montrait la silhouette crayeuse qui frappait des poings contre le portail.

— Comment ? hurla-t-il. Dites-moi ce que je dois faire !

— Il y a un boîtier de commande sur le côté, expliqua Palu. Demande-lui s'il le voit. Il est à environ un mètre cinquante du sol.

Intara lui obéit, et Tim s'écria :

— J'ai trouvé !

— Bien, dit Palu. Il y a un commutateur sur la gauche qui arrête le courant. Il faut tout couper, d'abord. Pousse-le vers le haut.

Intara commença à répéter ce que sa mère venait de dire, mais Tim s'impatienta.

— Ça va, ça va, j'ai entendu ce qu'elle disait. Le commutateur est déjà en haut.

— Tiens ? C'est bizarre. Bon, d'accord. Ensuite... (Palu fronçait les sourcils, comme si elle avait du mal à faire fonctionner son cerveau.) Demande-lui s'il voit le cadran gradué qui est à côté. Bien. Dis-lui de le tourner dans le sens des aiguilles d'une montre d'un quart de tour. C'est bon. Il peut ouvrir, maintenant.

De là où j'étais tombée, je voyais parfaitement l'écran. J'avais vu Tim trouver le boîtier de commande et l'ouvrir, puis sa main aller et venir à l'intérieur. À présent, il se dirigeait vers le portail à grands pas.

Je voulus crier, supplier qu'on l'arrête, qu'on le poursuive, mais je n'avais plus qu'un filet de voix.

J'avais toujours les yeux fixés sur l'écran quand il tendit le bras. Puis il y eut un bruit bizarre qui aurait pu être un cri. Il me sembla sauter, mais non, c'était plus que cela. On aurait dit qu'une énorme bourrasque l'avait soulevé de terre et l'avait projeté en arrière, hors du champ de la caméra.

Son corps s'était arqué en l'air presque comme celui d'un danseur.

Ensuite il n'y eut plus aucun mouvement à l'écran, et dans l'interphone on ne perçut plus que le grésillement des parasites.

22

Le soleil matinal s'infiltrait à travers les persiennes closes. J'étais couchée dans le lit étroit d'une chambre inconnue, tâchant de bouger le moins possible. J'avais mal, et le moindre mouvement était une véritable torture. Quand je restais immobile, seules les brûlures de ma main droite me faisaient vraiment souffrir, sans parler, évidemment, de mes poumons qu'arrachait chaque respiration.

Le bilan était impressionnant : brûlures, irritation due à l'inhalation de fumée, deux côtes cassées, une cheville foulée et d'énormes bleus – ce n'était pas mal pour une seule nuit, même si j'avais de la chance de m'en tirer à si bon compte. Jenny, elle, avait failli mourir. Si Sue n'avait pas eu d'expérience médicale et n'était pas intervenue, les conséquences auraient pu être fatales. Quoi qu'il en soit, les médecins pensaient qu'elle se rétablirait en quelques jours.

Tim avait eu moins de chance. Les blessures causées par son électrocution étaient trop graves pour qu'on le laisse à El Cortijo Tartessus et on l'avait transporté par ambulance dans un hôpital de Cadix. Il était resté quelques heures entre la vie et la mort ; au matin les médecins lui avaient donné une chance sur deux de s'en tirer.

J'avais appris tout cela par les guérisseurs qui s'occupaient de moi. Ils m'avaient dit aussi que Davy n'avait pas eu d'autres séquelles du sédatif puissant administré par Palu qu'un fort mal de tête. L'incendie avait été maîtrisé juste avant l'aube, mais des groupes faisaient des rondes dans la propriété pour s'assurer que le feu ne redémarrait pas. Surtout, me répétait-on, il ne fallait plus que je me fasse de soucis.

On m'avait installée dans l'Annexe de la régénération, traduction akashique d'« infirmerie ». Très logiquement pour les membres d'un groupe qui prévoyait de survivre à l'apocalypse, ils avaient plus que ce qu'il leur fallait de médecins et d'infirmières – même si on ne les nommait pas ainsi. Les guérisseurs n'utilisaient d'ailleurs aucune pratique médicale connue de moi, mais leurs méthodes semblaient efficaces et étaient, il fallait l'admettre, extrêmement agréables. En milieu de matinée, on me conduisit au bout du couloir carrelé où l'on m'aida à me plonger dans une piscine ronde, semblable à celle de Cornouailles, mais beaucoup plus petite. L'eau portait le corps, et était tiède et relaxante. Quand il fallut en sortir, je fus enveloppée dans de douces serviettes par deux guérisseuses, Sue et une femme plus âgée appelée Imogen, qui me massèrent avec des huiles essentielles, rendant ma peau souple et luisante Elles passèrent de la crème sur mes brûlures aux mains et me préparèrent une décoction amère qu'elles me donnèrent à boire pour me reconstituer. Une semaine plus tôt, je les aurais sans doute soupçonnées de vouloir m'empoisonner, mais maintenant je trouvais leurs soins agréables.

De retour dans ma chambre, je sombrai dans un état intermédiaire entre veille et somnolence, une pénombre où surgissaient incendies et personnages imaginaires. Si bien que, quand une femme aux cheveux gris, affublée de lourds bijoux en argent, tira une chaise pour s'asseoir à mon chevet, il me fallut un moment pour réaliser qu'il s'agissait bien de Karnak et non d'une chimère issue de mes cauchemars.

— Carol ? demanda-t-elle. Tu peux parler ?

Oui, je pouvais parler, et bien que je n'en aie guère envie, je hochai la tête.

— Il faut que tu me dises exactement tout ce qui s'est passé pour que je puisse faire un rapport complet.

Je laissai retomber ma tête sur les oreillers et fermai les yeux. Fiévreusement, j'essayai de me rappeler ce que Karnak savait déjà, ce qu'elle pouvait avoir deviné, et quelle marge il me restait pour mentir. Mais très vite ma pauvre tête embrumée se bloqua devant tant de complications. Dans deux jours, mon séjour à El Cortijo Tartessus prendrait fin : que pouvaient-ils me faire en si peu de temps ? Un lavage de cerveau ? Je faillis éclater de rire. Il ne me restait plus guère de matière grise à laver.

Une fois que, lentement et avec beaucoup de difficulté, j'eus raconté à Karnak les événements essentiels des derniers jours – n'omettant que l'interlude avec Tim dans la chambre d'hôtel, dont je n'avais aucune envie de me souvenir –, elle garda le silence un moment. Enfin, elle posa le calepin dans lequel elle avait pris des notes, leva les yeux vers moi et me sourit. Je ne l'avais jamais vue sourire, et cela lui donna un air beaucoup moins redoutable.

— Tu as été très courageuse, déclara-t-elle. Le feu occupait tellement tout le monde que Tim aurait certainement réussi à partir si tu n'avais pas fermé le portail. Dieu sait ce qui serait arrivé au petit s'il l'avait enlevé.

— Dire qu'en venant ici je voulais aider tout le monde, commentai-je avec lassitude. Quel gâchis !

— Ne t'inquiète pas. Jenny se remet très bien.

— Et Tim ? Il a failli mourir.

Elle haussa les épaules.

— Beaucoup de gens pensent sans doute qu'il aurait été préférable qu'il y reste. En tout cas, Palu a bien failli réussir à nous débarrasser de lui.

— Mais c'était un accident ! (Karnak haussa un sourcil dubitatif.) Mais si, je t'assure, insistai-je. J'étais là, j'ai tout vu. Elle était groggy et elle s'est embrouillée dans ses explications.

— Si ça t'arrange de croire ça, vas-y. Mais je connais Palu depuis longtemps, et elle n'est pas du genre à se tromper pour ce genre de choses. Enfin, j'admets qu'elle perd un peu son bon sens ces temps-ci. Elle n'aurait jamais dû aider Fairchild.

— C'était bien elle, son agent double ?

— Tu étais au courant ?

— Il m'a expliqué que quelqu'un lui donnait des informations de l'intérieur, mais il a dit que son espion avait été renvoyé en Cornouailles avant mon arrivée. Quel intérêt y trouvait-elle ?

— Elle voulait se débarrasser de Lumina.

— Pourquoi ? Par jalousie ?

— Elle était jalouse de Davy, oui. Elle et Ra avaient décidé à l'origine que leur fille prendrait leur suite le moment venu.

— Intara ?

— Exactement, mais cela fait des années que tout le monde se rend compte qu'elle n'est pas à la hauteur – enfin, tout le monde sauf Palu. Intara ne s'intéresse qu'à ses recherches sur le *Livre de Thot*, et elle n'a pas l'étoffe d'un chef. On doit donner son nom akashique à Davy à la prochaine pleine lune, et Palu avait peur que Ra ne le désigne officiellement comme son successeur par la même occasion. Elle et Tim n'avaient pas les mêmes motivations, mais ils servaient un intérêt commun. Seulement, elle n'a rien compris à sa personnalité. J'admets très bien que tu lui en veuilles, mais elle était dans tous ses états quand elle a compris que Tim avait essayé de vous tuer, Jenny et toi. Sa tentative pour réparer son erreur comptera en sa faveur.

— Que va-t-il leur arriver, à elle et à Intara ?

— On va s'occuper d'elles, affirma Karnak.

Encore cette expression. Quand donc l'avais-je entendue pour la dernière fois ?

— Et que veux-tu dire exactement par « s'occuper d'elles » ?

— Ce que je dis. Palu vient de vivre un traumatisme énorme. Elle a fait plus que n'importe qui pour monter ce groupe, même plus que Ra. Les dix premières années, c'est elle qui a tout organisé, trouvé l'argent, choisi nos recrues, elle qui s'est occupée du moindre détail. Ra avait des rêves, mais c'était Palu qui les rendait possibles. Hier soir, elle était sur le point d'abandonner ce qu'elle a passé toute sa vie à construire. Où pensait-elle aller ?

Quant à Intara, elle n'a jamais connu d'autre monde que celui des Héritiers. Elles n'avaient aucune chance de s'en sortir ailleurs. Palu va sans doute être envoyée dans un de nos centres lointains du Mexique. Elle a perdu son droit à appartenir au Cercle interne, peut-être pour toujours. Intara et elle vont être rétrogradées au rang de Pèlerin niveau un, et elles vont devoir remonter l'échelle, comme tout le monde. Ce sera dur, mais nous pensons que le travail physique est le meilleur moyen d'éliminer les toxines spirituelles. La route sera rude, mais nous les aiderons de notre mieux. Ça te va ?

S'occuper d'elles... Les guérisseurs s'occupaient de moi avec leur aquathérapie et leurs huiles bizarres. Cela n'avait rien de terrible, au contraire. Peut-être cela conviendrait-il aussi à Palu et à Intara.

Tout de même...

— Elles voulaient partir...

— Elles ont toujours la possibilité de le faire, mais cela m'étonnerait qu'elles s'y décident. C'est nous leur famille, quelles que soient leurs fautes, et nous restons soudés.

Quand elle m'eut quittée, mes guérisseuses m'apportèrent un déjeuner léger composé de fruits, de fromage et d'un verre de pamplemousse pressé. Je ne fis que picorer, puis je retombai dans ma somnolence agitée. Quand une nouvelle silhouette se présenta à la porte, elle était si incongrue que je fus sûre cette fois de rêver : ce halo frisé de cheveux roux et ce visage carré plein de bon sens n'avaient leur place que sur les chantiers de Sturford, pas ici.

— Brian ?

Dans mon rêve, la silhouette traversa la pièce et s'assit sur le bord du lit à côté de moi. Elle prit ma main gauche dans les siennes – la droite étant rouge et douloureuse sous sa couche de crème – et la pressa affectueusement. Il ne s'agissait donc pas d'une création de mon esprit fatigué.

— Brian, qu'est-ce que tu fabriques ici ? Qui t'a averti ?

De toute ma vie, je n'avais jamais été aussi heureuse de voir quelqu'un. Ses yeux noisette s'illuminèrent.

— Alors, je tourne le dos une semaine, et voilà dans quel guêpier tu te fourres. On dirait que tu as combattu dix rounds contre Mike Tyson.

— Quand même pas. Un ou deux, au maximum.

Il me regardait avec une nouvelle sorte d'amusement aimant. Si je n'avais pas craint de souffrir le martyre, je me serais jetée dans ses bras. Raisonnable, je me contentai de me redresser un peu et d'effleurer sa joue avec la mienne, me rendant compte que, en fait, j'avais plutôt envie de l'embrasser.

Sans réagir, Brian me fit un grand sourire et continua à me tenir la main.

— Il paraît, dit-il, que tu as sauvé la vie de Jenny.

— Vraiment ? Et on t'a dit aussi que c'était moi qui l'avais mise en danger ?

Il hocha la tête.

— Mais tu as empêché un fou furieux d'enlever son fils. Tu sais que tu es devenue l'héroïne de tes hôtes ? Tu vas sûrement être élue sorcière en chef à la prochaine pleine lune.

Comme ce sain persiflage m'avait manqué !

— Il n'y a pas de sorcières, ici, précisai-je, et de toute façon je dois partir dans quelques jours. Dès que je serai assez en forme pour voyager.

Malgré cela, j'étais heureuse d'apprendre que les Héritiers d'Akasha m'estimaient. Il est toujours plus agréable d'être appréciée, même quand on s'est comportée comme une idiote. Les accusations de Jenny avaient touché un point sensible.

Me renfonçant dans mes oreillers, la main encore dans celle de Brian, je sentis refluer toute la tension nerveuse et le stress des dernières semaines. Je n'avais pas eu conscience d'avoir été aussi angoissée, et pourtant… Depuis combien de temps, déjà ? Deux semaines ? Non, bien plus. Je m'étais sentie mal tout l'été, et ce depuis que Jenny avait fait irruption dans ma vie et que mon couple n'avait pas résisté à la pression. Un bien-être total m'envahit, malgré mes blessures, causé par le cher visage, vigoureux et familier, de l'homme qui était assis au bord de mon lit. Mon état de faiblesse faisait disparaître toutes mes préventions, et je ne vis soudain plus aucune raison de vivre loin de lui. Ce désir éclata avec la puissance d'une révélation.

— Je ne comprends toujours pas par quel miracle tu es là. Ils t'ont téléphoné pour te prévenir ?

Mais, tout en posant la question, je me rendis compte que cela ne pouvait pas être le cas. Brian avait dû prendre le premier vol du matin et venir directement par la route depuis Málaga. Pour ce faire, il avait donc dû partir de Sturford en pleine nuit.

— Tu avais décidé de venir avant d'apprendre la nouvelle ?

— Non. J'étais tout à fait prêt à attendre trois jours de plus que tu reviennes.

— Alors je ne comprends pas.

— Tu n'es pas la seule. Je suis aussi surpris que toi.

— Brian, c'est quoi, ces devinettes ?

— Je voudrais bien le savoir moi-même. (Il sourit, gêné et déconcerté.) Bon, je vais essayer de t'expliquer, même si c'est un peu surréaliste. Hier, j'ai passé une soirée tout à fait normale : j'ai regardé les infos, rangé la cuisine, et je suis allé me coucher. Comme d'habitude. Et puis je me suis endormi. Je ne pensais à rien d'inquiétant en particulier, du moins pas plus que d'ordinaire. Je crois que je me demandais quel serait le meilleur moment pour mettre la troisième maison en vente. Puis en pleine nuit, *paf !* Je me suis assis tout droit dans le lit, et j'ai su, aussi clairement que je sais mon propre nom, que la femme que j'aime était en danger, et qu'il fallait que je vienne ici tout de suite. J'ai cherché mon passeport, et j'ai pris la voiture pour aller à Gatwick.

— Mais, Brian, ce n'est pas croyable !

— Tu l'as dit. Quand je suis arrivé à Gatwick, j'ai voulu téléphoner ici d'abord pour savoir ce qui se passait. Je m'attendais à ce qu'on m'enguirlande parce que je réveillais tout le monde, mais au lieu de ça des gens que je ne connaissais pas se sont mis à me raconter des tas d'histoires sur des bagarres, et un incendie, et des ambulances, et des gens en danger de mort. Ils ont parlé de toi et de Jenny. Alors j'ai pris le premier vol, et me voilà.

La femme que j'aime... Le bonheur faisait danser de chaudes couleurs partout autour de moi.

— Est-ce que tu deviendrais extralucide par hasard ? Depuis quand as-tu des prémonitions ?

Il fronça les sourcils.

— Je ne sais pas comment appeler ça, mais en posant des questions ici, j'en ai déduit que j'avais senti qu'il fallait que je vienne au moment où tu étais enfermée dans la cabane avec Jenny.

— C'est incroyable !

— Oui. Incroyable. Ne me demande pas de te donner des explications rationnelles ; je ne sais qu'une chose : c'est arrivé. (Il eut l'air songeur.) Ça a sans doute à voir avec les ondes électriques, ou alors c'est une pure coïncidence, ou...

— Peu importe. Je suis contente que tu sois là.

... que la femme que j'aime était en danger... Sans doute faut-il un choc vraiment énorme pour voir enfin une évidence qui vous échappait depuis des années. Cela avait assez duré, je ne voulais plus perdre de temps.

— Brian...

Il reposa ma main sur mes cuisses et s'éloigna de moi, puis il annonça d'une voix décidée :

— Maintenant, je vais la voir.

— Qui ?

— Jenny.

Il y eut une brève pause avant qu'il ajoute :

— La femme qui était en danger.

Il me fallut quelques secondes pour comprendre où il voulait en venir. Brian était beaucoup trop généreux pour enfoncer le clou, mais une lueur d'avertissement dans ses yeux trahissait la vérité. Je me renfonçai dans le lit. Comme les rapports de force changeaient vite... Depuis que je connaissais Brian, il était bien entendu qu'il m'adorait, alors que je ne le considérais que comme un ami. Et maintenant, soudain, j'étais de trop.

Je souris. En un instant, toutes mes vies parallèles potentielles défilèrent dans ma tête et tombèrent en poussière. Cela valait mieux. Mon moment de vérité n'était probablement dû qu'au contrecoup de mes émotions.

— Depuis quand t'en es-tu rendu compte ? demandai-je. Pour Jenny, je veux dire.

Il eut l'air soulagé.

— Nous sommes restés en contact tout l'été. Il y a eu une attirance immédiate le week-end où elle est venue à Sturford, mais nous pensions tous les deux que ça en resterait là. Elle savait que je n'étais pas guéri de mes sentiments pour toi, et elle voulait à tout prix venir rejoindre ces énergumènes. Mais ensuite, quand elle a commencé à en avoir assez d'être ici, elle a pris l'habitude de me téléphoner dès qu'elle en avait l'occasion. On bavardait de tout et de rien. Elle n'arrivait pas à décider ce qu'elle ferait quand elle partirait de la secte, et j'essayais de l'aider à y voir clair. La dernière fois qu'elle m'a téléphoné, c'était de Tarifa, il y a quelques jours.

— On y était allées ensemble.

— Je sais. Je lui avais demandé de m'avertir si tu prenais trop de risques. Je m'inquiétais pour toi, pas pour elle. Jusqu'à la nuit dernière, quand je me suis réveillé et que j'ai senti que je devais courir à son secours.

— Tu lui as dit tout ça ?

— Je ne l'ai pas encore vue. Elle a de la visite pour l'instant, et je dois attendre mon tour. Elle pensera sûrement que je suis devenu fou furieux..., c'est possible, d'ailleurs.

Il plaisantait mais son regard était très sérieux. La révélation de la nuit devait l'avoir vraiment ébranlé. Brian, qui ne croyait en rien à moins qu'on ne puisse le toucher, ou le construire, ou en obtenir des preuves scientifiques, avait traversé la moitié de l'Europe simplement sur la foi de... quoi ? Un mauvais rêve ? Une hallucination ? Une expérience de télépathie ? Cela aurait été étonnant de la part de n'importe qui, mais venant de Brian c'était suffocant.

— Pourquoi ne m'as-tu pas dit que tu étais en contact avec Jenny ?

— J'aurais préféré t'en parler, mais elle m'avait fait promettre le secret. Elle ne voulait pas que Gus ou sa mère soient mis au courant.

J'essayai d'imaginer Brian et Jenny ensemble. C'était plus facile que je ne l'aurais cru, et plus pénible aussi.

— Allez, va la voir, maintenant. Mets fin au suspense.

— Et toi, tu as besoin de te reposer. (Il hésita.) Gus doit arriver ce soir.

— Gus ? (Je me dressai toute droite dans mon lit, sans me préoccuper de mes côtes et de mes muscles endoloris.) Tu as téléphoné à Gus ?

— Je me suis dit que je ferais mieux de l'appeler de Gatwick quand j'ai appris ce qui se passait. Il a dit qu'il arrivait tout de suite.

J'étais ébahie par la rapidité avec laquelle les événements s'enchaînaient. Donc, à présent, Gus allait venir lui aussi. Je me souvins que, d'après Jenny, Ra voulait rassembler tout le groupe de Grays Orchard. Katie et Palu étaient déjà là. Gus allait surgir d'un moment à l'autre. Il ne restait plus que Harriet.

Brian se leva.

— Je reviendrai te voir plus tard. Ou demain.

— Combien de temps comptes-tu rester ?

— Ça dépendra. On m'a casé dans une sorte de dortoir. Tu te rends compte ? On est à dix-sept là-dedans.

— Ils ont dû te mettre dans une maison longue d'hommes.

— La prochaine fois que je viendrai en Espagne, ce sera dans une chambre avec salle de bains ! (Oui, songeai-je, et Jenny sera là pour la partager avec toi.) Enfin bref, poursuivit-il, du moment qu'ils s'occupent bien de toi…

— Ne t'en fais pas, ça ira.

— Oui, je sais, tout ira très bien.

Il me sourit, fit demi-tour et sortit. J'eus le sentiment qu'un cycle venait de s'achever, ces années où je m'étais reposée sur l'amour de Brian en méprisant ce qu'il m'offrait.

Je n'avais pas de regrets, non, pas vraiment, n'empêche que je fus soulagée d'avoir un moment de solitude.

Mais la journée devait être placée sous le signe des visiteurs. En fin d'après-midi, m'étant habillée et un peu arrangée, j'avais trouvé la force d'aller m'installer sur la véranda. J'étais étendue sur une chaise longue en rotin et regardais le soleil descendre sur la mer à l'horizon entre la courbe des collines. Une odeur âcre flottait dans l'air depuis l'incendie. J'essayais de remettre de l'ordre dans mes idées, et je me demandais ce que j'allais dire à Gus quand on frappa de légers coups à la vitre. Katie passa la porte-fenêtre, et, en me retournant pour l'accueillir, je fus si saisie que j'en restai muette. Elle avait le visage hagard ; en une nuit, elle était devenue une vieille femme. Elle se laissa tomber à côté de moi sur une chaise et me dévisagea avec soulagement.

— Carol, tu vas bien, Dieu merci ! On m'avait dit que tu étais blessée, que tu avais failli mourir, mais… (Elle remarqua ma main, rouge et cloquée, et elle se décomposa.) Alors c'est vrai… Ta pauvre main ! Je n'arrive pas à y croire.

— Ça va beaucoup mieux, ne t'en fais pas. Ma main va guérir.

— Et c'est… ? (Elle me fixait, la question l'étouffant presque.) Est-ce que mon fils a vraiment… ?

Elle avait beau faire, elle n'arrivait pas à formuler la question.

Je compris qu'elle était autant atterrée par la monstruosité de l'accident de Tim que par l'horreur de ce qu'il avait voulu faire. Je me souvins que Katie avait menti pour me sauver la mise, il y avait seulement vingt-quatre heures, et un instant je fus tentée de la ménager à mon tour. Mais il fallait qu'elle sache ; d'ailleurs, je voyais à son expression qu'elle n'avait besoin que d'une confirmation.

— C'est Palu qui nous a enfermées dans une chrysalide, Jenny et moi, pour nous empêcher de sauver Davy, dis-je doucement. Mais Tim savait que nous étions là quand il a mis le feu. Il nous a mises en danger sciemment.

— Oh ! mon Dieu. (Elle s'effondra, et, pendant un moment, resta muette.) Mon Dieu... Tu sais, je pensais qu'il s'agissait peut-être d'un accident. J'espérais qu'il avait seulement mis le feu pour faire diversion sans savoir que Palu vous avait enfermées. Je pensais que Serafa avait peut-être exagéré parce que... parce qu'elle ne l'a jamais aimé. Mais s'il savait que vous étiez dans la chrysalide et que vous risquiez de...

Elle ne parvint pas à achever.

— Comment va-t-il ? demandai-je

— Les médecins ne veulent pas se prononcer, sauf pour dire qu'il est tiré d'affaire. Ils n'en savent pas plus pour l'instant. J'ai passé la nuit à l'hôpital. Serafa m'a obligée à rentrer parce que Davy commençait à s'inquiéter. J'y retourne tout de suite, mais avant, je tenais à te voir. Sans toi, j'aurais perdu mon Davy.

— Il s'est rendu compte de quelque chose ?

— Je ne sais pas bien ; il est encore un peu groggy après la dose de somnifères que lui a administrée Palu. Je voulais te remercier, Carol. J'ai l'impression que tu m'as sauvé la vie. Si Tim s'était enfui avec Davy, je ne sais pas ce que j'aurais fait.

— Toi et Davy, vous ne risquez plus rien, maintenant.

— C'est vrai, reconnut-elle, toujours tremblante. Tu sais, quand j'étais là-bas, on m'a dit que même s'il survivait il ne serait plus jamais le même... et il est tellement beau, si tranquille dans son lit, comme quand il était petit, comme l'homme qu'il aurait pu être s'il n'avait pas... C'était triste, tellement triste... Excuse-moi. Je n'ai pas le droit de te faire porter ce poids. Je te laisse. Oh !

Dans son mouvement pour partir, aveuglée par les larmes, elle n'avait vu l'homme arrêté sur le seuil de la porte vitrée qu'au moment de se cogner à lui.

S'excusant, Gus fit un pas de côté. Il avait bien la tête de quelqu'un qui a été réveillé en sursaut par un coup de fil inquiétant et a dû traverser la moitié de l'Europe sans même prendre le temps d'emporter sa brosse à dents. La tête du type qui vient d'encaisser une série de coups et se doute que ce n'est pas fini. Katie tira un mouchoir de sa poche et se tamponna les yeux.

Gus fronça les sourcils.

— Je vous dérange ? demanda-t-il, jetant un coup d'œil à Katie mais s'adressant à moi.

— Non, pas du tout, dit-elle, je partais.

Je fus stupéfiée par la rapidité avec laquelle Katie recouvrait son calme – fruit de longues années de pratique. Sa voix, brisée quelques secondes plus tôt, avait repris son vernis de politesse. Mais ce qui me surprit le plus, c'est qu'elle et Gus ne semblaient pas se reconnaître.

Gus s'écarta pour la laisser passer. Katie lui sourit, puis elle se tourna vers moi.

— Au revoir, Carol. J'espère que tu vas te rétablir vite. J'essaierai de repasser te dire bonjour demain.

Ce ne fut qu'au moment où elle partait que Gus fronça les sourcils.

— Katie ?

— Oui ? (Elle le regarda.) Gus ? Mais qu'est-ce que tu fais là ?

— Je viens voir ma femme.

— Ta... ? Ah ! oui, bien sûr. Carol me l'a dit, mais je suis une vraie tête de linotte, j'avais oublié. Tu restes longtemps ? Nous aurons peut-être l'occasion de nous revoir pour bavarder. On reparlera du bon vieux temps.

— J'espère, dit Gus avec un sourire. Ça fait une éternité.

— Oui, n'est-ce pas ? Bien, je vous laisse. Au revoir, Carol.

Et ce fut tout.

Moi qui m'étais attendue à d'émouvantes retrouvailles ! Après tout, pendant la période de Grays Orchard, Katie avait été sa muse, son grand amour, et maintenant qu'une nouvelle tragédie les remettait en présence après des années... ils se saluaient bien gentiment, bien poliment. Ce n'était pas normal, je me sentais flouée.

Gus s'était approché de moi.

— Ça va, Carol ? Quelle question idiote ! Je vois ta main ! Et il paraît que la fumée... Bon Dieu, je voudrais tenir le salaud qui t'a mise dans cet état !

— Je vais me remettre, Gus. J'ai mal partout, mais ça va passer.

À le voir ainsi, inquiet et furieux, je me sentis au bord des larmes. Je m'efforçai de garder mon calme, et même de sourire. Si Katie y parvenait, je le pouvais aussi. Il prenait toute la place, emplissait la pièce de sa présence comme aucun de mes visiteurs ne l'avait fait avant lui.

— Assieds-toi, Gus, s'il te plaît. Prends la chaise de Katie.

Il la tourna et s'assit face à moi. Il ne m'avait ni embrassée ni touchée, et je préférais cette distance.

— Tu peux dire que tu m'as inquiété ! Quand Brian a téléphoné ce matin, je me suis précipité. Raconte-moi ce qui s'est passé.

— Je ne sais pas par où commencer. C'était pour aider Tim.

— Mais pourquoi m'as-tu menti ? Pourquoi es-tu venue ici ? Tu ne crois pas en leur délire apocalyptique sur l'Atlantide, j'espère !

— Bien sûr que non. Je ne suis pas complètement abrutie. Je pensais pouvoir aider Tim. Et puis il y avait Jenny, aussi.

— Tu veux dire que tu m'as menti et que tu t'es mise en danger simplement pour aider deux personnes que tu connais à peine ?

— Non... Enfin, si, en partie, mais ce n'est pas la seule raison. Je voulais surtout rencontrer les autres...

— Quels autres ?

— Raymond, Pauline et Katie. Gus, tu sais bien que ça ne va plus entre nous depuis que Jenny est arrivée. Je comprenais que tu ne me disais pas tout, et aussi que ça avait un rapport avec le groupe de Grays Orchard. Tout portait à croire que c'était à cause du meurtre d'Andrew Forester et des vieilles rumeurs de règlement de compte déguisé qui l'entouraient. (Je m'interrompis, mais comme il ne faisait aucun commentaire, je continuai.) J'ai pensé faire d'une pierre deux coups : j'aidais Tim et Jenny, et par la même occasion j'espérais trouver un moyen de sauver notre couple.

Gus hésita.

— Et… tu as trouvé ?

— Je ne sais pas. J'attends de voir.

Il lâcha un long soupir et se laissa aller contre son dossier, yeux tournés vers le plafond. Puis il se redressa, posa les mains sur ses genoux et me regarda bien en face. Je ne bougeais plus. D'habitude fuyant comme une anguille, évitant toute discussion et se faisant prier pour dire le moindre mot, il m'affrontait à présent directement, et ce pour la première fois.

— J'ai eu le temps de réfléchir depuis que tu es partie. Je sais que j'ai été odieux, mais cela va changer. J'admets que de voir Jenny débarquer, ça m'a fichu un coup, mais c'est terminé. Quand tu vas rentrer à la maison, tout redeviendra comme avant, je te le promets.

Il sourit. Ainsi, tout était dit. Il pensait qu'il lui suffirait de revenir en arrière, et que rien n'aurait changé.

— Non, Gus. Tu m'as menti trop souvent.

— Moi, j'ai menti ?

— Oui. Tu m'as laissée croire que c'était Jenny qui avait lacéré tes toiles, alors que c'était toi. Tu n'avais pas le droit de l'accuser !

— Tu crois que je ne le sais pas ? Ça a failli me rendre fou que tu me plaignes comme ça, alors que si tu avais su la vérité, tu aurais été en colère contre moi, et m'aurais même peut-être cru fou.

— Et alors ? Tu pouvais courir le risque quand même. Merde, je t'aimais, Gus !

J'avais employé l'imparfait. « Je t'aimais », pas « je t'aime ». En étions-nous là ?

— Tu as raison, tu as raison. Dieu sait que tu n'as pas besoin d'insister. J'aurais dû te dire la vérité tout de suite, mais tu ne m'as même pas posé la question. Dès le début, tu as été persuadée qu'elle était coupable. J'étais en état de choc, et une fois la machine partie tout s'est enchaîné, comme dans un rêve, et moi je restais spectateur sans pouvoir intervenir.

— Mais ce n'est pas ça du tout. Tu refusais de me parler !

— Si tu penses que je suis lâche, tu as raison. Je l'ai toujours été, seulement tu ne t'en étais pas rendu compte avant. Tu voyais en moi une sorte de héros tragique... tu te trompais. Je ne suis qu'un homme ordinaire qui a fichu par terre la seule chose qui comptait vraiment pour lui. Je me doutais que tu n'étais pas partie en France, mais je pensais que tu avais pris un amant. À ma grande surprise, j'ai réalisé que cette idée me déplaisait souverainement. Tu m'as manqué, Carol. Que veux-tu que je te dise ? J'ai besoin de toi. Je sais que ce n'est pas bien vu à l'époque actuelle d'avoir besoin des autres, mais c'est comme ça. Je ne veux pas vivre le reste de mes jours en sachant que j'ai gâché cette seconde chance, la plus belle. Je suis prêt à faire tout ce que tu voudras.

— Tu veux dire qu'il n'y aurait plus de secrets, plus de mensonges ?

Il sembla mal à l'aise, mais rencontra franchement mon regard.

— Oui.

— Tu me diras pourquoi tu as détruit tes tableaux ?

— Oui.

— Et comment Andrew est mort ?

Il ferma les yeux, serra les poings sur ses genoux. Au bout d'un long moment il répondit à voix basse :

— Bon, d'accord, si tu veux. Oui, je te parlerai aussi de ça.

J'avais l'impression d'être un tortionnaire. Mais s'il acceptait de dire la vérité, il fallait que je sois franche aussi.

— Tu acceptes de me dire tout, même s'il est peut-être trop tard pour sauver notre couple ?

Une ombre douloureuse passa dans ses yeux.

— J'espère plus que tout au monde qu'il n'est pas trop tard. Mais, oui, quoi qu'il arrive maintenant, je te dois la vérité.

Des larmes jaillirent de mes yeux.

— Gus, pourquoi as-tu attendu si longtemps ?

— J'avais promis de me taire. Le silence est une habitude qui ne se rompt pas facilement.

Il y eut un froissement et un bruit derrière nous. Gus et moi avions été tellement absorbés par notre dialogue que ni lui ni moi n'avions entendu les pas approcher. Nous nous tournâmes en même temps, puis je jetai un coup d'œil à Gus. Il était devenu blanc comme un linge.

J'eus une impression étrange, comme si notre conversation l'avait fait surgir des limbes. Elle avait beaucoup changé depuis le temps où Gus la peignait. Ses cheveux bruns étaient mêlés de gris, des lignes d'amertume se creusaient de part et d'autre de sa bouche, et elle s'appuyait sur une canne métallique – de celles qui soutiennent l'avant-bras et le coude.

Mais elle était toujours belle, avec un visage puissant et vibrant de personnalité, et, malgré son dos courbé, elle tenait encore la tête haute.

C'était la dernière absente du groupe de Grays Orchard : Harriet.

23

— Qu'est-ce que tu fiches ici ? demanda Gus.

— Comme toi, sûrement, répondit Harriet avec un sourire énigmatique. Comme tu le sais, je suis en Angleterre depuis un mois. J'ai pensé qu'il était temps de venir chercher Jenny. J'ai reçu un coup de fil de ton voisin, Brian Dray. C'est le seul qui soit resté en contact avec elle cet été. Il a téléphoné de Gatwick hier pour m'annoncer qu'il y avait eu un accident. J'ai eu la chance de pouvoir faire le voyage avec lui par le premier vol. (Elle se tourna vers moi avec une certaine défiance.) Vous devez être Carol. Il paraît que vous avez sauvé la vie de Jenny, et je vous en remercie du fond du cœur.

— Comment va-t-elle ?

— Elle est encore faible, mais elle va vite se remettre.

La vraie beauté de Harriet, celle qui avait le mieux survécu au temps, c'était sa voix. Un riche contralto, de ces voix qui s'écoutent sans jamais s'en lasser. Pour la première fois, je réalisai que les portraits, condamnés au silence, ne transmettent pas l'essentiel. Je songeai aux longues heures que j'avais passées à étudier des reproductions de ceux de Grays Orchard, essayant de percer leur secret, alors que la sonorité de quelques phrases m'aurait tout dit.

Harriet s'appuyait de tout son poids sur sa canne. Gus n'avait toujours pas bougé.

— Il faut faire asseoir Harriet, Gus, intervins-je.

On aurait dit qu'il sortait d'une transe. Quand il approcha un fauteuil en osier près de moi, je vis qu'il tremblait. Il se rassit, mais ses yeux restaient rivés sur Harriet.

— Merci, Gus, dit-elle.

Il ne répondit pas, se contentant de la fixer. Elle leva la main comme pour se protéger de l'intensité de son regard.

— On croirait que tu as vu un fantôme ! plaisanta-t-elle. Je suis malade, mais je n'ai pas encore été élevée à ce digne état.

— Pardon.

Il baissa les yeux, puis il se leva brusquement et alla à la fenêtre, mais son regard retournait sans cesse à Harriet.

— C'est juste que...

— Quoi ? J'ai donc tellement changé ?

Elle faisait un louable effort pour parler d'un ton léger, mais on sentait qu'elle avait de la peine.

— Non, répondit Gus à voix basse. Non, c'est ça le problème. Tu n'as pas changé du tout.

Harriet poussa un soupir, se tut un instant, puis se reprit.

— J'ai entendu ce que vous vous disiez, Carol et toi, quand je suis arrivée. (Une pause. Il y avait de l'électricité dans l'air.) Tu ne lui avais rien dit ?

— Non.

— Et cela vous a causé des difficultés ?

— Oui.

— Et tu allais lui dire ?

— Oui. Écoute, je n'ai pas le choix.

Elle leva la main pour le faire taire.

— Mais certainement, Gus, je n'ai aucune intention de t'en empêcher. Je suis juste un peu curieuse. Tu as l'intention de lui dire... tout ce qui s'est passé ?

Gus ne parvenait toujours pas à détacher les yeux du visage de sa demi-sœur. Je n'avais pas de place dans ce dialogue, même s'ils parlaient de moi. Ils étaient entièrement centrés l'un sur l'autre.

— Je n'ai pas réfléchi, mais... (Il me jeta un bref regard.) Oui, Harriet, oui, je vais tout lui dire.

Elle laissa aller la tête contre son dossier et ferma les yeux. On aurait dit qu'une ombre s'envolait de son visage.

— Quel soulagement, dit-elle dans un soupir. (Elle se tourna vers moi et sourit.) Tu sais, Carol, ce secret me pèse sur le cœur depuis si longtemps que je n'attends plus que le moment de m'en libérer. La perspective de mourir en laissant Gus seul dépositaire de la vérité me faisait horreur. Mais nous ne pensons qu'à nous, ajouta-t-elle avec un froncement de sourcils. Et toi ? Es-tu bien sûre de vouloir porter le fardeau de la vérité ?

Je ne compris pas bien sa question. J'avais attendu si longtemps que je ne voyais pas comment la vérité pourrait me peser.

— Bien sûr que oui. C'est pour cela que tu essayais d'entrer en contact avec Gus ?

— En partie. Mais c'était surtout à cause de Jenny. Je pensais que Gus arriverait à lui faire entendre raison. Elle ne m'écoute pas. Nous n'avons pas une relation facile. J'ai pensé qu'il valait mieux ne rien lui dire, ce qui cause aussi certains problèmes.

— Mais ce n'est pas trop tard ! Tu peux lui dire la vérité, maintenant, comme Gus va le faire avec moi. Vous ne pourrez pas être proches tant qu'elle ne saura pas tout.

— Ah ! Carol, ce n'est pas si simple... (Son ton moqueur me fit soudain prendre conscience que j'étais plus proche en âge de sa fille que de Gus et d'elle-même.) C'est bien trop tard pour Jenny et moi. Je ne pourrai jamais lui dire. Tout ce que je peux espérer, c'est qu'elle finisse par comprendre que j'ai fait de mon mieux, que je l'aime, et que j'ai tâché autant que possible de faire passer ses intérêts avant les miens.

Harriet me semblait très pessimiste. Comme on le fait souvent pour se préparer à un choc, j'essayai d'anticiper ce que pouvait bien être leur secret. Il devait s'agir de la mort d'Andrew, et sans doute m'apprendraient-ils que Gus en était responsable. Peut-être à cause d'une dispute qui avait dégénéré, ou d'un terrible accident. Dans la panique de cet après-midi d'été caniculaire, Harriet avait accepté de mentir pour sauver son frère, et le crime les avait hantés tous deux depuis. Cela aurait expliqué pourquoi ils avaient coupé les ponts, pourquoi l'arrivée de Jenny à Grays avait eu un tel impact sur Gus et sur l'univers qu'il s'était reconstitué. Jenny était la nièce qui avait grandi sans son père à cause de lui. Peut-être ressemblait-elle à Andrew, ce qui devait lui être encore plus pénible.

Tout cela, je me sentais capable de l'affronter. Gus m'avait avoué qu'il était lâche, avait refusé d'endosser le rôle de héros tragique que je voulais lui attribuer, mais je n'allais pas l'abandonner à cause d'un accident. S'il me disait la vérité, je ne pourrais pas lui tourner le dos maintenant.

Harriet considéra Gus pensivement.

— Tu te lances ? demanda-t-elle, ou tu préfères que je le fasse ?

— Je ne sais pas. Par où faut-il commencer ?

— Ah ! fit Harriet en levant les sourcils, bonne question. Je n'ai jamais su exactement quand cela avait commencé. Le premier jour où nous sommes allés à Grays, peut-être, quand le pauvre petit M. Cheeryble nous a fait visiter la maison et que tu lui as fait peur en descendant sur la rampe.

— « Attention, monsieur Ridley, parodia Gus d'une voix affectée. C'est peut-être vermoulu. » Et puis nous l'avons renvoyé et nous sommes allés dans le verger.

Harriet avait les yeux brillants.

— Là, tu as eu ta vision mystique.

— Ou du moins c'est ce que j'ai cru. Et nous avons décidé de rester vivre là.

— Et d'inviter nos amis à nous rejoindre.

Ils semblaient prêts à glisser dans les délices de leurs souvenirs communs, mais j'avais déjà entendu parler de leur rencontre par Gus qui me l'avait décrite en rentrant de Bath. Je les interrompis donc.

— Ce ne serait pas plus important de me parler de la mort d'Andrew ?

Harriet sursauta, presque comme si elle avait oublié le présent. Puis elle sourit.

— Oui, pourquoi pas ? Bonne façon de raconter une histoire, comme dans *Alice au pays des merveilles.* On devrait toujours commencer par la fin.

— C'est ça, approuva Gus, son visage s'illuminant d'un sourire. Ensuite on pourra remonter jusqu'au début.

— Comme d'habitude, on va tout faire à l'envers, renchérit Harriet en riant.

Je n'en revenais pas. Ils se conduisaient comme des gamins peu soucieux de la mort d'Andrew. Et pis encore, ils m'excluaient de la conversation.

— Je ne vois pas ce qu'il y a de drôle, il y a eu un mort ! attaquai-je.

Cela brisa leur belle humeur. Les yeux de Harriet s'assombrirent et elle s'expliqua.

— Tu ne comprends pas, Carol. Tu es encore assez jeune pour croire que les gens doivent rire de ce qui est drôle et pleurer quand ils ont du chagrin. Mais c'est le contraire.

— Oui, approuva Gus. Plus c'est grave, plus on a besoin de tourner les choses en dérision.

— Si on ne riait pas, acheva Harriet, on deviendrait fou.

— Elle ne comprend pas.

— C'est normal.

Je me dépêchai d'interrompre ce duo de cauchemar.

— Il n'y a pas eu de rôdeur, c'est bien ça ?

Il y eut un silence.

— Non, admit Gus.

Je marchais sur une fine couche de glace, bravant le danger à chaque pas. Pas de rôdeur, mais les contusions de Harriet avaient été bien réelles. Je n'y comprenais rien. Et puis je me souvins de ce que m'avait dit Katie dans la voiture en rentrant du cap Trafalgar : « Il la frappait en pleurant… » Je rassemblai mon courage et dis en regardant Gus droit dans les yeux :

— C'est toi qui l'a tué, Gus, c'est ça ? Katie t'a vu en train de frapper Harriet. Tu la frappais en pleurant, mais ce n'était que pour justifier l'histoire de l'agression.

— Katie nous a vus ? demanda Harriet à Gus.

Il y eut un nouveau silence.

— Oui, répondit Gus. Elle m'en a parlé le soir. Je lui ai dit ce qu'il fallait raconter pour que ça colle avec notre histoire. Je lui ai fait promettre de ne jamais en parler à personne. J'ai toujours su qu'elle préférerait mourir plutôt que de trahir notre secret. Katie, c'est la loyauté même.

— Tu pleurais, dit Harriet, ses yeux s'humidifiant à ce souvenir. Tu crois qu'elle avait tout deviné ?

— Je n'en ai pas la moindre idée. Je ne vois pas comment j'aurais pu lui poser la question.

— Pauvre Katie... (Harriet s'était calmée.) Donc elle aussi, elle s'est retrouvée prise dans un tissu de mensonges.

— Comme nous tous.

— Oui.

Ils se turent. Je bouillais d'impatience.

— Racontez-moi le jour de la foire, demandai-je.

Harriet regarda Gus, mais il n'ouvrit pas la bouche, alors elle prit la parole d'une voix douce.

— Il faisait chaud, une chaleur infernale. J'étais restée à la maison. Au départ j'avais prévu d'aller avec les autres, mais au dernier moment je leur avais dit que je ne me sentais pas bien.

— Parce que tu étais déjà enceinte, c'est ça ? (Au moins, nous arrivions au moment clé. Je me tournai vers Gus.) Et toi, tu étais allé avec les autres ?

— Oui. On étouffait ce jour-là. Je n'avais jamais vu autant de monde à la foire de Sturford. Il y avait des hordes de gens tout rouges qui bâfraient de la barbe à papa et qui portaient des ours en peluche jaunes.

Maintenant qu'il avait démarré, j'eus l'impression qu'il se délectait de ses souvenirs.

— Tu es retourné à Grays avant les autres ? lui demandai-je.

— Oui, j'en avais assez. J'avais envie de partir. Je suis rentré à travers champs. Ce qu'il pouvait faire chaud !

Il passa un doigt dans son col de chemise.

— Oui, très chaud, continua Harriet d'une voix rêveuse. J'avais préparé de la citronnade. De la vraie, avec de vrais citrons, mélangés avec juste une petite dose de sucre. J'ai eu des envies folles d'agrumes les deux premiers mois ! Oranges, pamplemousses, mais surtout citrons. Parfois je me demande si c'est pour ça que cette pauvre Jenny est devenue tellement aigre. Je n'ai plus pu boire une citronnade depuis.

Elle pinça les lèvres comme si elle avait toujours dans la bouche le goût acide des citrons pressés.

— La première chose que j'ai remarquée en arrivant à Grays, c'est le silence, reprit Gus. J'ai monté les marches du grenier à pommes, et je t'ai trouvée sur la chaise longue, endormie.

— Elle n'était pas dans le hamac ? m'étonnai-je.

Il eut l'air surpris.

— Le hamac ? Non, non, Harriet était déjà dans l'atelier quand je suis rentré. Il y avait une grande cruche de citronnade par terre. J'avais tellement soif que je me souviens d'avoir bu directement à la cruche. La pièce sentait délicieusement bon. Le citron et la térébenthine – il regardait Harriet –, et ton odeur qui s'y mêlait. Et puis tu t'es réveillée.

Il se tut. Au bout d'un moment, Harriet répondit simplement :

— Oui.

Ce mot avait quelque chose de définitif qui me donna un long frisson d'appréhension.

— Donc, m'empressai-je de reprendre, Andrew a dû rentrer avant les autres. C'est ça ?

— Oui, dit encore Harriet. (Elle observait Gus, le visage en feu.) Tu veux qu'on passe directement à la fin ?

— Carol veut qu'on lui dise ce qui s'est passé avec Andrew.

— Absolument. Elle a le droit de savoir. (Harriet se redressa dans son fauteuil, et continua sans émotion.) Andrew est rentré, il s'est disputé avec Gus. Ils se sont mis à se battre. Andrew aurait pu démolir Gus – il avait un fichu caractère. Je lui ai hurlé d'arrêter mais il était comme fou, et il s'en est pris à moi. Il fallait que je l'arrête. J'ai vu le cutter sur la table, celui dont Gus se servait pour ses toiles. J'ai dû le prendre, sûrement, et Andrew s'est jeté sur moi, et la lame lui est entrée dans la poitrine.

Je me souviens de son visage. De son air surpris. Je me souviens qu'il marchait dans la pièce en disant : « T'as vu ce que t'as fait ? Mais t'as vu ça, pauvre crétine ? » Et moi je me disais, ce n'est pas vrai, ça ne peut pas m'arriver à moi. Puis, d'un coup, il s'est effondré. Une seconde avant, il était devant moi en train de crier : « Mais t'as vu ce que t'as fait ? » et puis boum, il est… il ne disait plus rien… il était tombé par terre.

C'était une histoire si différente de celle que j'avais attendue qu'il me fallut un instant pour réagir.

— Tu veux dire que c'est toi qui as tué Andrew ? m'écriai-je.

— Oui, c'est bien moi. La police a dit qu'il avait été massacré, j'imagine que c'est vrai. À un moment donné, la cruche a été renversée et il y avait de la citronnade partout, qui se mélangeait avec le sang. Mes semelles collaient au plancher. Tu n'as pas idée de ce que ça peut être poisseux, la citronnade, surtout mélangée à du sang. C'est mon souvenir le plus précis : mes pieds qui collaient par terre, et le bruit de mes chaussures dès que je faisais un pas, comme si on arrachait un sparadrap.

— Ce n'est pas croyable…

Je n'en revenais pas, tant j'avais été sûre que le coupable était Gus. Est-ce qu'elle inventait tout cela pour le protéger ? Je me demandai même s'ils avaient organisé cette rencontre à seule fin de me raconter une version trafiquée de l'histoire. Était-ce un acte de générosité mal placée de la part d'une femme qui allait mourir ?

Elle regardait Gus.

— Alors, qu'est-ce que ça donne ? lui demanda-t-elle. Tu crois que j'aurais réussi à convaincre la police ? J'aurais peut-être dû avouer tout de suite. Après tout, j'étais enceinte. J'aurais pu dire que c'était à cause de mes hormones. J'aurais même peut-être pu m'en tirer avec une liberté surveillée. Qu'est-ce que tu en penses ?

— Tu vas en rester là ? demanda Gus lentement.

— Je me posais la question. C'est convaincant, comme version. Je pense que la police aurait gobé l'histoire.

— Mais le mobile ?

— Tout simple. Je te défendais. Andrew était très bagarreur. Il avait attaqué Ray au pub juste une semaine avant. Nous aurions pu inventer quelque chose. Mon frère se faisait attaquer et j'ai vu rouge. J'ai perdu la tête, je ne savais plus ce que je faisais. Ce n'est pas si loin de la vérité.

— Pas si loin de la vérité ? m'indignai-je. Tu as tout inventé, oui !

Je n'étais plus sûre de vouloir savoir ce qui s'était passé cet après-midi caniculaire dans l'atelier de Gus.

Mais Gus et Harriet m'ignoraient de nouveau, ne cessant de se regarder. Harriet reprit son récit de sa voix rêveuse et profonde.

— Pauvre Andrew, c'est vrai qu'il était en nage en revenant de la foire. Il voulait nous faire une surprise.

— Mais il n'a pas apprécié ce qu'il a vu, continua Gus, et on ne peut vraiment pas lui en vouloir. (Il s'était rapproché et accroupi devant nous.) Tu comprends, Harriet et moi nous étions ensemble sur la chaise longue.

— Oui, enchaîna Harriet. Nous étions nus. (Elle souriait.) Nous faisions l'amour.

— Tais-toi ! Ce n'est pas vrai !

Gus se mit à rire, d'un rire dur, amer, puis il se leva et s'éloigna.

Harriet se pencha vers moi, si près que nous nous touchions presque.

— Écoute-moi bien, petite idiote, gronda-t-elle, sa voix ayant perdu ses inflexions séductrices. Tu as voulu qu'on te dise la vérité à tout prix, alors maintenant tu ne peux plus faire machine arrière. Je t'avais prévenue. À quoi t'attendais-tu ? Pourquoi crois-tu que nous avons gardé le silence et menti pendant tant d'années ? Petite idiote, Gus et moi, nous avons dû vivre avec ce secret pendant vingt-cinq ans ! Et toi, tu n'as rien d'autre à faire que nous écouter.

— Eh bien, ripostai-je, je vous ai écoutés ! Je connais votre petit secret sordide, maintenant, tu n'as pas besoin de me faire un dessin. Que veux-tu que je vous dise ? Que ce n'est pas grave ? Qu'il ne faut pas vous en faire ?

— Tais-toi, dit Harriet. Nous n'avons pas encore fini.

— Ce n'est pas tout, intervint Gus.

— Non ! hurlai-je. Je ne veux pas le savoir !

Gus me défendit.

— Laisse, Harriet. Ça suffit.

Elle lui jeta un regard de mépris.

— Tu es devenu fou ? C'est vraiment ça que tu veux ? Ça ne me surprend pas de ta part, tu as toujours été un sale petit trouillard. Pas étonnant que tu aies eu une dépression quand le groupe s'est séparé. Je m'étonne même que tu aies tenu le coup. Heureusement que tu as rencontré ta bonne petite Samaritaine, et qu'elle s'est occupée de toi.

— Harry, tais-toi ! Tu as toujours été de mauvaise foi. Tu ne sais rien du tout sur Carol et moi.

— Ah ! non ? jeta-t-elle avec un rire amer. Jenny m'a déjà raconté beaucoup de choses, et le reste, je peux le deviner toute seule. Mais ne t'inquiète pas, petit frère, je n'ai pas l'intention de déranger ton gentil petit nid d'amour. Après tout, moi, je ne fais que ce que la mignonne petite Carol m'a demandé de faire. Elle voulait qu'on lui dise la vérité, il paraît que c'est mieux quand les choses sont claires, et elle a raison. Tu ne comprends donc rien, Gus ? Pour l'instant, je suis en rémission, comme disent ces guignols, mais ça ne va pas durer. La semaine prochaine, le mois prochain, en tout cas d'ici un an, ce sera fini. Et avant de mourir, je veux m'assurer qu'au moins une autre personne que toi sait ce qui s'est passé !

— D'accord, d'accord, coupa Gus, cédant devant sa colère. Dis-lui, si tu y tiens tant.

— Non, vas-y, toi, c'est ta femme.

— Tu exagères ! Bon, d'accord. (Il se tourna vers moi avec un soupir.) Ce n'était pas la première fois.

Pas la première fois ? J'ouvris la bouche, mais fus incapable d'émettre un son.

— Non, approuva Harriet, l'air sombre. (Puis elle changea de nouveau d'humeur et lui demanda presque doucement :) Tu te souviens de la première fois ?

— Bien sûr. (De nouveau, ils étaient repartis dans leur monde, se donnant la réplique, parlant d'une seule voix.) C'était après l'enterrement de tante Meg. Tu portais ton chapeau à bords flottants ridicules.

— Au moins, il était noir. Toi, tu ne portais même pas de cravate.

— Et après, il y a eu une réception avec des sandwiches et du café dans un petit pub sinistre. Nous nous évitions parce que nous savions très bien tous les deux ce qui allait se passer. Nous nous retenions depuis tellement longtemps, et pour une fois nous étions seuls, loin de Grays et loin des autres.

— Nous avions échappé à nos chaperons ! Et toi, tu n'arrêtais pas de te bourrer de sandwiches.

— Et de boire leur horrible café. Et de bavarder avec des parents assommants que je n'avais jamais vus de ma vie. Et puis tout le monde est parti, et il n'est plus resté que nous deux et un vieux bedeau croulant. Alors nous avons bien dû partir aussi. Nous sommes allés à la voiture.

— Ta drôle de vieille mini Morris.

— Une voiture d'infirmière de campagne. Nous sommes partis, mais nous n'avons pas roulé plus d'un kilomètre. C'est un miracle que personne ne nous ait repérés, mais c'était le cadet de nos soucis.

— On se moquait de tout. Une mini Morris. Pas croyable. (Elle se mit à rire, d'un rire profond et heureux sans plus aucune trace d'amertume.) Aller-retour au septième ciel dans une boîte de conserve d'un mètre cube... Ha !... Gus...

Il y eut un long silence. Ils avaient oublié que j'étais là. J'aurais voulu casser cette communion, mais j'avais mal au cœur et ne trouvais rien à dire.

Au bout d'un moment, Harriet exhala un soupir de regret d'une infinie tristesse.

— C'était le mois de mars… Mars 76. Nous luttions contre l'inévitable depuis des mois.

Gus hocha la tête.

— Oui, et nous luttions au sens propre, la plupart du temps. On en venait très souvent aux mains, tu te souviens ? Je cherchais n'importe quel prétexte pour te toucher, et tu avais des poings de boxeuse professionnelle.

— N'est-ce pas ? approuva Harriet avec un sourire. Tu te souviens de la fois où tu m'as sortie de force de la cuisine, et où tu m'as jetée au milieu de la cour ? J'ai atterri dans une grande flaque d'eau sale.

— Tu étais couverte de boue. Mais tu t'es relevée, tu es revenue comme une furie dans la maison et tu as failli m'arracher les yeux.

— Je t'aurais tué !

— J'avais envie de te faire l'amour là, tout de suite.

— Enfin… Ça valait la peine d'attendre.

Harriet sourit, plus sereine, et ils replongèrent dans le silence.

Ils me faisaient penser à des vagues qui se retirent puis se jettent sur la grève ; leurs émotions suivaient le même rythme, montant soudain, puis retombant aussi vite. On avait l'impression d'assister à un numéro bien huilé, sauf que Gus et Harriet ne s'étaient pas vus depuis près d'un quart de siècle ; leurs rythmes et leurs harmonies intérieures leur venaient d'instinct, excluant le reste du monde et les gens qui les entouraient, encore aujourd'hui.

Surtout moi.

— Oui, reprit Gus, songeur. Cela valait la peine d'attendre, même si nous savions qu'il faudrait que cela cesse un jour.

— Mais nous étions loin de nous imaginer comment cela se terminerait…, fit remarquer Harriet avec un froncement de sourcils, son euphorie retombant de nouveau.

Dans un profond silence, je demandai :

— Vous avez tué Andrew parce qu'il avait découvert votre secret ?

Un silence encore plus long suivit.

— Oui, répondit Gus.

Mais Harriet intervint.

— Ce n'est pas si simple. (Elle se tourna vers moi, décidée, parlant d'un ton neutre comme lorsqu'elle avait raconté sa première version du meurtre.) Tu sais, Carol, Andrew et moi, nous nous entendions très mal sur le plan sexuel, or nous appartenions à une génération qui était censée goûter aux plaisirs de la chair à tout bout de champ, sans entraves et sans complexes... Nous étions incapables d'admettre qu'il y avait un problème. Andrew rejetait la faute sur moi, évidemment. Il disait que ça allait très bien avec les autres. Or il ne désirait que moi. C'était une obsession. Certains hommes sont comme ça : ils ne peuvent pas coucher avec la femme qu'ils aiment, seulement avec des filles de passage. Je ne l'avais pas compris, à l'époque, et lui non plus. Bref, pendant toute notre liaison, nous n'avons pas dû faire l'amour plus d'une vingtaine de fois. (Elle me regarda fixement.) Donc tu comprends, Carol, quand je suis tombée enceinte...

— Non..., gémis-je en me détournant, incapable de soutenir son regard.

— Si, rétorqua-t-elle, impitoyable. Je savais que l'enfant pouvait être de Gus. À l'époque, il n'y avait aucun moyen de s'en assurer, en tout cas pas par mes propres moyens, même si je l'avais voulu, ce qui n'était pas le cas. Jenny pense qu'Andrew était son père... je m'en tiens là. Et en jonglant avec les dates, c'est une possibilité.

— Elle ressemble un peu à Andrew, intervint Gus.

— Tu trouves ? demanda Harriet avec un sourire. Moi, je n'ai jamais vu de ressemblance. Et puis vous n'étiez pas les seuls, loin de là. Pendant tout l'été, j'avais essayé de me détacher de toi. Je tentais tant bien que mal de me sortir du piège. Ce n'était pas les plaisirs que m'offrait Andrew qui m'auraient changé les idées, alors je saisissais toutes les occasions.

— Tu ne m'avais rien dit ! s'indigna Gus.

— Bien sûr que non. Je n'étais pas idiote.

— Qui y a-t-il eu ?

— Oh, je ne me souviens pas... Un comptable un peu bête. Ce maçon bricoleur qui venait du village pour nous donner un coup de main...

Elle s'interrompit, et j'eus un frisson. Le soleil avait disparu à l'horizon et une brise plus fraîche s'était levée, bruissant à travers les bougainvillées. Harriet ne remarquait rien de tout cela. Elle continua d'un ton léger.

— Ah ! oui, j'oubliais, le type qui venait relever le compteur – mais non, je plaisante. Ce n'est pas drôle, excusez-moi. (Soudain, elle eut l'air épuisée. Abattue et épuisée, comme quelqu'un qui, en effet, est peut-être au seuil de la mort.) Ma pauvre petite Jenny... Alors, Carol, qu'en penses-tu ? Peut-on lui raconter ça, à ton avis ?

Je ne savais plus que dire. Le silence se prolongea.

Harriet se décida enfin à continuer.

— Il fallait bien que je le tue. Je ne l'ai pas attaqué sauvagement, au contraire, j'ai fait ça de sang-froid. Si je me retrouvais face à la même situation, je suis sûre que je recommencerais. Parce qu'il nous a menacés, tu sais. Il était tellement furieux qu'il a juré de le dire à tout le monde. Tu imagines ce qu'aurait été la vie de Jenny après ça ? Je me fichais bien de notre réputation, à Gus et à moi, mais je tenais à protéger Jenny. Elle ne doit jamais rien apprendre.

— Non, c'est vrai, reconnus-je. Il ne faut pas le lui dire.

— Ah, tu vois ! (Elle jeta un petit sourire satisfait à Gus.) L'oracle a parlé. Il arrive que la vérité ne soit pas bonne à dire. Finalement, Gus, elle a vite compris. Ne la laisse pas partir, tu as de la chance.

— C'est peut-être déjà trop tard, rétorquai-je froidement.

Son inquiétude ressurgit.

— Tu allais tout lui raconter, Gus, n'est-ce pas ? (Il hocha lentement la tête.) Ouf ! je ne me serais pas pardonné de gâcher aussi ton mariage.

Mais j'eus l'impression qu'elle était au-delà de ces considérations. Elle rassembla le peu de forces qui lui restaient.

— J'imagine que vous avez envie de vous retrouver seuls. Je vais retourner voir Jenny.

— Elle dort ? demandai-je.

— Non, Brian est avec elle. Quel jeune homme extraordinaire ! Il vous a raconté qu'il avait ressenti la nécessité de venir tout d'un coup ? (Gus fit non de la tête.) Il paraît qu'il s'est réveillé au milieu de la nuit et qu'il a eu l'intuition que la femme qu'il aimait était en danger. Romantique, n'est-ce pas ? Tu savais que tu avais un rival, Gus ?

Gus hocha la tête.

— Brian est le chevalier servant de Carol depuis des années. Si elle avait eu deux sous de jugeote, elle se serait mise avec lui depuis longtemps.

— Eh ! ce n'était pas moi qui étais en danger de mort, intervins-je, mais Jenny. Brian est amoureux de Jenny.

— En es-tu sûre ? demanda Gus. Ils se connaissent à peine !

— Ils ont passé le week-end ensemble quand elle est venue au printemps, et ils sont restés en contact depuis. Brian dit qu'il y a eu quelque chose tout de suite, mais qu'il ne sait pas encore si c'est réciproque.

— Elle l'adore, affirma Harriet. Du moins, c'est l'impression qu'elle m'a donnée. Rien de très surprenant. Il a hérité du charme de son père. Tu te souviens de Jack, Gus ? Il venait... (Elle s'interrompit, devenant blanche comme un linge.) C'est bien le fils de Jack Dray, non ? C'est bien ça ?

— Mais oui, répondis-je.

Harriet réfléchissait, sourcils froncés

— Mon Dieu..., murmura-t-elle. (Elle secoua la tête, comme si elle voulait chasser une pensée inopportune.) Non, reprit-elle avec force. C'est impossible ! Tout à fait impossible !

Elle se saisit de sa canne, et Gus la contempla avec horreur tandis qu'elle se remettait sur pied avec des gestes mal assurés. La possibilité qu'elle venait d'évoquer était trop atroce pour qu'aucun d'entre nous veuille la formuler à haute voix.

— Il faut que je retourne voir Jenny, marmonna-t-elle. Mon pauvre bébé !

Lentement, péniblement, et sans jeter un regard en arrière, elle rentra dans la villa. Gus et moi restâmes encore un peu dehors mais en évitant de nous regarder, et nous n'échangeâmes que des banalités jusqu'à ce qu'il prenne congé, prétextant que je devais être fatiguée, que j'en avais trop fait, et qu'il reviendrait.

Malgré le froid, je n'avais pas encore envie de rentrer. Je m'attardai sur la véranda, regardant le crépuscule monter du vallon, et je réalisai peu à peu que j'étais enfin arrivée à mes fins. Je n'avais guère de raison de m'en réjouir ; j'avais plutôt l'impression d'avoir reçu sur les épaules un poids dont je ne pourrais plus jamais me débarrasser. Comme une idiote, j'étais entrée sans m'en rendre compte dans leur conspiration du silence.

24

Pendant la nuit, des nuages s'amassèrent au-dessus des collines au nord d'El Cortijo Tartessus, et une forte pluie tomba, qui finit d'étouffer les derniers foyers d'incendie. Au matin, une douce odeur de terre humide montait du sol et une fraîcheur automnale pointait dans l'air.

Cette rencontre avec Harriet fut la seule. Elle avait eu un malaise dans la soirée et ne put plus quitter sa chambre. Des guérisseurs confirmés la prirent en charge jusqu'à ce qu'on trouve un moyen de la rapatrier en Angleterre. Le voyage en Espagne et sa rencontre avec Gus avaient épuisé ses dernières forces, ou peut-être n'avait-elle tenu que pour attendre ce moment et s'effondrait-elle maintenant que le but était atteint. Je n'en sais rien.

Gus fut le premier à partir ; il ne resta que jusqu'à l'après-midi suivant. Nous n'eûmes qu'une seule autre conversation, mais qui nous fit beaucoup de mal à tous les deux. Il me dit que si je voulais bien revenir à Grays Orchard, il pensait que nous arriverions à remettre notre mariage sur les rails. Il essaya de m'expliquer que ses sentiments pour Harriet avaient été différents de ce qu'il avait jamais éprouvé pour aucune autre femme ; ce n'était pas exactement de l'amour, mais plutôt l'inévitable réunion de deux moitiés. Il ne se justifia pas sur leur attirance sexuelle, mais il n'en eut pas besoin : j'en avais éprouvé toute la puissance en les voyant. Il m'assura qu'il était devenu un autre homme et qu'il n'y avait aucune raison pour que ce qui était arrivé entre lui et Harriet gâche le bel amour que nous ressentions l'un pour l'autre. Il se fit aussi suppliant qu'un homme comme Gus peut s'abaisser à l'être, et je le savais parfaitement sincère.

Je lui dis que j'avais besoin de temps pour réfléchir, que j'avais éprouvé un choc et qu'il était trop tôt pour que je puisse prendre une décision, mais nous n'y crûmes ni l'un ni l'autre. J'étais incapable de lui dire directement « C'est fini »

Brian et Jenny partirent le lendemain. Je n'avais pas quitté ma chambre de l'Annexe de la régénération à seule fin d'éviter de les rencontrer, mais ils vinrent tout de même me rendre visite. Jenny était transfigurée. Voilà des mois qu'elle fuguait, espérant que soit Harriet, soit Gus, viendrait la chercher, et voilà qu'ils avaient fini par accourir tous les deux. Harriet avait souhaité que Jenny comprenne qu'elle l'avait aimée de son mieux, et ce vœu semblait avoir été exaucé. Jenny m'annonça avec joie que Gus l'avait invitée à venir passer autant de temps qu'elle le voudrait à Grays Orchard. Le connaissant, j'imaginais sans mal ce qu'il avait dû lui en coûter.

Si la réaction de Harriet et de Gus contribuait au bonheur de Jenny, l'amour de Brian y était pour beaucoup plus. Ils allaient si bien ensemble que je ne voyais plus du tout pourquoi je les avais trouvés mal assortis. Mais si Jenny avait changé, Brian aussi était transformé. Ce n'était plus l'amoureux laissé-pour-compte que j'avais connu, mais un prince charmant. Pour l'instant du moins, l'amour faisait d'eux un très beau couple.

Ils voulaient que je me réjouisse pour eux, et j'essayai de rire et de plaisanter pour leur faire plaisir, mais mon secret pesait lourd sur mon cœur. Ils redoublèrent d'efforts pour me rallier à leur cause : Jenny ne me présenta pas directement ses excuses pour son hostilité passée, cependant, elle me laissa entendre qu'elle espérait que nous deviendrions amies. Et Brian s'ingénia à me rassurer, insistant sur le fait qu'il serait toujours là pour moi. Mes réactions durent leur sembler froides parce que j'étais comme paralysée. Maintenant, je comprenais pourquoi la mère de Brian avait eu tant de rancœur en parlant de Harriet. Pendant toute leur visite, les dernières paroles de celle-ci me restèrent en tête : « Mon Dieu, c'est trop horrible. » Jenny et Brian avaient l'air fous de bonheur, mais suivaient-ils sans le savoir les traces de Gus et de Harriet ? Je ne pouvais en aucun cas les avertir ou les dissuader de continuer, mais je ne parvenais pas non plus à partager leur joie. Pour raffiner encore la torture, ils ne pouvaient interpréter ma froideur qu'en y voyant du dépit. Ah ! si seulement cela avait été aussi simple !

Le secret que Harriet et Gus avaient partagé avec moi m'entourait comme un fossé, me séparant de Jenny et de Brian dans leur bienheureuse innocence. Ils avaient beau bavarder, faire des projets, je me sentais lointaine, inaccessible, et ne songeais qu'à les voir partir pour que cesse la comédie.

Quand ils m'eurent laissée et que je me retrouvai seule, je compris ce que vivait Gus depuis que Jenny avait débarqué à Grays et pourquoi il m'avait repoussée ; bien sûr, il était beaucoup trop tard.

Pendant ma convalescence officielle, les Héritiers m'invitèrent à me joindre à leurs activités, mais pendant environ une semaine je restai cloîtrée dans ma chambre. Pour une fois, j'appréciai qu'on s'occupe de moi. C'était une sensation nouvelle qui me gênait parfois, mais à laquelle je me fis très vite, et je prolongeai ma convalescence plus longtemps que ne l'exigeait vraiment mon état de santé, repoussant sans cesse le moment de décider comment refaire ma vie en Angleterre.

Tout ce temps passé seule à réfléchir, je m'en rendis compte, n'avait pas que des côtés positifs, surtout les premiers jours, quand toutes mes pensées me faisaient mal. Je revenais sans cesse sur ce que j'avais appris de Harriet et de Gus. Je comprenais enfin pourquoi les peintures de Gus s'étaient assombries, et pourquoi une impression de danger émanait même des plus lumineuses.

Pendant tout ce printemps et cet été-là, Gus avait essayé de maîtriser son amour obsessionnel pour Harriet. Je m'étais toujours doutée qu'il y avait de l'amour là-dessous, mais, naïvement, j'étais persuadée qu'il s'agissait de Katie, que c'était elle sa muse. On n'aurait guère pu se tromper davantage. Pauvre Gus : sa passion pour Harriet avait été aussi incontrôlable que désastreuse. Si je ne m'étais pas sentie si vide – comme si on avait extirpé de ma poitrine une partie essentielle de mon âme –, j'aurais pu éprouver de la compassion pour eux. Une tristesse immense m'étreignait, mais pas pour Gus. Je pleurais la perte de notre relation et de l'amour qui, dans d'autres circonstances, aurait pu survivre, mais qui maintenant était irrattrapable.

Impossible de revenir en arrière. Malgré les efforts de Gus pour se dissocier des événements de 1976, rien ne pourrait jamais effacer la relation que j'avais vue entre lui et Harriet. C'était plus proche que de l'amour, plus intime que de l'attirance sexuelle. S'ils avaient été élevés ensemble comme frère et sœur, ils auraient pu vivre ce lien sans que la sexualité l'envahisse, mais, ayant eu lieu après leurs vingt ans, leur union avait été irrésistible et catastrophique.

Je comprenais désormais pourquoi l'arrivée de Jenny l'avait démoli. Il n'avait pas voulu la voir à cause de l'inconcevable possibilité qu'elle soit à la fois sa nièce et sa fille. Il avait déversé son angoisse et sa répugnance dans son dernier portrait : Jenny, l'embryon adulte mal formé, émergeant d'une fleur sombre et sensuelle. Chaque fois que cette peinture me revenait à l'esprit, j'avais un haut-le-cœur. Pas étonnant que Jenny se soit enfuie de l'atelier, horrifiée, ni que Gus ait lacéré sa toile.

Mais pourquoi détruire ses autres œuvres ? J'aurais pu réfléchir pendant des heures sur les différentes raisons qui l'avaient poussé à les mettre en lambeaux. Peut-être était-ce parce que la lumière transcendantale de sa vision originelle avait été corrompue par le souvenir de ce qu'il avait fait ? Mais comment le savoir ? Je perdais mon temps. La dernière hypothèse à laquelle je me risquai était que Gus ne le savait pas lui-même.

Pour moi, accepter de ne pas savoir, de ne plus chercher de raisons à tout était nouveau ; ce n'était pas facile.

Une fois Gus, Harriet et les autres partis, et quand je cessai de revenir de façon obsessionnelle sur les événements, je me mis à apprécier mes hôtes. Le Cercle interne semblait considérer que j'avais plus que rattrapé mes premières trahisons avec Tim en sauvant la vie de Jenny et en empêchant l'enlèvement de Davy. En fait, je jouissais même d'un certain prestige, ce qui signifiait que je n'étais pas obligée de travailler, même si on m'encourageait à me joindre aux groupes de méditation, à assister aux conférences et à participer aux autres activités. Personne ne fit la moindre tentative pour me convaincre d'entrer dans le groupe, ce qui ne me surprit finalement pas. Les Héritiers d'Akasha tenaient à rester une petite élite, difficile à rejoindre et facile à quitter : seuls les vrais appelés étaient les bienvenus.

J'appris à connaître Serafa. En fin de compte, son attitude réservée, que j'avais prise pour du mépris, n'était que de la timidité. Elle s'adressait sans aucune difficulté à une salle de cinquante personnes, mais redoutait les face à face quand elle ne connaissait pas bien son interlocuteur. Après m'avoir côtoyée environ une semaine à la villa, elle s'habitua à moi. J'appris que son prénom, dans le monde corrompu qu'elle avait quitté, était Dawn, et qu'elle était née d'une mère moitié irlandaise moitié antillaise, et d'un père taïwanais. Fatalement, elle avait connu un grave problème d'identité avant d'être convertie par Ra et Palu. Maintenant que celle-ci avait été rétrogradée, Serafa devenait la seule personne assez proche de Ra pour interpréter son silence, ce qui bien entendu lui donnait un pouvoir immense sur toute l'organisation.

Mes hésitations s'étant prolongées, je pus assister aux cérémonies du Serment de fidélité à la pleine lune, un événement si insolite que je ne sais toujours pas qu'en penser. C'était un ramassis d'idioties, bien entendu – une bande d'hallucinés lâchés dans le temple au soleil couchant, qui tapaient sur des tambourins en chantant et en sautant jusqu'à ce que certains tombent vraiment en transe. Cela faisait peur. Mais, par honnêteté, je dois admettre que cette cérémonie est l'une des expériences les plus mémorables que j'aie jamais vécues. Après avoir écouté les rythmes complexes des percussions pendant près d'une heure, j'eus l'impression extraordinaire qu'une peau dure dans laquelle j'étais enfermée depuis très longtemps se désagrégeait et tombait, me libérant. Quand cela arriva, nous déambulions dans le noir, nous donnant l'accolade et échangeant le Salut de loyauté : « Rendez-vous après la Submersion ! » accompagné de son invariable réplique : « La vie va continuer ! » À un moment, j'eus une révélation : je compris ce que c'était que d'être une abeille, à la fois entité distincte et parcelle d'un ensemble beaucoup plus grand et plus complet. Le bonheur inouï que cette découverte me procura est impossible à décrire, mais il était bien réel.

Et puis, au début du mois de novembre, Tim fut ramené de l'hôpital. Les séquelles qu'il gardait de l'électrocution étaient irréversibles, affectant sa liberté d'expression et de mouvement. Deux guérisseurs, anciens kinésithérapeutes, mirent au point un programme de rééducation, mais ils ne nourrissaient pas grand espoir de le faire remarcher. J'aurais trouvé insoutenable de le voir réduit à cet état d'impuissance si je ne m'étais pas souvenue qu'il avait failli nous assassiner, Jenny et moi, et qu'il avait menacé de tuer son propre fils plutôt que de le laisser grandir avec sa grand-mère chez les Héritiers d'Akasha. Dès que je sentais poindre la pitié, une aiguille de glace se fichait dans mon cœur.

Katie lui prodiguait des soins dévoués. C'était un peu comme si on lui avait rendu son gentil petit garçon. Davy apprit à grimper sur les genoux paralysés de son père et à bavarder gaiement sans attendre de réponse. Entre le mutisme de Ra et à présent celui de son père, le pauvre enfant risquait de grandir en se faisant une bien étrange idée des capacités de communication masculines ; heureusement, il y avait bien assez de bavards parmi les adeptes pour compenser.

Puis il fallut partir. J'avais discuté brièvement au téléphone avec Brian et Gus pour leur apprendre que je rentrerais à Sturford juste le temps de mettre en ordre mes affaires. Gus me fit part de sa décision de mettre Grays Orchard en vente et Brian me dit que, si je n'y voyais pas d'inconvénient, il avait l'intention de s'en porter acquéreur pour y vivre avec Jenny après leur mariage. Notre vieille idée de construire six maisons dans le verger du bas, ce même projet qui m'avait fait rencontrer Gus, allait finalement se réaliser.

Le soir de mon départ, un des aides permanents vint m'avertir que Ra souhaitait me recevoir. J'étais tellement imprégnée par les mœurs du groupe que je fus comblée par l'honneur qu'il me faisait : Ra n'accordait d'audiences privées qu'une ou deux fois par an, et encore.

Vêtue d'un jean et d'un pull en prévision de mon voyage du lendemain, je me demandais si je devais sortir une tenue plus appropriée de ma valise quand l'aide me pressa, déclarant qu'on ne faisait pas attendre Ra. Je suivis donc mon guide, un ex-plombier de Boston chargé de l'entretien général de la villa, qui me fit monter un escalier en colimaçon. En haut, la porte était entrouverte. Il la poussa sans frapper, puis s'effaça pour me laisser passer. Une fois à l'intérieur, j'entendis le clic de la clenche qui retombait.

Éclairée sur quatre côtés, la pièce était baignée d'une lumière dorée de soleil couchant si éblouissante qu'il me fallut un moment pour repérer Ra. Il était assis tout au bout sur une sorte de mince coussin à billes blanc. Un pouf Sacco bleu lui faisait face, à environ un mètre, et il me fit signe de m'y asseoir.

Je ne sais trop à quoi je m'étais attendue : à une imposition des mains inspirée, peut-être, ou à des avances sexuelles. En tout cas, pas à entendre une voix nasillarde.

— Alors Carol, dis-moi, tu vas rester avec Gus ou quoi ?

— Pardon ? Mais tu as parlé ! m'exclamai-je niaisement.

Il sourit en tripotant sa fine moustache.

— Je peux le faire, tu sais. Le problème, c'est que ma voix n'est pas mon point fort, tu saisis ? On ne peut pas vraiment dire qu'elle me mette à mon avantage.

C'était vrai. Sa voix évoquait davantage celle d'un démarcheur roublard que celle de l'incarnation de l'Esprit divin, mais je m'abstins de l'approuver.

— Palu et moi, continua-t-il, on a remarqué il y a des années que ça jetait un froid quand je parlais et que ma voix détournait les gens de mon message. Alors on s'est dit qu'il valait mieux que je la ferme. En fait, on a vu que les gens étaient réceptifs au silence. Et une fois qu'on a eu commencé, il a bien fallu continuer, mais ça ne me dérange pas.

— Mais le Livre akashique ?

— Tout est là-dedans ! déclara-t-il en se tapotant le front. Ça me vient tout seul. Alors, tu te remets avec Gus ?

— Non, c'est fini.

— J'en étais sûr. Pauvre Gus, ça va lui fiche un coup. Il a un cœur tellement grand, et il t'adore. Enfin, c'est sa faute, aussi. Il ne peut pas s'empêcher de tout foirer, voilà son problème. C'est un tendre, même si on ne le voit pas au premier abord.

— Arrête, je vais avoir pitié de lui et après...

— Non, ne perds pas ton temps, Gus est un grand garçon. Il est là ton point faible, hein ? Tu prends les gens en pitié, et ils en profitent. C'est comme ça que ce cinglé de Fairchild t'a mis le grappin dessus.

— Comment le sais-tu ?

— Oh, je sais tout un tas de trucs sur toi.

La phrase n'était pas menaçante, mais elle me mit pourtant mal à l'aise. Il y avait un tel contraste entre cette voix haut perchée de gamin et ces yeux si sombres, si veloutés et si pro fonds, qu'on pouvait presque croire qu'il entrait vraiment en communication avec d'autres mondes.

— Tu as toujours su, pour moi et Tim ?

Il sourit.

— Peu importe. Il est inutile de ruminer tout ça. Il vaut mieux penser à l'avenir et à ce que tu vas faire après.

— Je ne retourne pas à Sturford. Brian peut très bien diriger l'entreprise sans moi. Je voudrais suivre une formation, si ce n'est pas trop tard. J'ai toujours aspiré à un travail où l'on vient en aide aux gens, mais je ne sais pas si j'en serais capable. Dernièrement, tout ce que j'ai fait a tellement mal tourné...

— On traverse tous des mauvaises passes, c'est normal, mais il ne faut pas te laisser abattre, va. Il est important que tu saches ce qui te motive. Toi, par exemple, tu es du genre à vouloir soigner les bobos des autres, parce que c'est la seule façon que tu aies trouvée pour ne plus souffrir toi-même.

— Mais... (Je m'interrompis, cessant soudain de protester en réalisant qu'il avait raison. J'étais stupéfaite.) Comment le sais-tu ?

— Je t'ai bien dit que je sais plein de trucs sur toi.

Rapide et adroit comme un chasseur qui écorche un lapin, il me parla de ma famille et des responsabilités que j'avais endossées dès le plus jeune âge. J'avais pris la place de ma mère quand elle était partie, renonçant à mon envie de changer d'air et d'apprendre un métier afin de m'occuper de mon père et de son entreprise. Il dit aussi que Gus et Tim m'avaient attirée parce qu'ils avaient besoin de moi.

— Il n'y a aucun mal à ça, ajouta-t-il gentiment. Il suffit que tu en sois consciente, mais ce n'est pas grave. Tu serais super dans un boulot qui mettrait en valeur tes qualités. Un jour, tu pourrais même revenir ici, nous serions ravis de t'accueillir.

— Merci, mais je ne crois pas que je reviendrai.

Pendant que je méditais ma réponse, Ra lança soudain une question.

— Tu savais que Gus avait des visions ?

— Il m'en a raconté une.

— Dans le verger, à Grays. C'est ça. Je l'enviais. Il t'a parlé de notre voyage en Inde ?

— Oui.

— Gus était mon meilleur pote. Je regrette qu'il soit parti, mais enfin, je suis content de l'avoir revu. C'est drôle, hein, j'ai passé des années à attendre que mes amis rappliquent, Gus et les autres. J'étais persuadé que le jour de la Submersion on serait tous ensemble, comme à Grays. On reconstruit le souvenir qu'on a des gens dans sa tête. Quand ils ont tous été là, j'ai compris que, finalement, leur présence n'avait pas tellement d'importance. Lui et Harriet sont de braves gens comme tout le monde. Gus est le seul à avoir été solidaire quand la police a essayé de me coller le meurtre sur le dos. Les flics m'ont bien malmené, tu sais. Et pourtant, je peux les remercier puisque je me suis lancé dans mon aventure grâce à toute cette histoire. Quand on y pense, c'est eux qui m'ont mené ici.

— Tu sais qui a tué Andrew ?

— Je te l'ai dit, tout ça appartient au passé. Sauf ce qu'on n'arrive pas à oublier. De toute façon, tout est écrit dans le Grand Livre. Attends, je vais te montrer quelque chose.

Il se leva avec souplesse et traversa la pièce pour aller à la baie vitrée qui ouvrait vers l'ouest. Le soleil avait presque disparu derrière la mer. Il ne restait qu'une bande rouge au-dessus de la ligne sombre de l'horizon.

— Le matin et le soir, c'est le meilleur moment pour la voir, dit-il en prenant une paire de jumelles sur l'appui de la fenêtre et en la mettant devant ses yeux. (Il chercha un moment, puis son sourire s'effaça.) Ce n'est pas très clair, aujourd'hui. Regarde si tu trouves quelque chose.

— Qu'est-ce qu'il faut chercher ? demandai-je en collant les jumelles à mes yeux et en les réglant.

— Regarde et dis-moi ce que tu vois.

Il souriait de nouveau, ravi comme un gamin qui vient de recevoir un joujou.

— Je vois les collines... Elles commencent à reverdir. Et quelques arbres. Et la mer, bien sûr, mais je ne vois pas de bateaux parce que c'est trop loin. Et les dernières lueurs du soleil.

— Rien d'autre ?

— Non, rien.

Il poussa un soupir, reprit les jumelles, les remit à ses yeux pour jeter un dernier coup d'œil, puis les reposa.

— Il y avait bien quelque chose, certes pas très distinct. Mes yeux ne sont plus aussi bons qu'avant, c'est ça le problème. Je pensais que tu aurais plus de chance que moi parce que les Aspirants ont souvent une bonne vue. D'habitude, on aperçoit juste une tour, ou une flèche, mais parfois c'est toute la silhouette de la ville.

— Quelle ville ?

— L'Atlantide. Bien sûr, comprends-moi bien, je ne veux pas dire qu'elle est là, matériellement, comme si on pouvait y aller en bateau ou la toucher. Mais n'empêche, ça ne la rend pas moins réelle. Comme une trace fantôme. Les choses importantes ne disparaissent jamais. Je l'ai vue des tas de fois. Mais plus autant ces derniers temps, ajouta-t-il avec regret. C'est dommage.

Je descendis les larges degrés de la villa pour aller à ma voiture. Katie avait poussé Tim dans son fauteuil pour m'attendre devant la maison. Je ne l'avais jamais vue en aussi bonne forme, et, maintenant que Tim était rentré de l'hôpital, elle avait l'air réellement heureuse. En travaillant, elle chantait sans arrêt des chansons des années soixante et soixante-dix. J'évitais le contact avec Tim autant que possible, et personne n'avait aucun moyen de savoir ce qu'il pensait, mais parfois une ombre passait dans son regard, qui me donnait à penser qu'il n'appréciait guère ce déluge de Joni Mitchell et des Stones.

Katie me serra dans ses bras avec chaleur, puis je montai en voiture et retraversai la propriété à faible allure, dépassant le Potager lunaire, le Temple de l'Atlantide, les Hespérides, puis le bâtiment de la réception. Partout alentour, en ce milieu de matinée, les adeptes travaillaient la terre, faisaient de la maçonnerie, se disputaient et riaient en se préparant à la fin du monde, et je me demandai, d'eux ou de moi, qui était fou.

Le portail s'ouvrit et je franchis les Colonnes d'Hercule, tournant sur la route principale. Il n'y avait pas une voiture en vue, mais aussitôt, sans raison, j'eus l'impression de respirer un autre air – plus rassurant, plus terne, aussi.

Sur le chemin de l'aéroport de Málaga et pendant le vol du retour, je cherchai des réponses aux interrogations laissées en suspens, mais sans succès.

On préfère les fins bien nettes, comprendre ce qui s'est passé exactement. Mais qui saurait tout expliquer ? Pas moi en tout cas. Avant de me retrouver chez les Héritiers d'Akasha et de découvrir le secret qui avait empoisonné notre amour, à Gus et à moi, je pensais qu'on pouvait arriver à bout de tout à condition de se donner un peu de mal. J'ai appris, entre autres enseignements, qu'il y a beaucoup de choses que je ne saurai jamais.

Je ne saurai pas si Lucy est morte accidentellement, ou si elle a été victime du premier accès de folie meurtrière de Tim ; l'hypothèse est plausible, mais nous n'aurons jamais de preuve. Je ne saurai pas si Palu a mal dirigé l'ouverture manuelle du portail intentionnellement, ou si elle s'est vraiment trompée. Et je ne saurai pas non plus ce qui a attiré Brian à Tartessus. Il s'agit sans doute d'une coïncidence, mais je n'en jurerais pas. Et même après mon tête-à-tête avec Ra, je ne saurais dire si c'est un fou, un manipulateur, un vrai visionnaire, ou un peu des trois à la fois. Comme je viens de le dire, autrefois je pensais qu'on pouvait élucider ce genre d'énigmes ; maintenant j'apprends à vivre avec mes incertitudes.

Une pluie fine et dure tombait sur Gatwick à l'atterrissage. Dans la gare, l'employé du guichet était apathique et désagréable, et derrière moi, dans la file d'attente, une dame bien habillée s'impatienta pendant que je fouillais au fond de mon sac pour trouver mon argent anglais. Moi, je pensais à un homme qui avait eu une révélation, et dont la vie avait viré au cauchemar quand il était tombé amoureux de la seule femme qui lui était interdite ; je pensais à un garçon dont j'avais méprisé l'amour trop longtemps ; je pensais à l'Invocation lunaire, à l'AquaMed et à l'Horloge akashique. Et je pensais à l'avenir, aux possibilités qui s'ouvraient à moi maintenant que je quittais Sturford.

Te voilà revenue à la réalité, me dis-je avec un certain amusement.

Mais pendant tout le trajet vers Londres, je m'interrogeai, et je m'interroge toujours.

La réalité... quelle réalité ?

Remerciements

Je dois un grand merci à tous les amis qui ont pris le temps de répondre à mes questions : Dee pour les métiers du bâtiment ; Ken pour les techniques de survie ; Russell pour les branchements électriques ; Kate pour les données médicales, et mon cousin Chris pour ses précieuses informations et documents traitant des nouveaux mouvements religieux.

Achevé d'imprimer sur les presses de

BUSSIÈRE
GROUPE CPI

à Saint-Amand-Montrond (Cher)
en mars 2005
pour les Éditions Belfond
12, avenue d'Italie
75013 Paris

Composé par Nord Compo
à Villeneuve-d'Ascq

N° d'édition : 3959. — N° d'impression : 051413/1.
Dépôt légal : mars 2005.

Imprimé en France